Cosmopolite 2

Méthode de français **A2**

Nathalie Hirschsprung

Tony Tricot

Avec la collaboration
de Anne Veillon (Sons du français)
Émilie Pardo (S'exercer)
Nelly Mous (DELF)

hachette
FRANÇAIS LANGUE ÉTRANGÈRE

Couverture : Nicolas Piroux

Conception graphique : Eidos, Anne-Danielle Naname

Mise en pages : Anne-Danielle Naname, Juliette Lancien

Secrétariat d'édition : Sarah Billecocq

Illustrations : p. 16 : Gabriel Rebufello — p. 116 : Caroline et Élodie Darty

Cartographie : AFDEC

Enregistrements audio, montage et mixage : Studio Quali'sons — David Hassici

Maîtrise d'œuvre : Françoise Malvezin, *Le Souffleur de mots*

Tous nos remerciements à Emmanuelle Garcia

ISBN : 978-2-01-401599-7

© HACHETTE LIVRE, 2017
58, rue Jean-Bleuzen, 92178 VANVES
http://www.hachettefle.fr

Avant-propos

Cosmopolite 2 s'adresse à un public de grands adolescents et adultes. Il correspond au niveau A2 et au tout début du niveau B1 du CECRL et représente 120 heures d'enseignement/ apprentissage.
À la fin de **Cosmopolite 2**, les étudiants peuvent se présenter à l'épreuve du DELF A2.

Cosmopolite 2 est le fruit de notre expérience d'enseignants et de formateurs en France et à l'étranger, ce qui nous a conduits à envisager le français comme « langue internationale ». Nous avons donc choisi de proposer « un tour du monde » des pays où la langue française est présente, tout en considérant la France et les pays francophones.
Ainsi, nous avons sélectionné des supports permettant :
– de faire découvrir progressivement la langue et la culture françaises en contexte ;
– de procurer aux étudiants un « mode d'emploi » pour entrer en contact avec des Français et des francophones.

Nous souhaitons à tous un beau « tour du monde » et une expérience gratifiante d'enseignement et d'apprentissage de la langue française avec **Cosmopolite**.

Nathalie Hirschsprung et Tony Tricot

Cosmopolite 2 est composé de 8 dossiers.
Ces huit dossiers comportent :

• **Une double page d'ouverture**
L'objectif est d'annoncer la thématique du dossier, de faire le point sur les représentations des étudiants de français, de valoriser et de mutualiser leurs connaissances et expériences antérieures. Cette double page présente également un contrat d'apprentissage, qui illustre la **perspective actionnelle** dans laquelle s'inscrit la méthode. En effet, **deux projets** sont proposés au début du dossier (un projet de classe et un projet ouvert sur le monde). Pour les réaliser, les étudiants vont acquérir et/ou mobiliser des **savoirs, savoir-faire, savoir agir** et des **compétences générales, langagières** et **culturelles**.

• **6 leçons (une double page = une leçon)**
Chaque leçon a pour objectif de faire acquérir les compétences nécessaires à la réalisation des projets. Elle plonge les utilisateurs dans un **univers authentique** où la langue française est utilisée en contexte, un peu partout dans le monde. Une typologie variée de supports et de discours (écrits et audio) leur est proposée, accompagnée d'une **démarche inductive** de compréhension des situations, d'acquisition de compétences langagières (conceptualisation grammaticale et lexicale) et de savoir-faire. L'**expression écrite et orale des étudiants** est sollicitée au moyen d'activités intermédiaires et de tâches finales, à réaliser de manière collaborative.

• **Une double page *Cultures***
En amont des projets, la double page *Cultures* met en regard les différences culturelles entre la France, les pays francophones et les pays des étudiants. Elle fait aussi émerger les différentes formes de présence française et francophone dans leurs pays.

• **Une double page *Projets* et *Évaluation***
La page *Projets* est consacrée au projet de classe. Elle propose un guidage facilitant. Le projet ouvert sur le monde, mentionné en fin de page, est développé dans le guide pédagogique.
La page *Évaluation* propose une évaluation formative qui prépare au DELF A2. Elle est complétée par un portfolio dans le cahier d'activités et des tests dans le guide pédagogique.

Cosmopolite 2 met également à disposition des activités de **médiation** et de **remédiation**. Celles-ci se présentent sous deux formes :
– les *Expressions utiles pour...*, signalées dans chaque leçon après la tâche finale, et placées en annexe du manuel. Elles visent à étoffer les productions ;
– la rubrique *Apprenons ensemble !*, dans chaque dossier, place la classe en situation d'aider un(e) étudiant(e) à corriger ses erreurs et suscite une réflexion commune sur les stratégies d'apprentissage.

Les démarches que nous suggérons sont structurées et encadrées, y compris dans les modalités de travail. Nous avons eu à cœur d'offrir des parcours clairs et rassurants, tant pour l'enseignant que pour l'étudiant.

1 Structure du livre de l'élève

- **8 dossiers** de 6 leçons

- **Des annexes :**
  - des activités d'entraînement (grammaire, lexique et phonétique)
  - des expressions utiles pour aider à réaliser les tâches finales
  - une épreuve complète DELF A2
  - un précis de phonétique avec des activités
  - un précis grammatical
  - des tableaux de conjugaison
  - une carte de la France, une carte de l'Europe et un plan de Paris

- Un **lexique alphabétique multilingue** et les **transcriptions** dans un livret encarté

2 Descriptif d'un dossier (18 pages)

Une ouverture de dossier active

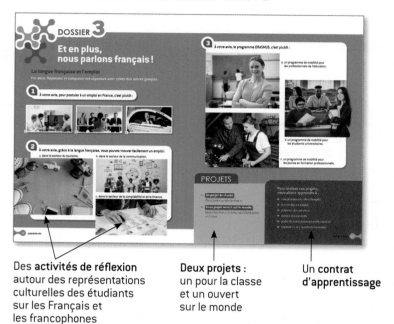

Des **activités de réflexion** autour des représentations culturelles des étudiants sur les Français et les francophones

Deux projets : un pour la classe et un ouvert sur le monde

Un **contrat d'apprentissage**

6 leçons d'apprentissage : 1 leçon = 1 double page

Les **savoir-faire**

Des **documents visuels oraux et écrits authentiques** présentant des situations actuelles et ouvertes sur le monde

Des **activités d'écoute et de production orale** pour un travail régulier sur la phonétique, la prosodie et la phonie-graphie

Des rubriques *Apprenons ensemble !* pour un travail de remédiation collaboratif

Des tâches finales *À nous !* pour structurer l'apprentissage

Des **activités intermédiaires de production** pour préparer à la tâche finale et ponctuer l'apprentissage

Des rubriques *Focus langue* pour une approche inductive et approfondie de la langue

Des **tableaux linguistiques clairs et synthétiques** pour faciliter la mémorisation

Des **renvois** vers les pages *S'exercer* pour s'entraîner

Une leçon *Cultures*

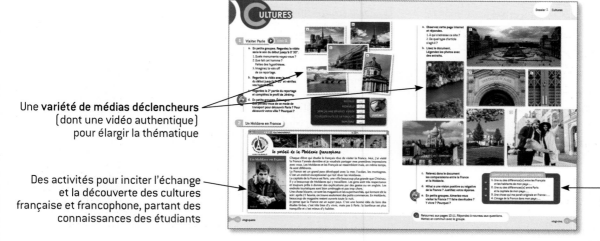

Une **variété de médias déclencheurs**
(dont une vidéo authentique)
pour élargir la thématique

Des activités pour inciter l'échange
et la découverte des cultures
française et francophone, partant des
connaissances des étudiants

Des questions pour
alimenter les projets
et enrichir le carnet
culturel de l'étudiant

Une page *Projets*

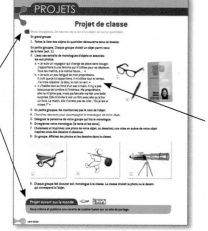

Deux projets
à réaliser
de manière
collaborative

Des consignes
claires
et un guidage
pas à pas

Une page DELF

Un bilan du dossier
organisé
par compétence.

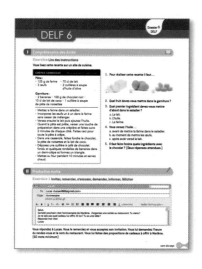

3 Contenus numériques

❯ Avec ce manuel :

➕ un DVD-ROM encarté avec l'audio
et les vidéos

➕ un accès au Parcours digital®
avec 300 activités autocorrectives
complémentaires à télécharger

Cosmopolite est aussi disponible en manuel
numérique enrichi.

❯ Pour l'étudiant :
- le livre de l'élève
- le cahier d'activités
- tous les audios et toutes les vidéos

❯ Pour le professeur :
- le livre de l'élève
- le cahier d'activités
- les médias associés
- tous les audios et toutes les vidéos
- le guide pédagogique

TABLEAU DES CONTENUS

LEÇONS	Types et genres de discours	Savoir-faire et savoir agir	Grammaire	Lexique	Sons du français
DOSSIER 3 – Et en plus, nous parlons français !					
1 Poste à pourvoir	Offres d'emploi 🎧 Entretiens d'embauche	Comprendre une offre d'emploi		– Décrire des compétences et qualités professionnelles – Des mots liés à l'entretien professionnel	Les sons [s] et [z]
2 Je me présente…	Site Internet 🎧 Conversation	Rechercher un emploi	– Les articulateurs pour structurer le discours	– Des mots liés à la candidature professionnelle (spontanée)/à l'entretien téléphonique	
3 La nouvelle économie	Site Internet 🎧 Chronique radio	Proposer ses services	– Les adverbes : adverbes réguliers et irréguliers (-amment/-emment) pour donner une précision	– Des mots liés à l'échange de services	
4 Nous osons !	CV Article de presse 🎧 Chronique radio	Donner des conseils	– L'hypothèse avec si pour donner des conseils et indiquer une conséquence	– Des mots liés aux études et à l'expérience professionnelle (CV)	
5 Francophonies	Témoignage 🎧 Interview radio	Parler de son parcours professionnel	– Le plus-que-parfait pour raconter des événements passés	– Des mots liés aux études et au parcours professionnel	La dénasalisation
6 Parlez-nous de vous	Offre de stage 🎧 Entretien d'embauche Article de presse	Répondre à des questions formelles	– Poser des questions en situation formelle. Les adjectifs indéfinis pour exprimer la quantité (1) : tout, quelques, plusieurs	– Des mots liés à l'entretien professionnel (descriptif d'un stage, qualités professionnelles)	La prononciation de tout et tous
Cultures	Destination francophonie ▶ Tous bilingues ? **Pays visités :** Cambodge, Allemagne, Thaïlande, Canada, Viêt Nam, Angleterre, Espagne, France				
Projets	**Un projet de classe :** Postuler à « un job de rêve ». **Un projet ouvert sur le monde :** S'entraîner à un entretien d'embauche en France.				

LEÇONS	Types et genres de discours	Savoir-faire et savoir agir	Grammaire	Lexique	Sons du français
DOSSIER 4 – Nous échangeons sur nos pratiques culturelles					
1 Silence, on tourne !	🎧 Interview Article de presse	Exposer, nuancer et préciser des faits	– La place de l'adverbe (temps simple et composé)	– Des mots liés aux séries – Quelques mots et expressions pour exprimer un succès	
2 Faites de la musique !	Forum culturel 🎧 Émission de radio	Rendre compte d'un événement	– Ce qui/ce que… c'est/ce sont… pour mettre en relief	– Des mots liés aux événements festifs (fête de la musique) et culturels	Le son [r]
3 La culture et nous	Enquête Infographie 🎧 Chronique radio	Répondre à une enquête	– Les pronoms interrogatifs (lequel, laquelle, lesquels, lesquelles) pour demander une information ou une précision	– Présenter les résultats d'une enquête, exprimer un pourcentage – Décrire une classe d'âge, une tranche d'âge – Des mots liés à la vie culturelle (1)	
4 La France s'exporte	🎧 Émission de radio Article de presse	Faire une appréciation	– Le superlatif pour exprimer la supériorité ou l'infériorité	– Des mots liés à la vie cuturelle, au monde du spectacle (2)	Les sons [y], [ø] et [u]
5 Vous aimez la BD ?	Interview 🎧 Conversation	Demander des explications	– Les formes de l'interrogation pour poser des questions à l'écrit et à l'oral (question inversée avec reprise du sujet par un pronom)	– Des mots liés à la bande dessinée	
6 Quel cirque !	Forum 🎧 Émission de radio	Exprimer des souhaits et donner des conseils	– Le conditionnel présent pour exprimer un souhait et donner un conseil (1)	– Des mots liés aux spectacles vivants – Quelques mots et expressions pour donner des conseils et exprimer des souhaits	La prononciation à l'imparfait et au conditionnel
Cultures	Un nouveau roi à Versailles ▶ Le cinéma français à l'étranger **Pays visités :** Suède, Belgique, France, Chine, Canada, Mexique				
Projets	**Un projet de classe :** Créer une enquête sur notre consommation médiatique. **Un projet ouvert sur le monde :** Partager nos découvertes culturelles avec une autre classe.				

TABLEAU DES CONTENUS

DOSSIER 7 – Nous nous souvenons… et nous agissons !

LEÇONS	Types et genres de discours	Savoir-faire et savoir agir	Grammaire	Lexique	Sons du français
1 Ils écrivent en français	Article de presse 🎧 Interview radio	Comprendre un récit	– Le passé composé, l'imparfait, le plus-que-parfait pour construire un récit au passé	– Parler de son rapport à la langue – Présenter un écrivain francophone	
2 Bilingues !	Site Internet 🎧 Interview radio	Raconter un souvenir	– Quelques structures pour indiquer un moment précis (*à partir du moment où*, le jour où, etc.) et une durée dans le temps (*pendant, jusqu'à présent*)	– Des mots liés au monde du travail	Les sons [u] et /O/
3 Mémoires	🎧 Interview radio Témoignage biographique	Exposer une suite de faits	– Les prépositions et les marqueurs temporels pour situer dans le temps (synthèse)	– Des mots liés aux souvenirs, à la mémoire	Les sons [k], [g] et [ʒ]
4 Moi, j'y crois !	🎧 Conversation Site Internet	Défendre une cause	– La cause et la conséquence pour justifier un engagement (*grâce à, c'est pour ça que, comme, alors, donc, c'est pourquoi…*)	– Des mots liés à la vie associative et à l'engagement associatif	
5 Agir pour la nature	Webzine 🎧 Conversation	Formuler une critique et proposer des solutions	– Les prépositions (*à, de*) pour relier un adjectif à son complément	– Des mots liés à la protection de la nature	
6 Vous en pensez quoi ?	Forum 🎧 Conversation	Demander et donner un avis	– *de plus en plus / de moins en moins* pour parler d'une évolution	– L'exclamation pour donner son avis – Des mots liés aux associations et au vivre ensemble	L'intonation expressive dans la phrase exclamative
Cultures	*Demain* ▶ S'engager pour quoi faire ? Ce que les Français en pensent **Pays visités :** Canada, Afghanistan, Viêt Nam, États-Unis (New York, Utah), Islande, Brésil, France				
Projets	**Un projet de classe :** Décrire un lieu et parler de son évolution dans le temps. **Un projet ouvert sur le monde :** Créer et diffuser un dépliant pour défendre une cause.				

DOSSIER 8 – Nous nous intéressons à l'actualité

LEÇONS	Types et genres de discours	Savoir-faire et savoir agir	Grammaire	Lexique	Sons du français
1 Original !	Article de presse 🎧 Chronique radio	Parler de faits d'actualité	– La forme passive pour mettre en valeur un élément	– Termes liés à l'actualité, à l'information	
2 Actu du jour	🎧 Journal radio Faits divers	Comprendre des informations dans la presse	– La nominalisation pour mettre en avant une information	– Des mots liés aux faits divers	Les sons [ø] et [œ]
3 Nous réagissons !	Courrier des lecteurs 🎧 Débat radiophonique	Réagir et donner des précisions	– Le gérondif pour donner des précisions	– Quelques structures pour réagir, inciter à agir	
4 Vous en pensez quoi ?	🎧 Micro-trottoir Article de presse	Faire des suggestions	– Le conditionnel (2) et quelques structures pour faire des suggestions (*suggérer de, proposer de*)	– Des mots liés aux comportements et aux attitudes (dépendance au portable)	Liaison ou enchaînement ?
5 Pour un monde meilleur	Article de presse 🎧 Micro-trottoir	Exprimer des souhaits et des espoirs	– Le subjonctif (2) pour exprimer des souhaits et quelques structures pour exprimer l'espoir	– Des mots liés à la protection de la nature	La prononciation des verbes au subjonctif
6 Prix littéraires	Article de presse 🎧 Émission de radio	Parler de l'actualité littéraire	– Les valeurs du pronom *on*	– Des mots liés à l'actualité littéraire, parler d'un livre qu'on apprécie	
Cultures	L'actualité autrement ▶ Gaël Faye, *Petit Pays* **Pays visités :** Australie, Luxembourg, Maurice, Maroc, France				
Projets	**Un projet de classe :** Écrire au *Courrier des lecteurs* d'un journal ou d'un magazine. **Un projet ouvert sur le monde :** Écrire un article sur un sujet d'actualité pour le publier dans un journal citoyen.				

DOSSIER 1

Nous allons pratiquer notre français en France

Les voyages en France

Par deux.
Vous souhaitez voyager en France. Répondez.

1 Pour préparer un voyage en France, vous consultez :

a. des professionnels.

b. des amis ou des connaissances en France.

c. des sites Internet des forums ou des applications.

2 Quel type de logement allez-vous choisir ?

a. classique

b. collaboratif

c. insolite

3 Sur place, comment allez-vous choisir vos activités ?

a. Avec l'aide de personnes que vous connaissez.

b. Avec l'aide de l'office de tourisme.

c. Avec l'aide de sites qui proposent des idées originales et bon marché.

Comparez vos réponses avec celles des autres groupes.

PROJETS

- **Un projet de classe**

  Planifier un voyage en France.

- **Et un projet ouvert sur le monde**

  Échanger notre logement
  sur www.guesttoguest.fr.

Pour réaliser ces projets, nous allons apprendre à :

► comparer des séjours linguistiques

► faire une démarche administrative

► organiser un circuit

► nous informer sur un hébergement

► décrire un lieu

► donner des précisions

LEÇON

1 On y va ?

Comparer des séjours linguistiques

IMMERSION FRANCE
Mobile App

LES MEILLEURS PROGRAMMES D'IMMERSION
POUR AMÉLIORER VOTRE FRANÇAIS
ET DÉCOUVRIR LA FRANCE

– une sélection … dans toutes les régions de France et d'Outre-mer ;
– au total … ;
– … adaptés à vos besoins.

5

En petits groupes.
En classe, utilisez-vous des applications ou des sites pour progresser en français ?

a. Groupes « oui ». Faites la liste des applications ou des sites que vous utilisez. Que permettent-ils de faire ?

b. Groupes « non ». Réfléchissez à ce qui vous intéresse (trois propositions).

Exemple : *réviser la conjugaison.*

Cherchez si des applications ou des sites existent pour vos propositions.

c. Mettez en commun. Faites la liste des applications et des sites utiles à la classe.

1. Par deux. Observez cette publicité.
À votre avis, de quoi s'agit-il ?

document 1 🎧 2 et 3

2. 🎧▸2 Écoutez la 1ʳᵉ partie de la conversation (doc. 1).
Qui parle ? À qui ? Où sont-ils ?

3. 🎧▸2 Réécoutez (doc. 1) et répondez.
a. Quel est l'objectif de l'étudiant ?
b. Pourquoi veut-il étudier dans un pays francophone ?
c. Qu'est-ce qu'il demande à l'employée ?
d. Qu'est-ce que l'employée lui propose ?

4. 🎧▸3 Par deux. Écoutez la 2ᵉ partie de la conversation (doc. 1). Complétez le descriptif de l'application. Aidez-vous de la transcription si nécessaire.

Immersion France, c'est :
– une application gratuite ;

document 2

CENTRE UNIVERSITAIRE
D'ÉTUDES FRANÇAISES

PERPIGNAN   ⌄

TYPE DE SÉJOUR : Perfectionnement en français

THÈME(S) : Étudier en France

DURÉE : 440 heures, 20 heures par semaine

NIVEAUX : Tous

LES PLUS : À Perpignan, il y a plus de soleil qu'ailleurs en France ! Le CUEF va plus loin qu'une simple école de langues : il propose des activités culturelles et sportives. Vous avez également accès à « l'espace France » de l'université pour mieux vous intégrer. Vous y rencontrerez des étudiants français et étrangers.

 CONTACTER L'ÉTABLISSEMENT

6. Par deux. Lisez le descriptif du séjour (doc. 2).

   a. Identifiez : le type d'école (école de langues, université, lycée, etc.), la ville choisie, l'objectif et la durée de l'enseignement.

   b. Quels sont les plus du séjour ?

7. Lisez le message de Daniel Gomez et répondez (doc. 3).

   a. Daniel Gomez est-il intéressé par les activités culturelles et sportives ?

   b. Pourquoi souhaite-t-il un hébergement en famille ?

   c. Quelle formule recherche-t-il exactement ?

8. Sons du français ► p. 196

> **La prononciation du mot *plus***
>
> 🎧▸4 Écoutez. Vous entendez [ply], montrez ☐1. Vous entendez [plys], montrez ☐2. Vous entendez [plyz], montrez ☐3.
>
> Exemple : *Habiter à Paris, c'est plus agréable que d'habiter à Perpignan ?* → ☐3

► p. 156

► FOCUS LANGUE ► p. 205

Les structures pour comparer

a. En petits groupes. Observez et complétez le tableau avec les éléments relevés dans les activités 6 et 7.

	Avec un nom	Avec un verbe	Avec un adjectif	Avec un adverbe
Supériorité (+)	...	J'étudie plus que toi.	...	...
Égalité (=)	...	Il travaille autant que moi.	Il est aussi motivé que moi.	Je veux parler et écrire aussi bien qu'un Français.
Infériorité (−)	Il y a moins de soleil à Paris qu'à Perpignan.	...	...	Je vais moins souvent en cours que toi.

> **Attention !** Bon(ne) → meilleur(e).   Exemple : *J'ai une **meilleure** idée !*
> Bien → mieux.   Exemple : *L'espace France pour **mieux** vous intégrer.*

b. En petits groupes. Comparez votre langue maternelle avec le français. Rédigez cinq phrases.

   Exemple : *Il y a plus de consonnes en polonais qu'en français.*

► p. 156

document 3

NOM	PRÉNOM
GOMEZ	Daniel

OBJET DE LA DEMANDE

Renseignements complémentaires

VOTRE MESSAGE

Bonjour,
J'ai quelques questions au sujet de cette formation.
J'apprécie moins les activités culturelles ou sportives que les cours de perfectionnement en français. C'est possible de suivre plus de 20 heures de cours par semaine ?
Je peux choisir un hébergement en famille ? C'est plus sympa qu'un logement individuel et un peu moins cher.
Je cherche la formule idéale pour faire autant de progrès à l'écrit qu'à l'oral.
Merci d'avance pour votre réponse et vos conseils !
Cordialement.

◂ ENVOYER

À NOUS !

9. Nous préparons un séjour linguistique en France.
En petits groupes.

> **Groupes équipés de smartphones connectés**
>
> **a.** Téléchargez l'application Immersion France.
> **b.** Répondez aux questions et découvrez les séjours proposés.
> **c.** Choisissez 2 séjours dans 2 régions différentes.
> **d.** Comparez-les et choisissez votre séjour préféré.
> **e.** Présentez-le à la classe et expliquez votre choix.

> **Autres groupes**
>
> **a.** Découvrez la liste des centres FLE : www.qualitefle.fr (Menu > Liste des centres et établissements labellisés).
> **b.** Parcourez les différentes rubriques du site : carte des centres, types de cours, groupes d'âge, service, hébergement.
> **c.** Choisissez 2 séjours dans 2 régions différentes.
> **d.** Comparez-les et choisissez votre séjour préféré.
> **e.** Présentez-le à la classe et expliquez votre choix.

► **Expressions utiles p. 159**

LEÇON 2

Avant le départ

Faire une démarche administrative

document 1

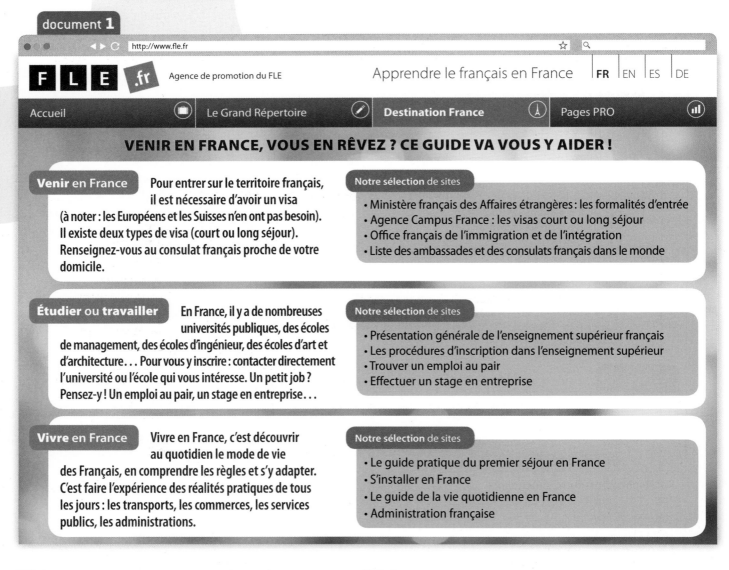

http://www.fle.fr

FLE.fr — Agence de promotion du FLE

Apprendre le français en France | **FR** | EN | ES | DE

Accueil | Le Grand Répertoire | **Destination France** | Pages PRO

VENIR EN FRANCE, VOUS EN RÊVEZ ? CE GUIDE VA VOUS Y AIDER !

Venir en France
Pour entrer sur le territoire français, il est nécessaire d'avoir un visa (à noter : les Européens et les Suisses n'en ont pas besoin). Il existe deux types de visa (court ou long séjour). Renseignez-vous au consulat français proche de votre domicile.

Notre sélection de sites
- Ministère français des Affaires étrangères : les formalités d'entrée
- Agence Campus France : les visas court ou long séjour
- Office français de l'immigration et de l'intégration
- Liste des ambassades et des consulats français dans le monde

Étudier ou **travailler**
En France, il y a de nombreuses universités publiques, des écoles de management, des écoles d'ingénieur, des écoles d'art et d'architecture… Pour vous y inscrire : contacter directement l'université ou l'école qui vous intéresse. Un petit job ? Pensez-y ! Un emploi au pair, un stage en entreprise…

Notre sélection de sites
- Présentation générale de l'enseignement supérieur français
- Les procédures d'inscription dans l'enseignement supérieur
- Trouver un emploi au pair
- Effectuer un stage en entreprise

Vivre en France
Vivre en France, c'est découvrir au quotidien le mode de vie des Français, en comprendre les règles et s'y adapter. C'est faire l'expérience des réalités pratiques de tous les jours : les transports, les commerces, les services publics, les administrations.

Notre sélection de sites
- Le guide pratique du premier séjour en France
- S'installer en France
- Le guide de la vie quotidienne en France
- Administration française

---

1. Observez cette page Internet (doc. 1) et répondez.
   a. De quoi s'agit-il ?
   b. À qui s'adresse-t-elle ?
   c. Que propose-t-elle ?

2. Par deux. Lisez les rubriques « Venir en France » et « Étudier ou travailler » (doc. 1). Pour chaque rubrique, identifiez :
   a. la ou les information(s) principale(s) ;
   b. ce que l'étudiant doit faire (la démarche à effectuer).

3. Par deux. Quelle phrase résume la rubrique « Vivre en France » ? *Pour bien vivre en France, …*
   a. *il faut s'adapter au mode de vie des Français.*
   b. *il faut comprendre le français.*

4
En petits groupes.
   a. **Cherchez trois informations utiles pour les francophones qui viennent étudier dans votre pays.**
   b. **Partagez vos informations avec les autres groupes.**

5. Sons du français
► p. 196

Les voyelles nasales [ã] et [ɛ̃]

🎧H5 Écoutez et répétez. Vous entendez seulement le son [ã], montrez ☐1☐.
Vous entendez seulement le son [ɛ̃], montrez ☐2☐.
Vous entendez les deux sons, montrez ☐3☐.

Exemple : *Venir __en__ Fr__an__ce, j'__en__ rêve depuis longt__em__ps !* → ☐1☐

► p. 157

document 2 🎧 6

6. 🎧H6 Écoutez cet entretien (doc. 2) au consulat de France à Johannesburg, en Afrique du Sud.

a. À qui parle M. Nkomo ? Pourquoi ?

b. À votre avis, quelles rubriques de la page <u>fle.fr</u> (doc. 1) M. Nkomo a consultées pour préparer son entretien ? Pourquoi ?

7. 🎧H6 Par deux. Réécoutez (doc. 2). Vrai ou faux ? Pourquoi ? Vérifiez avec la transcription.

a. M. Nkomo veut étudier en France.

b. Il va s'inscrire à l'université.

c. Il étudie les sciences politiques pour trouver du travail en France.

d. Il pense qu'il va trouver facilement du travail en France.

💬 **8.** Le dossier de M. Nkomo est-il complet ? Répondez et justifiez.

❯ FOCUS LANGUE
► p. 204

Les pronoms indirects _y_ et _en_ pour remplacer une chose, un lieu ou une idée

a. Par deux. Observez et complétez avec les éléments relevés dans l'activité 7.

Y

fonction n° 1 remplace un complément de lieu introduit par *chez, dans, en*
Exemple : ... → ...

fonction n° 2 remplace un COI introduit par *à*
Exemple : *Vous vous y êtes déjà inscrit ?*
→ *Vous vous êtes déjà inscrit __à l'université__ ?*

EN

fonction n° 1 remplace un COD introduit par *un, une, des* ou *du, de la, des*
Exemple : *Oui, mais du travail, ce n'est pas toujours évident d'__en__ trouver.*
→ *Ce n'est pas évident de trouver __du travail__.*

fonction n° 2 remplace un COI introduit par *de*
Exemple : ... → ...

Attention !

En général, les pronoms *y* et *en* se placent devant <u>le verbe</u> (avec un temps simple) ou devant <u>l'auxiliaire</u> (avec un temps composé).
Exemple : *Vous vous __y êtes__ déjà inscrit ?*

b. Relisez le document 1 et trouvez d'autres exemples. À quelle fonction ils correspondent ?

Exemple : *Les Européens et les Suisses n'__en__ ont pas besoin.*
→ *Les Européens et les Suisses n'ont pas besoin __de visa__. (EN : fonction n°2)*

► p. 157

■ À NOUS ! 💬✏️

9. Nous rédigeons un guide pour les francophones qui viennent étudier dans notre pays.

En petits groupes.

a. Rédigez un texte avec une ou deux information(s) principale(s) (act. 4) et les démarches à effectuer.

Groupes 1	Groupes 2	Groupes 3
Venir (dans notre pays)	Étudier ou travailler (dans notre pays)	Vivre (dans notre pays)

b. Mettez-vous d'accord sur une sélection de sites utiles pour chaque rubrique.

c. Présentez votre texte à la classe.

d. Mettez en commun vos textes pour réaliser le guide de la classe.

e. Proposez-le au bureau Campus France de votre pays.

► **Expressions utiles p. 159**

3 Brest-Quimper

Organiser un circuit

💬 **1.** Observez ces deux images. Faites des hypothèses sur le thème du reportage.

---

document 1 🎧 7 et 8

2. 🎧₇ Écoutez l'introduction de cette chronique radio (doc. 1).

a. Vérifiez vos hypothèses (act. 1).

b. Qui sont Pierre, Nicolas et Jérôme ? Où vont-ils ?

3. 🎧₈ Par deux. Écoutez le reportage.

a. Sélectionnez les aspects positifs évoqués dans la liste suivante. Justifiez vos réponses.
voyager moins cher • limiter la fatigue • rencontrer des gens • passer un trajet plus agréable • diminuer la pollution • voyager à la dernière minute • diminuer les embouteillages

b. Combien paient Nicolas et Jérôme pour le trajet Paris-Vannes ? Comparez avec le train.

💬 **4.** En petits groupes. Échangez.

Que pensez-vous du covoiturage ? Avez-vous déjà voyagé en covoiturage ? Étiez-vous conducteur ou passager ? Quels peuvent être les aspects négatifs de ce mode de transport ?

---

5 💬

En petits groupes.

a. Quels sont les moyens pour voyager moins cher ?

b. Mettez en commun.

c. Échangez. Quels moyens préférez-vous ? Pourquoi ?

---

document 2

| | |
| http://www.voyageforum.com ☆ 🔍 |

Destinations   Forum   VF+   Communauté

Luis 029
Espagne

Bonjour à tous ! Je m'appelle Luis, je suis étudiant de français à la Escuela Oficial de Idiomas de Séville, en Espagne et, avec ma classe, on va organiser un voyage en France. Avec mon groupe, on doit proposer un circuit en Bretagne. Mais cette région, on ne la connaît pas du tout. Vous pouvez nous aider ? Merci d'avance !

Larix 30
France

Salut Luis ! Alors, je te conseille un site formidable : **www.france-voyage.com**. Il te présente des idées d'itinéraires et tu peux aussi créer ton circuit sur mesure ! Tu lui donnes la ville de départ (par exemple Brest), la ville d'arrivée (par exemple Quimper) et la durée du voyage (par exemple deux jours). Il te propose un formulaire, avec trois rubriques. Complète-les, et hop ! Tu l'as, ton circuit Brest-Quimper ! Regarde-le !

Luis 029

Merci beaucoup ! Mais... c'est tout ? On remplit le formulaire et on nous donne une carte ?

Larix 30

Bien sûr que non ! Le site t'explique tout, te donne un itinéraire complet, les visites, la durée des trajets... Tu peux aussi imprimer ton guide de voyage.

Luis 029

C'est vraiment génial ! Je te remercie !

📖 **6.** Observez le forum de voyages (doc. 2).

- **a.** Identifiez les différents éléments qui le composent (menu…).

- **b.** Par deux. Lisez le 1ᵉʳ message de Luis 029 et répondez. Vrai ou faux ? Pourquoi ?

  Luis 029 : – va visiter la France.
  – organise seul son voyage.
  – connaît très bien la Bretagne.
  – demande des conseils.

📖 **7.** Par deux. Lisez la discussion (doc. 2).

- **a.** Quel site conseille Larix 30 ? Pourquoi ?

- **b.** Que doit faire Luis 029 ? Retrouvez la chronologie des actions. Justifiez avec des extraits de la discussion.

  lire l'itinéraire complet • indiquer la durée du voyage • imprimer l'itinéraire de voyage • indiquer sa ville de départ • compléter un formulaire • indiquer sa ville d'arrivée

📖 **8.** Observez le formulaire du site www.france-voyage.com (doc. 3).

- **a.** Par deux. Quels centres d'intérêt vous choisissez si vous êtes seul, en couple, avec des enfants, avec des animaux, avec un petit budget, par mauvaise météo ?

- **b.** Comparez avec les autres groupes.

▶ FOCUS LANGUE ▶ p. 202

Les pronoms COD/COI pour ne pas répéter (synthèse)

En petits groupes.

a. Observez.

LES COMPLÉMENTS D'OBJET

Construction directe (COD) ▶ Qui ? Quoi ?	Construction indirecte (COI) ▶ À qui ? À quoi ?
Tu l'as, ton circuit Brest-Quimper ! Regarde-le ! → Regarde ton circuit Brest-Quimper !	Tu lui donnes ta ville de départ. → Tu donnes ta ville de départ au site.
Il te propose un formulaire avec trois rubriques. Complète-les ! → Complète les trois rubriques !	Le trajet Paris-Vannes leur coûte à chacun 30 euros. → Le trajet Paris-Vannes coûte 30 euros à Pierre, Nicolas et Jérôme.

b. Complétez.

	1ʳᵉ personne	2ᵉ personne	3ᵉ personne	
	COD/COI	COD/COI	COD	COI
Singulier	me	te (t')	…, la	…
Pluriel	nous	vous	…	…

Les pronoms COD et COI se placent en général avant le verbe.

Attention❗
À l'impératif affirmatif, le pronom se place après le verbe.
Exemple : *Regarde-**le** !*

▶ p. 157

---

document 3

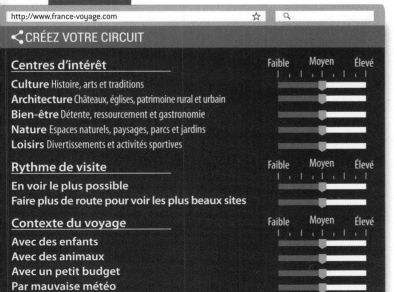

http://www.france-voyage.com

◄ CRÉEZ VOTRE CIRCUIT

Centres d'intérêt   Faible   Moyen   Élevé
Culture Histoire, arts et traditions
Architecture Châteaux, églises, patrimoine rural et urbain
Bien-être Détente, ressourcement et gastronomie
Nature Espaces naturels, paysages, parcs et jardins
Loisirs Divertissements et activités sportives

Rythme de visite   Faible   Moyen   Élevé
En voir le plus possible
Faire plus de route pour voir les plus beaux sites

Contexte du voyage   Faible   Moyen   Élevé
Avec des enfants
Avec des animaux
Avec un petit budget
Par mauvaise météo

À NOUS ❗

9. Nous créons notre circuit avec www.france-voyage.com.

En petits groupes.

- **a.** Chaque groupe choisit une région française et deux villes de cette région.

  Exemple : *La Bretagne → Rennes et Saint-Malo.*

- **c.** Chaque groupe compose son circuit et complète le formulaire proposé par le site.

- **d.** Chaque groupe présente son circuit à la classe.

- **e.** En groupe. Demandez des précisions sur chaque circuit et donnez votre avis sur les circuits proposés.

▶ **Expressions utiles p. 159**

4 Séjour linguistique

S'informer sur un hébergement

document 1

CENTRE AUDIOVISUEL DE ROYAN

carel »

POUR L'ETUDE DES LANGUES

**NOUS VOUS PROPOSONS
UN LARGE CHOIX D'HÉBERGEMENTS
PENDANT VOTRE SÉJOUR DANS
NOTRE CENTRE.**

Voyage et démarches administratives

Avant de partir, veuillez vérifier les éléments de votre dossier : passeport, visa, assurance maladie. Un conseil : faites des photocopies de vos papiers et ne les rangez jamais avec les originaux. À votre arrivée, vous n'avez plus rien à faire. Notre service assistance s'occupe de tout.

Pour toute question,
n'hésitez pas à nous contacter :
33 (0) 5 46 39 50 00
ou info@carel.org.

FAMILLES D'ACCUEIL Des familles royannaises vous accueillent en demi-pension (petit déjeuner et dîner) en chambre simple ou double. Vous devez adresser votre demande au CAREL au plus tard 10 jours avant le début du cours.

INTERNAT Uniquement en juillet et août. Chambre double avec un autre étudiant, sanitaires communs à une ou deux chambres, petit déjeuner, draps fournis. Il n'est pas possible de faire la cuisine. Chambre individuelle : nous consulter pour les disponibilités.

APPARTEMENT À PARTAGER
Chambre individuelle dans maison ou appartement. La cuisine et la salle d'eau sont à partager avec les autres étudiants.

**STUDIO INDÉPENDANT
(FACE AU CAREL)** Chaque studio comprend une chambre, un coin cuisine (kit vaisselle fourni, sanitaires privés, draps et linge fournis). Attention : il est impératif de réserver un mois à l'avance.

1. En petits groupes. Observez la brochure (doc. 1) et répondez.

a. À qui s'adresse cette brochure ?

b. Qu'est-ce qu'elle présente ?

2. Observez les quatre photos (doc. 1). Associez chaque photo à un type d'hébergement de la brochure.

3. Par deux. Lisez la brochure (doc. 1).

a. **Quel type d'hébergement correspond à ces personnes ? Pourquoi ?**

1. Liping est chinoise. Elle préfère habiter seule.

2. Javier est espagnol. Il préfère partager son hébergement avec d'autres étudiants. Il va étudier de septembre à juin.

3. Krisztina est hongroise. Elle va étudier au CAREL en juillet. Elle veut communiquer un maximum en français.

4. Horacio est vénézuélien. Il voudrait cuisiner et préparer ses repas.

b. **Aidez chaque étudiant à préparer son séjour. Relevez dans la brochure (doc. 1) ce qu'il doit faire :**

– avant son séjour ;

– à son arrivée ;

– s'il a des questions.

4

En petits groupes.

a. Quel hébergement vous préférez ? Pourquoi ?

b. Cherchez s'il existe ce type d'hébergement pour les étudiants étrangers dans votre ville.

5. Sons du français

> **L'intonation pour exprimer l'obligation**
>
> 🎧▸9 Écoutez et répétez. Tapez sur la table avec le doigt quand vous entendez l'accentuation d'insistance. Exemple : *Il __faut__ étudier.*

▸ p. 158

document 2 🎧 **10 et 11**

6. 🎧▸10 Par deux. Écoutez la 1ʳᵉ partie de la conversation téléphonique (doc. 2). Qui téléphone ? Pourquoi ? Qui répond ?

7. 🎧▸11 Par deux. Écoutez la 2ᵉ partie de la conversation (doc. 2). Choisissez dans la liste suivante les éléments entendus.

les formalités administratives • la cuisine • la disponibilité • les draps • les sanitaires • les cours • le prix • le nombre d'étudiants par famille

8. 🎧▸11 Par deux. Réécoutez (doc. 2) et répondez. Vérifiez avec la transcription.

a. Quelles sont les questions posées pour obtenir des précisions ?

Exemple : *Il faut apporter des draps et des serviettes ?*

b. Quelle réponse est apportée par l'employé pour chaque question ?

Exemple : *Non, il n'apporte rien. Tout est fourni par la famille.*

> ⟩ **FOCUS LANGUE**
>
> ### Structures pour exprimer des règles et des recommandations
>
> En petits groupes.
>
> **a.** Relisez les éléments relevés dans les activités 3b et 8b. Classez ces éléments dans le tableau.
>
> | Interdiction | Il n'est pas possible de | Il n'est pas possible de faire la cuisine. |
> |---|---|---|
> | | Ne … jamais | … |
> | Recommandation | Ne … rien | … |
> | Possibilité | Pouvoir + infinitif | Votre fils peut partager une chambre. |
> | Obligation | Devoir + infinitif | … |
> | | Il est impératif de | … |
> | | Il faut + infinitif | Il faut préciser votre choix. … |
> | | Impératif | N'hésitez pas à nous contacter. … |
>
> **b.** Vous accueillez un nouvel étudiant dans la classe. Rédigez deux recommandations, deux obligations, une interdiction et une possibilité.
>
> Exemple : *Une obligation →Il faut étudier après la classe …*
>
> *Une possibilité →Tu peux poser des questions au professeur si tu ne comprends pas.*
>
> ▸ p. 157

9. Nous rédigeons une brochure sur l'hébergement des étudiants.

En petits groupes.

a. Choisissez un type d'hébergement disponible dans votre ville (act. 4b).

b. Rédigez un court descriptif de votre hébergement. Donnez des précisions (repas, formalités, prix, etc.), des règles et des recommandations.

c. Présentez vos descriptifs à la classe.

d. Réalisez votre brochure pour des étudiants francophones.

▸ **Expressions utiles p. 159**

LEÇON
5 Lieux insolites

Décrire un lieu

1. En petits groupes. Observez ces photos. Faites des hypothèses sur ces lieux (où ? quoi ? pour quoi faire ?).

document 1 🎧 12

2. 🎧12 Écoutez l'émission de radio (doc. 1) et répondez.

a. Quel est le nom de la radio ? Quel est le thème de l'émission ?

b. Vérifiez vos hypothèses (act. 1).

3. 🎧12 En petits groupes. Réécoutez (doc. 1) et relevez :

a. où ces lieux se trouvent (leur localisation).

b. ce qu'on peut faire dans ces lieux (quelles activités).

4. 🎧12 Écoutez encore (doc. 1) et relevez :

– pourquoi chaque lieu est insolite ;

– les trois adjectifs utilisés pour décrire le pigeonnier.

5. Par deux. Quel lieu vous préférez ? Pourquoi ?

6 🍽️✏️

En petits groupes.

a. Connaissez-vous des lieux touristiques insolites ? Lesquels avez-vous visités ?

b. Faites la liste des lieux de votre groupe.

c. Mettez en commun et faites la liste de la classe.

document 2

http://www.hotels-insolites.com

HOTELS INSOLITES

| SUISSE | FRANCE | EUROPE | AILLEURS | TYPOLOGIE |

7. Observez l'article (doc. 2). Identifiez les différents éléments qui le composent (carte…).

8. Lisez l'article et observez les photos (doc. 2). Associez-les avec les lieux cités dans l'article.

Exemple : *Un pigeonnier réaménagé en gîte romantique vous accueille dans le charmant village du Mas d'Aspech.*

9. Relisez l'article (doc. 2) et répondez.

a. Où est situé exactement le pigeonnier ?

b. Quels sont les plus du pigeonnier ?

FOCUS LANGUE ► p. 206

Les adverbes et locutions adverbiales pour décrire un lieu

Par deux.

a. Complétez (activités 3 et 8).

ici ≠ ailleurs	nulle part ≠ partout
à l'intérieur de ≠ …	sur ≠ sous
(tout) en bas ≠ …	proche de = non loin de
au-dessous de ≠ …	au milieu de = au cœur de
(juste) derrière ≠ …	

b. **Nous faisons deviner le nom d'un monument.**

1. Choisissez un monument célèbre.
2. Expliquez où il se trouve.
3. Présentez oralement votre monument à la classe.
4. La classe devine de quel monument il s'agit.

► p. 158

```
Labarrie
Les Clapiers
Baladou
D42
```

Le pigeonnier du Mas d'Aspech
Dormir dans un pigeonnier dans le Lot

Vous voulez passer une nuit insolite non loin de Toulouse ? Un pigeonnier réaménagé en gîte romantique vous accueille dans le charmant village du Mas d'Aspech. Au cœur du Lot, du Tarn-et-Garonne et de l'Aveyron, voici un très bon pied-à-terre pour découvrir une partie de l'Occitanie.

Au programme, détente au milieu de la nature et nuit romantique sous un ciel magnifique. Vous verrez des étoiles partout ! Vous entrez par un escalier extérieur pour vous retrouver à l'intérieur du gîte. En haut du pigeonnier, vous serez à deux mètres au-dessus de la prairie.

Ce gîte est équipé d'un lit double, d'une douche balnéo et de sanitaires, d'un coin repas et d'une mini-cuisine.
À l'extérieur, chaises longues, tables et chaises vous permettront de partager détente et repas. L'auberge toute proche vous offre de déguster – ou de vous faire livrer – une cuisine authentique à base de produits frais de la région.

Pourquoi aller ailleurs quand on peut venir ici ?
Nouveauté : une piscine réservée aux hôtes !

★ Ouvert toute l'année ★

---

10. Apprenons ensemble !
Linn nous présente un lieu insolite en Île-de-France.

Envie de manger suédois à Paris ? C'est possible ! Au cœur du Marais, le Café suédois est un lieu atypique et calme, situé au 11 rue Payenne. Sur l'intérieur, côté cuisine, venez déguster les *kanelbullar* (brioche traditionnelle suédoise à la cannelle) ou les boulettes de viande. Attention, il n'y a que vingt places environ ! Sur l'extérieur, côté cour, partagez un verre ou un repas en terrasse. Le café est proche de le musée Picasso.

En petits groupes.

a. Lisez la production de Linn. Pourquoi ce lieu est insolite ?

b. Observez les erreurs surlignées par l'enseignant.

c. Aidez Linn à corriger et à ne pas répéter ses erreurs.

À NOUS !

11. Nous décrivons un lieu insolite.

En petits groupes.

a. Choisissez un lieu insolite (act. 6).

b. Rédigez une courte présentation de ce lieu sur le modèle du document 2.

c. Présentez ce lieu à la classe.

d. La classe vote pour le lieu le plus insolite.

e. Organisez la visite de ce lieu.

► Expressions utiles p. 159

---

* pied-à-terre : logement où on ne réside que pour un court séjour.

LEÇON
6 Paris autrement

Donner des précisions

📖 **1.** Observez cette page Internet (doc. 1) et répondez.

  a. Que propose le site Cariboo ? Dans quelle(s) ville(s) ? À quels prix ?

  b. Qui sont Myrna, David et Valentine ?

📖 **2.** Par deux. Lisez les trois profils. Pour chaque profil, relevez :

  a. les langues parlées ;

  b. pourquoi ils sont guides.

📖 **3.** Par deux. Relisez les profils et relevez pour chacun les types de visites proposées.

💬 **4.** Choisissez votre guide préféré et expliquez pourquoi.

5 💬

En petits groupes.

  a. Faites la liste des activités touristiques à réaliser dans votre ville (visites culturelles, sports, shopping, gastronomie, etc.).

  b. Partagez vos activités avec les autres groupes.

document 2 🎧 13

document 1

https://www.cariboo.co.fr

CARIBOO
MY CITY FOR YOU

VISITER UNE VILLE
Découvrez plus de 100 villes qui partage

🔍 PARIS

PARIS LES GRANDS CLASSIQUES

24€/h

Myrna
De la Bastille aux Champs-Élysées

PARIS LES GRANDS CLASSIQUES

24€/h

David
le Paris des Parisiens

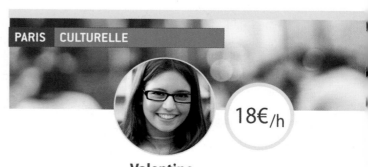

PARIS CULTURELLE

18€/h

Valentine
Paris à votre image

6. 🎧13 Écoutez la conversation (doc. 2). Qui parle ? Où sont-ils ?

7. 🎧13 Par deux. Réécoutez (doc. 2). Vrai ou faux ? Pourquoi ?

a. Les touristes veulent visiter la tour Eiffel avec David.

b. Les touristes veulent discuter avec des Parisiens.

c. David recommande un quartier.

d. David leur donne un conseil pour rencontrer des Parisiens.

Quelques mots sur moi : Je suis Parisienne depuis 1984. Chilienne d'origine, je vis à Paris depuis 32 ans et je connais très bien cette ville, que j'adore.

Vous cherchez un « guide » qui propose des balades originales en petits groupes, en famille ou entre amis ? À qui vous pouvez poser toutes les questions que vous voulez ? Je suis peut-être la guide qu'il vous faut ! N'hésitez pas à me contacter !

Langues parlées : espagnol, français, italien

Préparez une visite avec Myrna

Quelques mots sur moi : J'habite depuis 1999 à Paris, je suis comédien.

Je fais les visites des lieux habituels que les touristes aiment voir. Les personnes qui font des visites avec moi sont en général très satisfaites.

J'aime aussi faire découvrir le Paris des Parisiens : les bistrots et cafés que fréquentent les gens qui vivent ici, des lieux où vous rencontrerez des gens à qui parler.

Langues parlées : anglais, français

Préparez une visite avec David

Quelques mots sur moi : Je suis étudiante et je vis dans le 5ᵉ arrondissement que je connais comme ma poche !

J'aime faire visiter ma ville aux personnes qui souhaitent la découvrir.

Je suis passionnée d'histoire et j'aime accompagner les visiteurs qui s'intéressent aux musées.

Langues parlées : anglais, français

Préparez une visite avec Valentine

8. 🎧13 Réécoutez. (doc. 2) Pourquoi David leur donne ce conseil ?

> **FOCUS LANGUE**   ▶ p. 203

Les pronoms relatifs *qui, que* (ou *qu'*), *à qui, avec qui* pour donner des précisions

a. Par deux. À l'aide des activités 7 et 8, complétez avec un pronom relatif.

1. Quels Parisiens veulent rencontrer Charlene et Michael ?
   Des gens … parler.
   Des gens … discuter.
2. Quelle est la particularité des clients installés au comptoir ?
   Ce sont souvent des gens … aiment bien discuter.
3. Que pense David du Canal Saint-Martin ?
   C'est le quartier … il préfère.

b. Complétez la règle avec les pronoms relatifs *que* (ou *qu'*), *qui, à qui, avec qui*.
   – … remplace le sujet.
   – … ou … (devant une voyelle ou un *h* muet) remplace le complément d'objet direct.
   – … ou … remplace le complément d'objet indirect, uniquement pour donner des précisions sur une ou des personnes.

c. Utilisez un pronom relatif pour former une seule phrase.
1. Vous voyez un bar. Ce bar vous plaît.
2. Je fais les visites des lieux habituels. Les touristes aiment voir ces lieux.
3. Je suis un guide. Vous pouvez me poser des questions sur l'histoire de Paris.

▶ p. 158

 **À NOUS !**

9. Nous proposons une visite de notre ville aux touristes francophones.

En petits groupes.

a. Relisez la liste des activités à réaliser dans votre ville (act. 5). Choisissez la thématique de votre visite : grands classiques, culturelle, etc.

b. Rédigez la présentation du profil de votre groupe. Précisez ce que vous aimez et pourquoi vous connaissez bien la ville.

c. Donnez des précisions sur les visites que vous proposez. Indiquez votre tarif horaire.

d. Présentez vos profils à la classe.

e. Créez votre profil sur le site Cariboo.

▶ Expressions utiles p. 159

ULTURES

1 Visiter Paris ▶ Vidéo 1

a. En petits groupes. Regardez la vidéo sans le son du début jusqu'à 0' 30".

1. Quels monuments voyez-vous ?
2. Que fait cet homme ?
   Faites des hypothèses.
3. Imaginez la voix off de ce reportage.

b. Regardez la vidéo avec le son du début jusqu'à 0' 30" et vérifiez vos hypothèses.

c. Regardez la 2ᵉ partie du reportage et complétez le profil de Jérémy.

d. En petits groupes. Échangez. Que pensez-vous de ce mode de transport pour découvrir Paris ? Pour découvrir votre ville ? Pourquoi ?

MA VILLE ...
MON VÉLO ...
MON SALAIRE MENSUEL ESPÉRÉ ...
POURQUOI J'UTILISE LA PUBLICITÉ ...
MON TARIF ...

JÉRÉMY

2 Un Moldave en France

http://www.moldavie.fr

CERCLE MOLDAVIE
Association d'amitié Franco-Moldave
www.moldavie.fr

Le portail de la Moldavie francophone

Un Moldave en France

Mihai

Chaque élève qui étudie le français rêve de visiter la France. Moi, j'ai visité la France l'année dernière et je voudrais partager mes premières impressions avec vous. Les Moldaves et les Français se ressemblent mais, en même temps, ils sont différents.

La France est un grand pays développé avec la mer, l'océan, les montagnes. C'est un endroit exceptionnel qui fait rêver les Moldaves.

La capitale de la France est Paris, une ville beaucoup plus grande que Chisinau. Il y a beaucoup de Moldaves qui y travaillent. Les gens sont très respectueux et toujours prêts à donner des explications par des gestes ou en anglais. Les endroits touristiques sont bien aménagés et pas trop chers.

Une chose bizarre, ce sont les magasins et les supermarchés, qui ferment tôt le soir : après 21 heures, on trouve seulement des petits commerces. En Moldavie, beaucoup de magasins restent ouverts toute la nuit.

Je pense que la France est un super pays. C'est une bonne idée de faire des études là-bas, c'est très bien d'y vivre, mais pas à Paris : la banlieue est plus tranquille et c'est mieux d'y habiter.

a. Observez cette page Internet et répondez.

1. À qui s'adresse ce site ?
2. De quel type d'article s'agit-il ?

b. Lisez le document. Légendez les photos avec des extraits.

UNIVERSITES DE PARIS

c. Relevez dans le document les comparaisons entre la France et la Moldavie.

d. Mihai a une vision positive ou négative de la France ? Justifiez votre réponse.

e. En petits groupes. Aimeriez-vous visiter la France ? Y faire des études ? Y vivre ? Pourquoi ?

COMPLÉTEZ VOTRE CARNET CULTUREL

1. Une ou des différence(s) entre les Français et les habitants de mon pays : ...
2. Une ou des différences(s) entre Paris et la capitale de mon pays : ...
3. Une chose qui me paraît originale en France : ...
4. L'image de la France dans mon pays : ...

Retournez aux pages 10-11. Répondez à nouveau aux questions. Mettez en commun avec le groupe.

Projet de classe

Nous planifions un voyage en France.

En petits groupes. À quoi faut-il penser
quand on planifie un voyage ?
Pour bien préparer votre voyage,
répondez à ces questions.

a. Quels sont les objectifs de votre voyage
   en France ? Par exemple : *Faire du tourisme,
   prendre des cours de français*, etc.

b. Quelle(s) région(s) de France souhaitez-vous
   visiter ? Voulez-vous visiter une ou plusieurs
   villes ? Faire un voyage plutôt « nature » ?
   Faire un voyage insolite ?

c. À quelles dates se passera le voyage
   et quelle sera sa durée ?

d. Mettez en commun en grand groupe
   sur le type de voyage à organiser,
   la date et la durée.

BIENVENUE À LA MAISON

Louez des logements uniques dans 190 pays

Mode d'emploi

Trouver ma position

Votre destination

Arrivée

Départ

2 adultes

0 enfant

Valider

e. En petits groupes. Chaque groupe se charge d'une tâche.

Groupes 1	Groupes 2	Groupes 3
Faire des suggestions de logements. Décrire les hébergements et expliquer pourquoi on les a choisis.	Proposer des itinéraires ou des activités pour le séjour. Proposer une journée type dans un des lieux visités.	Faire une check-list des démarches à accomplir avant le départ. Expliquer comment réaliser ces démarches. Exemples : les visas, le change si nécessaire, l'assurance santé…

f. Mettez en commun en grand groupe pour prendre les dernières décisions.

g. Réalisez votre voyage.

Projet ouvert sur le monde ▸ 📖 GP Parcours digital

Nous échangeons notre logement sur www.guesttoguest.fr.

DELF 1

I Compréhension de l'oral 🎧 ▶14

Exercice 1 Comprendre une conversation

Vous êtes à Paris. Vous entendez ces conversations.

Écoutez et reliez le dialogue à la situation correspondante.

Dialogue 1 •   • a. Décrire un lieu.

Dialogue 2 •   • b. Faire une comparaison.

Dialogue 3 •   • c. S'informer sur un hébergement.

Dialogue 4 •   • d. Exprimer une règle, une recommandation.

II Production écrite ✎

Exercice 1 Décrire un événement ou raconter une expérience personnelle

Vous avez fait un séjour en France. Vous écrivez un mail à un ami francophone pour lui raconter cette expérience. Vous lui racontez où vous avez passé votre séjour, vous décrivez votre logement (sa situation, le nombre de chambres, le confort, les règles de vie…). Vous lui parlez aussi les activités que vous avez pu faire et vous expliquez ce que vous avez pensé de votre séjour. (60 mots minimum)

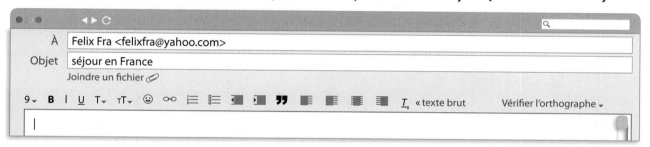

À   Felix Fra <felixfra@yahoo.com>
Objet   séjour en France
Joindre un fichier

Exercice 2 Inviter, remercier, s'excuser, demander, informer, féliciter

Vous voulez partir deux semaines en France, à Montpellier, pour étudier le français. Vous écrivez un courriel à l'école INSITU pour demander des informations sur les cours (nombre d'heures, type de cours…), le logement et les formalités administratives. (60 mots minimum)

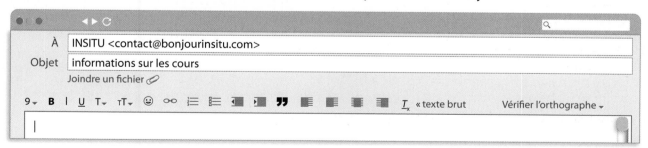

À   INSITU <contact@bonjourinsitu.com>
Objet   informations sur les cours
Joindre un fichier

III Production orale

Exercice 1 Pour s'entraîner à la partie 1 de l'épreuve orale : l'entretien dirigé

Vous vous présentez et parlez de vous, de vos études, de vos activités, de ce que vous aimez et n'aimez pas.

Nous partageons nos expériences insolites

Les Français et l'aventure…

Par deux. Répondez et comparez vos réponses avec celles des autres groupes.

2 À votre avis, les Français en voyage, c'est plutôt :

1

Pour vous, les Français et le sport, c'est plutôt :

a. le char à voile.

a. un voyage culturel au Kirghizistan.

b. le basket-ball.

b. un safari gorilles en Ouganda.

c. le foot devant la télé.

c. des vacances à la plage.

À votre avis, les Français de l'étranger vivent plutôt :

b. EN ESTONIE.

a. AUX ÉTATS-UNIS.

c. EN SUISSE.

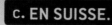

PROJETS

- **Un projet de classe**

  Réaliser la carte de nos expériences insolites ou originales.

- **Et un projet ouvert sur le monde**

  Réaliser un mini-guide collaboratif des activités insolites ou originales à faire dans notre ville, région ou pays à destination des voyageurs francophones.

Pour réaliser ces projets, nous allons apprendre à :

- ▶ raconter une expérience
- ▶ comprendre des conseils et des consignes de sécurité
- ▶ parler de nos émotions et de nos sentiments
- ▶ organiser un week-end à thème
- ▶ décrire un voyage insolite
- ▶ raconter notre parcours

1

Balades insolites

Raconter une expérience

document 1

http://www.voyages-sncf.com

Voyages-sncf.com

⌂ > DESTINATIONS > SUISSE > BALADE INSOLITE EN SUISSE

À MONTREUX, TESTEZ UNE EXPÉRIENCE ORIGINALE

Marie Gustin
Rédaction Voyages-sncf.com

À Montreux, je suis montée dans le Train du fromage et je suis partie à la découverte des traditions culinaires de la Suisse… J'ai découvert le fromage suisse et j'ai appris plein de choses sur sa fabrication !

Le train a quitté la gare à 10 h 44. Je me suis assise confortablement en première classe puis on a dégusté un verre de bienvenue et une assiette de produits du terroir. Nous sommes arrivés à Château-d'Œx une heure plus tard.

Direction *Le Chalet*, un restaurant typique qui fabrique son propre fromage. Le patron a transformé 200 litres de lait en fromage devant nous. Et après la démonstration : dégustation ! Nous nous sommes régalés.

Ensuite, nous avons déjeuné. La fondue a plu à tout le monde ! Je suis repartie avec quelques produits locaux vendus dans la boutique du restaurant.

Pour terminer la balade, nous avons visité le musée du Vieux Pays-d'Enhaut. C'est un musée traditionnel qui expose le mode de vie des agriculteurs et des artisans de la fin du 19e siècle.

En résumé, j'ai vécu un moment très sympathique ! Je recommande cette sortie aux amateurs de fromages, à faire entre amis ou en famille, pour profiter des joies de l'hiver suisse et se régaler !

---

1. Par deux. Observez ce document (doc. 1).
   a. Identifiez le nom du site et la rubrique choisie.
   b. À partir des photos, faites des hypothèses sur le sujet de l'article.

2. Lisez l'article (doc. 1). Vérifiez vos hypothèses : identifiez l'auteur, le sujet de l'article, le pays évoqué.

3. Par deux. Relisez l'article (doc. 1).
   a. Relevez les différentes activités de Marie Gustin.
   b. Citez les passages qui montrent que Marie Gustin a trouvé l'expérience intéressante.

   Exemple : *J'ai découvert le fromage suisse et j'ai appris plein de choses sur sa fabrication !*

4

En petits groupes.
   a. Connaissez-vous des balades insolites à faire dans votre région ?
   b. Mettez en commun.
   c. Quelles sont les balades que vous recommandez à des touristes francophones ? Pourquoi ?

DANS LE TRAIN 🚆	Je suis montée dans le Train du fromage et je suis partie à la découverte des traditions culinaires de la Suisse. …
AU RESTAURANT 🏛	… Nous avons déjeuné. …
AU MUSÉE 🏛	…

5. Sons du français ► p. 196

Les voyelles nasales [ã] et [ɔ̃]

🎧 15 **Écoutez. Vous entendez le son [ã],**
montrez 1 . Vous entendez le son [ɔ̃], montrez 2 .
Vous entendez les deux sons, montrez 3 .
Exemple : *À M**on**treux, nous av**ons** pris un train*
original. → 2

► p. 161

document **2**

Rue Charles-Rosselet

Michaël Perruchoud
Le chemin lui paraît
plus court

Place des Grottes

GENÈVE

📖 **6. Par deux. Observez ce document (doc. 2)**
et faites des hypothèses.
a. Qui est Michaël Perruchoud ?
b. À quoi correspond ce trajet ?

document **3** 🎧 16 et 17

7. 🎧 16 **Écoutez l'introduction de l'émission de radio**
(doc. 3) et répondez.
a. Quelle expérience propose l'association ?
b. Pourquoi parle-t-on d'une expérience insolite ?

8. 🎧 17 **Écoutez cet extrait (doc. 3) et répondez.**
a. Dans quels pays a vécu le personnage ?
b. Pourquoi est-il revenu à Genève ?

9. 🎧 17 **En petits groupes. Réécoutez (doc. 3).**
Retrouvez le moment et les actions correspondant
à chaque rue. Vérifiez avec la transcription.

Rue	Moment	Actions
…	Aujourd'hui	…
des Grottes		… ; … ; Ils ont ri ; … ;
…	…	Ils se sont promenés ; … ; … ; …

► FOCUS LANGUE ► p. 208

L'accord du participe passé avec *être* au passé composé (rappel)

En petits groupes.
a. Groupes A : relisez les éléments donnés par
Marie Gustin pour décrire son expérience (act. 3).
Groupes B : relisez les événements liés à la
rencontre entre le jeune homme et Aurélie (act. 9).

b. **Choisissez la réponse correcte.**
1. Avec *avoir*, au passé composé, le participe passé :
☐ *s'accorde avec le sujet.*
☐ *ne s'accorde pas avec le sujet.*
Exemples : *Groupes A →… ; Groupes B → ils ont ri*

2. Avec *être*, au passé composé, le participe passé :
☐ *s'accorde avec le sujet.*
☐ *ne s'accorde pas avec le sujet.*
Exemples : *Groupes A → je me suis assise*
confortablement,… ;
Groupes B → …

> **Attention !** Au passé composé, tous les verbes
> pronominaux se conjuguent avec *être*.
> Les 15 verbes suivants se conjuguent aussi avec
> *être : naître, mourir, devenir, arriver, partir, entrer,*
> *sortir, rester, passer, retourner, monter, descendre,*
> *tomber, aller, venir.*

Quelques participes passés irréguliers (1)

Retrouvez le participe passé de ces verbes irréguliers.

Groupes A : rire → *ri*	plaire → …	vivre → …
découvrir → …	s'asseoir → …	
Groupes B : revenir → …	devenir → …	
apprendre → …	écrire → …	

► p. 160

À NOUS ! 💬🖊

10. Nous proposons une balade insolite.
En petits groupes.
a. **Choisissez une balade insolite (act. 4).**
b. **Imprimez ou dessinez un plan du quartier.**
c. **Imaginez une histoire qui s'est passée dans votre**
quartier.
d. **Rédigez votre histoire puis lisez-la à la classe.**
e. **Enregistrez votre histoire avec votre téléphone**
et créez votre balade sonore fictive.
f. **Partagez votre balade sonore avec les autres groupes.**
g. **Choisissez vos histoires préférées pour réaliser**
le recueil de la classe.

► Expressions utiles p. 163

LEÇON
2 Safari gorilles

Comprendre des conseils et des consignes de sécurité

1. Observez la page Internet. Dans quelle ville se trouve ce restaurant ? Dans quel pays ?

document 1 🎧 18 et 19

2. 🎧18 **Écoutez la 1re partie de la conversation (doc. 1). Pourquoi les deux touristes sont contentes ?**

3. 🎧19 **Par deux. Écoutez la 2e partie de la conversation (doc. 1) et répondez.**

a. Pourquoi ces touristes viennent en Ouganda ?
b. Qui est Paul ? Pourquoi il les rejoint à la table ?

4. 🎧19 **En petits groupes. Réécoutez (doc. 1). Vrai ou faux ? Pourquoi ?**

a. Les touristes sont déjà venues en Ouganda.
b. Elles doivent confirmer leur réservation pour le safari à l'agence Destination Jungle.
c. Selon Paul, le safari gorilles est dangereux.
d. Selon Paul, il est important de respecter les règles et les précautions à prendre.

5. 🎧19 **En petits groupes. Écoutez encore (doc. 1). Quels sont les 5 conseils donnés en cas d'attaque des gorilles ? Vérifiez vos réponses à l'aide de la transcription.**

N° 1. : Suivez l'exemple des guides.

6. 💬

En petits groupes.

Existe-t-il une ou des activités touristiques originales pour découvrir les animaux ou la nature dans votre pays ? Faites la liste des activités de la classe.

document 2

 *Votre voyage en Afrique*

JOUR 3 – La randonnée des gorilles dans la forêt tropicale

Programme

Après le petit déjeuner et le briefing des guides de l'Autorité ougandaise de la faune, vous partirez pour la randonnée des gorilles. L'activité commencera à 8 h 00. Il faut que vous emportiez un repas froid, de l'eau et  une veste de pluie. Les gardes vous donneront un bâton de marche. Attention : il faut que vous soyez en bonne condition physique pour faire cette randonnée.

Règles à respecter et précautions à prendre

- Les personnes malades (grippe, toux) ne sont pas autorisées à entrer dans le parc.
- Il faut toujours rester en groupe et il ne faut pas que vous approchiez les gorilles à moins de 7 mètres.
- Vous ne devez pas utiliser le flash pour photographier les gorilles.
- Il est interdit de manger ou de fumer près des gorilles.
- Ne jetez rien dans le parc. Vous devez rapporter vos détritus avec vous.
- Les enfants de moins de 15 ans ne sont pas autorisés à faire cette randonnée.
- Il faut absolument que vous restiez silencieux et il faut que vous vous déplaciez doucement.
- Vous ne pouvez pas passer plus d'une heure avec les gorilles.
- Votre groupe ne doit pas dépasser 8 personnes.

7. Lisez le programme (doc. 2) de l'agence Destination Jungle et répondez.

a. Que doivent emporter les touristes pour faire le safari ?

b. Quelle est la condition nécessaire pour faire le safari ?

8. Par deux. Lisez les règles et précautions de la brochure (doc. 2).

a. Légendez chaque dessin avec une règle du document.

b. Est-il possible de s'approcher des gorilles ?

❯ FOCUS LANGUE

► p. 210

Exprimer l'obligation, l'interdiction et donner des conseils

En petits groupes.

a. Relisez vos réponses aux activités 5, 7 et 8 et complétez.

Pour exprimer l'obligation	Pour exprimer l'interdiction	Pour donner un conseil
Impératif Exemple : …	Impératif Exemple : …	Impératif Exemples : … ; …
Il faut que + verbe au subjonctif présent Exemple : *Il faut absolument que vous restiez silencieux.*	*Il ne faut pas que* + verbe au subjonctif présent Exemple : *Il ne faut pas que vous approchiez les gorilles à moins de 7 mètres.*	*Il (ne) faut (pas) que* + verbe au subjonctif présent Exemple : *Il ne faut surtout pas que tu te mettes à courir.*
devoir + verbe à infinitif Exemple : …	*Il est interdit de* + verbe à l'infinitif Exemple : …	
Il faut + nom ou verbe à l'infinitif Exemple : …	*Ne pas pouvoir* + verbe à l'infinitif Exemple : … *Ne pas devoir* + verbe à infinitif Exemple : …	

Le subjonctif présent des verbes réguliers

la base   +   **les terminaisons**

Présent de l'indicatif
*Ils **attend**ent*   *il faut* {
que j'attende
que tu attendes
qu'il/elle attende
qu'/elles attendent

Pour *nous* et *vous*
Conjugaison identique avec l'imparfait   *il faut* {
que nous attendions
que vous attendiez

> **Attention !**
> Être → il faut que je sois
> que tu sois
> qu'il soit / qu'elle soit
> que nous soyons
> que vous soyez
> qu'ils soient /
> qu'elles soient

b. **Par deux. Imaginez cinq règles à respecter ou conseils pour progresser en français. Utilisez les verbes ci-dessous. Conjuguez-les au subjonctif présent. Choisissez parmi les personnes suivantes : *je*, *tu*, *nous* et *vous*.**

visiter – découvrir – étudier – pratiquer – venir – lire – comprendre – voyager – écouter – regarder – parler

Exemple : *Pour progresser, **il faut que je parle** un peu français tous les jours.*

► p. 161

À NOUS ! 💬✏️

9. Nous présentons une activité touristique.

En petits groupes.

a. Choisissez une activité touristique dans la liste de la classe (act. 6).

b. Rédigez une courte description de votre activité.

c. Précisez les règles et précautions à prendre (obligations et interdictions) par les touristes francophones qui ont choisi de faire cette activité. Donnez quelques conseils.

d. Réalisez le guide de la classe.

► **Expressions utiles p. 163**

LEÇON

3 Rencontres

Parler de ses émotions et de ses sentiments

http://www.wikiradio.ueb.eu

- À la une
- À l'antenne
- Podcasts
- Émissions
- Intervenants
- Mes favoris

UNIVERSITE BRETAGNE LOIRE / RADIO

À vous la parole !
Par Camille Ceysson
30 mai à 11 h 00   durée : 10 minutes

⤓ **Télécharger ce podcast**   ‹ **Partager**

---

1. Observez la page Internet. Faites des hypothèses sur l'émission « À vous la parole ! »

document 1 🎧 20 et 21

2. 🎧▶20 Écoutez la 1ʳᵉ partie de l'émission « À vous la parole ! » (doc. 1) et répondez.
a. Qui sont Ayaka et Silea ?
b. Quel est le thème de l'émission du jour ?

3. 🎧▶21 Par deux. Écoutez la 2ᵉ partie de l'émission (doc. 1).
a. Quelle étudiante ressent ces émotions : Ayaka, Silea ou les deux ?

l'inquiétude • la peur • la surprise • le bonheur • la nervosité

b. Associez chaque émotion à une émoticône.

l'inquiétude

4. 🎧▶21 Réécoutez (doc. 1). Relevez à quelles occasions Ayaka et Silea ont ressenti ces émotions et sentiments.

Exemple : *la peur → Le 1ᵉʳ jour à l'université, j'avais très peur. Je ne parlais pas bien français.* (Ayaka)

> **FOCUS LANGUE**

Exprimer des sentiments et des émotions

En petits groupes
a. Observez et complétez.

Les sentiments et les émotions	Exprimer des sentiments et des émotions
La peur	…
L'étonnement	…
Le bonheur	*être heureux, heureuse*
L'inquiétude	…
La nervosité	…

b. Listez les autres sentiments et émotions que vous connaissez.

c. Échangez. Quels sentiments et émotions vous avez ressentis : votre 1ᵉʳ jour d'école ; avant votre 1ᵉʳ cours de français ; la 1ʳᵉ fois que vous avez parlé en français ; la 1ʳᵉ fois que vous avez voyagé seul(e) ?

▶ p. 161

5

En petits groupes.
a. Choisissez quatre sentiments ou émotions dans la liste (Focus langue).
b. Faites une liste des moments où vous avez ressenti ces émotions et sentiments.

document **2**

MA FRANCE
TÉMOIGNAGES D'ALUMNI*

1. SOUVENIRS DE CAMPUS
2. RENCONTRES

a **Ma première intervention dans un colloque français.** C'était en 2012, je rencontrais le public universitaire français pour la 1re fois… J'entends encore les applaudissements du public quand j'ai fait mon intervention dans ce colloque. Un universitaire allemand a même fait signe à ses élèves de se lever et de m'applaudir debout ! J'étais très émue. Quelques semaines plus tard, j'ai reçu les actes du colloque. J'étais fière d'avoir participé à un événement culturel français.

Maria, Grèce.

b Quand j'ai rencontré Arnaud, nous parlions souvent espagnol. Il adorait parler ma langue ! Il voulait venir faire un stage en Colombie mais ses parents pensaient que c'était un pays trop violent pour aller pratiquer la langue là-bas. Heureusement, je leur ai raconté la vie à Bogota et ils ont changé d'avis ! Arnaud est arrivé en juillet pour passer un an dans ma ville natale !

Changement d'avis.

Adriana Marcela, Colombie.

c **La langue en commun.** Au pied de la tour Eiffel, j'ai rencontré un Angolais. Il venait passer quelques jours de tourisme à Paris. J'étais très content de faire la visite avec quelqu'un ! Nous avons monté les escaliers du monument et nous avons commencé à discuter en français… Puis nous avons découvert avec émotion que nous parlions tous les deux le portugais, la langue officielle de nos deux pays !

Beltamiro, Mozambique.

* France Alumni est un réseau social pour les étudiants étrangers qui ont suivi des études en France.

📖 **6.** Lisez les témoignages (doc. 2) de ces étudiants.

a. À quelle partie du livre *Ma France* correspond chaque témoignage : *Souvenirs de campus* ou *Rencontres* ?

b. Relevez dans les témoignages de Beltamiro et Adriana l'extrait qui justifie leur titre.

📖 **7.** En petits groupes. Relisez les témoignages (doc. 2).

a. Pour chaque témoignage, identifiez :
– les événements (ce qui s'est passé).
Exemple : *J'ai fait mon intervention dans ce colloque.*

– la description de la situation, les circonstances (où, quand, comment, etc.). Exemple : *C'était en 2012.*
– les sentiments et les émotions ressentis.
Exemple : *J'étais très émue.*

b. Relisez le Focus langue « Exprimer des sentiments et des émotions ». Complétez-le avec les émotions et les sentiments évoqués dans les témoignages.

🔹 FOCUS LANGUE ▶ p. 209

Le passé composé et l'imparfait pour raconter des événements passés, des souvenirs

Par deux.
a. Observez les temps des verbes utilisés pour décrire les événements, la situation et les circonstances, les émotions et les sentiments ressentis (act. 7a).

b. Choisissez la réponse correcte et illustrez avec un extrait des documents 1 et 2.

1. J'utilise ☐ *le passé composé* ☐ *l'imparfait* pour raconter les faits, les événements passés.

2. J'utilise ☐ *le passé composé* ☐ *l'imparfait* pour décrire les circonstances de la situation (le lieu, la date, l'heure, etc.), les émotions ou les sentiments et les souvenirs.
▶ p. 161

8. Sons du français

La prononciation au passé composé et à l'imparfait

🎧 ᴴ22 En groupe. Écoutez et répétez. Vous entendez le passé composé, restez assis. Vous entendez l'imparfait, levez-vous.

Exemple : *J'étais très content !* → *Imparfait, je me lève.*
▶ p. 162

À NOUS ! 🗨️✏️

9. Nous témoignons.

a. Choisissez dans la liste suivante le thème de votre témoignage : une rencontre, un souvenir de voyage, une prise de parole en public, une expérience à l'étranger.

b. Constituez des petits groupes en fonction du thème choisi.

c. Rédigez individuellement votre témoignage à la manière du livre *Ma France*. Décrivez les événements et les circonstances. Souvenez-vous de vos impressions, de vos sentiments et émotions. Échangez avec les membres de votre groupe.

d. Lisez votre témoignage au groupe.

e. Le groupe donne un titre à votre témoignage.

f. Envoyez les témoignages à votre professeur.

4 Un peu de sport !

Organiser un week-end à thème

1. Regardez cette photo. À votre avis, comment s'appelle cette activité en français ?

la planche à voile • la voile • le char à voile

document 1 🎧 23

2. 🎧 ♫23 Par deux. Écoutez cette conversation (doc. 1) et répondez.
   a. Quel est le projet des deux amis ?
      Qui leur a parlé de cette activité ?
   b. Quel est le flyer du club les Drakkars ?

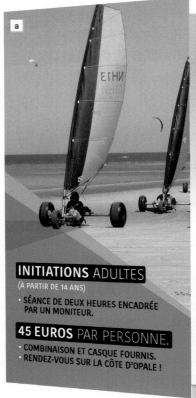

INITIATIONS ADULTES
(A PARTIR DE 14 ANS)
• SÉANCE DE DEUX HEURES ENCADRÉE PAR UN MONITEUR.
45 EUROS PAR PERSONNE.
• COMBINAISON ET CASQUE FOURNIS.
• RENDEZ-VOUS SUR LA CÔTE D'OPALE !

CHAR D'INITIATION
ET CHAR DE PERFECTIONNEMENT

SÉANCE DE DEUX HEURES ET DEMIE
ENCADRÉE PAR UN MONITEUR.
55 EUROS PAR PERSONNE.

COMBINAISON ET CASQUE FOURNIS.
RENDEZ-VOUS SUR LA CÔTE D'ÉMERAUDE !

3. 🎧 ♫23 Par deux. Réécoutez (doc. 1).
   a. Relevez comment les deux amis décrivent cette activité sportive.
   b. Pourquoi ils préfèrent le covoiturage ?
   c. Vérifiez avec la transcription.

4. Et vous ? Que pensez-vous de cette activité ? Vous aimeriez faire du char à voile ? Pourquoi ? Échangez !

▶ FOCUS LANGUE

Les caractéristiques du français familier

a. 🎧 ♫23 Écoutez encore et concentrez-vous sur les extraits ci-dessous.

Français écrit
Tu n'as pas envie ?
Tu imagines les sensations.
Je ne connais pas.
Ce sont vraiment des professionnels.
Il y en a plein.

b. Complétez.

Différences entre l'oral et l'écrit	Exemples
Le *e* muet disparaît. Il est remplacé par l'apostrophe.	*J'connais pas.*
Tu devient *t'*.	
Il devient *y*.	
Le *ne* de la négation disparaît.	
Ce sont devient *c'est*.	

c. Retrouvez la formulation de « oui » et « ami » en français familier.

▶ p. 162

5

En petits groupes.

a. Quels sports extrêmes connaissez-vous ou pratiquez-vous ?

b. Partagez avec les autres groupes.

c. Quelles activités sportives vous avez ou n'avez pas envie de tester ?

6. Observez ce flyer (doc. 2).

    a. Identifiez sa nature et ses différentes parties.

    b. Identifiez les deux activités sportives proposées.

document **2**

FACESUD
L'aventure sur mesure

CONTACT

Face Sud
21 boulevard Peschaire Alizon
07150 Vallon Pont d'Arc
Tél./Fax : 04 75 87 27 23
contact@face-sud.com

ESCALADE

« L'escalade, c'est une expérience unique qui vous fera découvrir des sites magnifiques ! »

Nous vous proposons des week-ends escalade pour partager avec vous notre longue pratique de ce sport et notre passion. Ce sont des week-ends qui s'adressent aux grimpeurs débutants ou expérimentés.

DESTINATIONS

Du tourisme sportif dans les plus belles régions de France : Marseille et ses calanques, les gorges du Verdon, la Corse…

CANYONING

« Le canyoning, c'est la découverte de lieux magiques que vous n'oublierez jamais ! »

Située à l'entrée des gorges de l'Ardèche, Vallon-Pont-d'Arc est devenue la capitale du canyoning de la région. Randonnées aquatiques ou descentes de grands canyons sportifs dans une ambiance rafraîchissante !

DESTINATIONS

Les Cévennes, l'Ardèche et la Lozère offrent des rivières uniques. Plus de 10 descentes de canyons différents organisées en journée ou demi-journée pour débutants, enfants, adultes et sportifs.

7. Par deux. Lisez le document (doc. 2). Quel est le public visé ? Quelles sont les destinations proposées pour chaque activité sportive ?

8. Relisez le flyer (doc. 2). Relevez les formules qui donnent envie de pratiquer ces activités.

> **FOCUS LANGUE**   ▶ p. 203
>
> **C'est… qui/c'est… que pour mettre en relief**
>
> Relisez vos réponses aux activités 7 et 8 et choisissez la réponse correcte.
>
> J'utilise *c'est – ce sont … qui/c'est – ce sont … que* pour souligner et mettre en relief un élément de la phrase.
>
> **1.** J'utilise la structure *c'est* ou *ce sont* + un nom ou un pronom + *qui* pour mettre en relief ☐ *le sujet* ☐ *le COD*.
>
> **2.** J'utilise la structure *c'est* ou *ce sont* + un nom ou un pronom + *que* pour mettre en relief ☐ *le sujet* ☐ *le COD*.
>
> ▶ p. 162

À NOUS !

9. Nous réalisons un flyer pour notre activité sportive.

En petits groupes.

a. Choisissez une activité (act. 5b).

b. Préparez les informations principales de votre flyer :
    – caractéristiques de l'activité
    – public visé
    – destination(s) proposée(s)

c. Organisez vos informations pour rédiger votre flyer à la manière du document 2. Donnez envie à vos lecteurs !

d. Ajoutez une photo et présentez votre flyer à la classe.

e. La classe vote pour son flyer préféré.

f. Envoyez votre flyer à l'office de tourisme de la ville où votre activité se pratique.

g. Organisez la visite de ce lieu.

LEÇON

5 Voyages aventure

Décrire un voyage insolite

http://www.vacanceo.com

Vacanceo L'AVIS DES VOYAGEURS

S'informer Prix et Agences Participez ! **Forum** Connexion

FORUM VOYAGES INSOLITES

Marinette68

Salut tout le monde !
Voilà, je voulais partager avec vous mon inspiration du moment : 9 jours de voyage en 4 x 4 au Kirghizistan !
Le guide, Azamat, parle français. Les paysages sont sublimes, l'hébergement est traditionnel : en yourte ou chez l'habitant.
J'ai découvert le mode de vie nomade et les traditions des Kirghizes, en totale immersion culturelle ! C'est comme ça que j'aime voyager ! Si ça vous dit, je vous donne les coordonnées de l'agence !

Darius1500

Merci Marinette, belle inspiration, en effet ! Je veux bien les coordonnées de l'agence !
Alors moi, je propose à tous les « riders » une expérience unique : le raid en motoneige en Laponie (entre la Finlande et la Suède) ! C'est une expédition intense, avec pilotage en forêt. Philippe, le guide, est français.
Ce qui m'a fasciné dans cette activité, c'est l'incroyable sensation de liberté !

AnneMB

Salut à tous !
C'est vraiment chouette de pouvoir partager ici nos activités « pas comme les autres » !
Vous allez sûrement penser que je fais du tourisme plus classique que vous !… Moi, mon truc, c'est la mobylette… J'ai visité l'île de Chypre à mobylette.
En vacances, j'aime la culture, l'histoire et, à Chypre, on n'en manque pas ! La mobylette, c'est un moyen de transport génial pour prendre son temps et s'arrêter quand on veut !

1. Observez cette page Internet (doc. 1) et répondez.
   a. Quel est le thème du forum ?
   b. Quelle est la nationalité des internautes ?

2. Par deux. Lisez les trois publications des internautes (doc. 1).
   a. Pour chaque proposition, retrouvez :
      – le(s) pays visité(s) ;
      – le mode de transport choisi ;
      – le type d'hébergement ;
      – les activités au programme.
   b. Pourquoi chaque internaute a aimé son voyage ?

3. En petits groupes. Échangez.
   – Quelle proposition est la plus insolite ? Pourquoi ?
   – Quelle proposition vous préférez ? Pourquoi ?

4
En petits groupes.
   a. Choisissez deux mots qui définissent les voyages cités sur le forum.
      Exemples : *tradition, liberté, culture, etc.*
   b. Faites une liste d'autres idées de voyages insolites qui correspondent aux mots choisis.
   c. Partagez-les avec la classe.

> Accueil > Les coulisses de l'Autoroute > **Un road trip sur mesure**

5. Observez cette page Internet. Quel est le nom de la radio ? Quel est son slogan ?

document 2 🎧 24

6. 🎧▸24 Écoutez cet extrait radiophonique (doc. 2). Qui est Baptiste ? Pourquoi il passe à la radio ?

7. 🎧▸24 Par deux. Réécoutez (doc. 2) et répondez.
a. Que propose le site www.planet-ride.com ?
b. Comment fonctionne ce site ?

c. Quel est le public visé et quelles sont les destinations proposées ? Pour quels budgets ?

8. 🎧▸24 En petits groupes. Écoutez encore (doc. 2). Repérez dans la liste les mots qu'utilise Baptiste pour décrire ces voyages.

une expérience • une évasion • une expédition • un dépaysement • la liberté • une découverte • la traversée • une sensation de liberté

▶ **FOCUS LANGUE**   ▶ p. 202

Le genre des noms

En petits groupes.

a. À l'aide des documents 1 et 2, indiquez le genre des noms. Utilisez la transcription si nécessaire.

Les mots en…	Masculin	Féminin	Exemples
-té	☐	☐	*liberté, activité*
-ment	☐	☐	*dépaysement, hébergement*
-age	☐	☐	*voyage, pilotage*
-ion, -tion, -sion	☐	☐	*évasion, destination, inspiration, tradition, immersion, expédition, sensation*
-ée	☐	☐	*traversée, idée, coordonnée*
-ure	☐	☐	*aventure, culture*
-isme	☐	☐	*tourisme*
-ette	☐	☐	*mobylette*

b. Complétez le tableau avec d'autres mots que vous connaissez.

▶ p. 162

À NOUS ! ✍

9. Nous présentons un voyage insolite.

En petits groupes.

a. Choisissez un voyage insolite dans la liste de la classe (act. 4).
b. Précisez le(s) mode(s) de transport, le type d'hébergement, les activités insolites à réaliser.
c. Présentez votre voyage insolite à la classe.
d. Réalisez le carnet des voyages insolites de la classe.
e. Proposez votre carnet de voyages insolites à l'office de tourisme de votre ville.

▶ Expressions utiles p. 163

LEÇON

6 C'est ma vie !

Raconter son parcours

document **1**

http://www.votretourdumonde.com

ITINÉRAIRE   VIVRE À...   TOPS 5   PRÉPARATIFS   RÉCITS   MES VIDÉOS

VIVRE EN ESTONIE : L'EXEMPLE DE MAËL

Souvenirs de mon séjour en Estonie

Il y a deux ans, je suis parti en Estonie. Je devais faire un stage pour mes études. Ma spécialité, ce sont les nouvelles technologies et les nouveaux moyens de communication.

L'Estonie est un pays qui me fascine depuis l'enfance. Quand j'étais petit, j'étais passionné par les drapeaux. Je les apprenais tous par cœur ! Le drapeau estonien était mon préféré, alors je me suis juré d'y aller !

Je devais rester quelques semaines seulement mais j'y ai vécu pendant 5 mois.

J'ai fait mon stage à Tallinn, une ville très vivante. L'Estonie n'est indépendante que depuis 25 ans. C'est un pays très jeune. La vie y est très agréable, calme et il y a beaucoup d'espaces verts… Ça, j'ai adoré !

J'ai eu un peu de mal à me faire des amis car, pendant mon stage, j'étais surtout avec des francophones.

Dans quelques mois, j'ai l'intention de repartir en Estonie pour y trouver un travail et m'y installer.

Je suis rentré en France il y a un an et demi et je prends des cours d'estonien depuis 6 mois. Je suis vraiment tombé amoureux de l'Estonie et de son mode de vie !

1. Observez cette page Internet (doc. 1).
  a. Identifiez le type de site.
  b. De quel pays on parle ?

2. En petits groupes. Suivez-vous des blogs ? Des blogs de voyages ? D'autres thèmes de blogs ?
Avez-vous déjà publié sur un blog ?
À quelle(s) occasion(s) ?

3. Par deux. Lisez le témoignage (doc. 1) et répondez.
  a. Quand Maël est-il parti à l'étranger ?
  b. Pourquoi est-il parti ?
  c. Quelle est sa spécialité ?
  d. Pourquoi a-t-il choisi ce pays ?

4. Par deux. Relisez le témoignage (doc. 1).
  a. Retrouvez l'ordre des éléments suivants :
      projets • durée du séjour en Estonie •
      retour en France • difficultés d'adaptation
  b. Relevez les informations correspondant à ces éléments.
  c. Pourquoi Maël a aimé l'Estonie ?

5

En petits groupes.
  a. Y a-t-il beaucoup de Français ou de francophones expatriés dans votre pays ?
  b. Cherchez s'il existe des blogs de voyages d'expatriés français ou francophones dans votre ville ou pays.
  c. Partagez-les avec la classe.

6. Sons du français

► p. 197

La liaison avec les sons [z], [t] et [n]

🎧 ▸25 **En groupe. Écoutez. Dites si vous entendez une liaison avec le son [z], le son [t] ou le son [n]. Répétez ces phrases.**

Exemple : *Son histoire → liaison avec le son [n]*

► p. 163

📖 **7. Observez cette affiche (doc. 2). Connaissez-vous le concept de « café de langue » ? Échangez.**

café DE LANGUE MERCREDI 14 MAI

document **2** 🎧 26

8. 🎧 ▸26 **Écoutez cette conversation (doc. 2) dans un café de langue à Tallinn, en Estonie. De quoi parlent les deux personnes ?**

9. 🎧 ▸26 **En petits groupes. Réécoutez (doc. 2). Vrai ou faux ? Pourquoi ?**
   a. Emma a aimé son séjour en France.
   b. Laurence adore la vie à Tallinn.
   c. Laurence travaille dans une galerie d'art dans le centre-ville.
   d. Laurence est originaire de Paris.
   e. Emma est interprète.

10. 🎧 ▸26 **En petits groupes. Lisez ces extraits. Qui parle : Laurence ou Emma ?**
   a. « J'y suis allée il y a deux ans. »
   b. « J'y suis restée pendant un an. »
   c. « J'habite ici depuis deux ans et demi. »
   d. « Je veux ouvrir ma propre agence dans quelques mois. »

▸ FOCUS LANGUE

► p. 207

Les marqueurs temporels

Par deux.
a. Observez le schéma.

PASSÉ	PRÉSENT	FUTUR
il y a		*dans*
pendant		*pendant*
depuis		

b. Complétez avec les marqueurs temporels : *il y a*, *pendant*, *dans* et *depuis*. Illustrez avec un extrait (act. 4b et 10).
   1. J'utilise… pour indiquer une période de temps. Exemple :…
   2. J'utilise … pour exprimer un événement futur. Exemple :…
   3. J'utilise … pour exprimer une action ponctuelle et situer un événement passé par rapport au moment présent. Exemple :…
   4. J'utilise … pour indiquer le point de départ dans le passé d'une action qui continue au moment où je parle. Exemple :…

► p. 162

11. Apprenons ensemble !
Miyu répond à la consigne suivante : décrivez un rêve que vous aviez quand vous étiez petit(e).
Si vous l'avez réalisé, racontez comment.

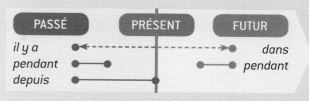

En petits groupes.
a. 🎧 ▸27 Écoutez la production de Miyu. Quel était son rêve ? Pourquoi ?
b. 🎧 ▸27 Réécoutez et relevez comment Miyu situe les différents événements dans le temps. Aidez-la à corriger ses erreurs.
c. Trouvez un moyen de ne pas répéter ces erreurs et proposez-le à la classe.

À NOUS !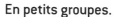

12. Nous racontons notre parcours.
Seul.
a. Relisez la consigne donnée à Miyu (act. 11).
b. Rédigez votre témoignage.
c. Présentez votre témoignage à la classe sans mentionner votre rêve.
d. La classe doit deviner votre rêve.

► **Expressions utiles p. 163**

CULTURES

1 **Voyager autrement** Vidéo **2**

a. Observez cette image et faites des hypothèses
sur le contenu de la vidéo.

   1. De quelle nouvelle technique ce jeune homme
   va-t-il parler ? À qui s'adresse-t-il ?
   2. Quelles techniques connaissez-vous pour dormir
   gratuitement chez l'habitant ?

b. Regardez le début de la vidéo (jusqu'à 0'30"). Vérifiez vos hypothèses.

c. Relevez le nom et la définition de cette nouvelle technique.

d. En petits groupes. Associez chaque geste à sa signification :

   1. Tu peux déjà aller dans pas mal de villes en Europe ou en France, comme Londres, Barcelone…
   2. T'(u) accueilles des gens chez toi…

Et dans votre langue ? Quel(s) geste(s) pouvez-vous associer à chaque phrase ?

e. Regardez la vidéo sans le son (de 0'30" à la fin). Remettez dans l'ordre la journée d'Alex.
   1. Il visite Bordeaux.
   2. Il se couche.
   3. Il prend le tramway.
   4. Il fait la cuisine.
   5. Il visite l'appartement de la personne chez qui il va loger.
   6. Il rentre avec les courses.
   7. Il rencontre son hôte.
   8. Il dîne avec son hôte.

f. En petits groupes. Regardez la vidéo avec le son (de 0'30" à la fin).
   La classe est divisée en trois. Chaque groupe se charge d'une question.
   1. Décrivez l'appartement de Jérôme. Citez les pièces que l'on voit.
      Selon vous, est-ce que c'est un appartement typiquement français ? Pourquoi ?
   2. Que pense Jérôme de ce mode d'hébergement ? Pourquoi ? Et vous ?
   3. Quels lieux visite Alex ?

   Mettez vos réponses en commun.

2 Rencontre interculturelle

18

TÉMOIGNAGE

Un véritable échange culturel
De Thi Kim Cuc

VIETNAM
Université de Toulouse I – Capitole

Ma mission, dans cette association, était de tenir compagnie à une dame âgée qui habitait toute seule, pas très loin de chez moi. Chaque samedi après-midi, je prenais mon vélo pour me rendre chez elle et rompre sa solitude. Je lui faisais la lecture, nous discutions de sujets divers. Il m'est arrivé de lui cuisiner un plat traditionnel vietnamien, le nem, qu'elle goûtait avec grand plaisir.

Les histoires qu'elle m'a racontées m'ont permis de mieux comprendre la France, les Toulousains, la vie à la française. Cette rencontre a été un véritable échange culturel.

a. **Lisez le document.**
  1. Identifiez le document et son auteur.
  2. Quel est le sujet du témoignage ?

b. **Légendez les photos avec les extraits du témoignage.**

c. **Par deux. Relisez et répondez.**
  1. Quelle était la mission de l'auteur du témoignage ?
  2. Quel est l'intérêt pour chaque personne ?

d. **En petits groupes. Que pensez-vous de la relation entre la personne âgée et l'étudiante ? Aimeriez-vous vivre cette expérience ? Dans votre pays, cette situation est-elle possible ? Si non, pourquoi ?**

COMPLÉTEZ VOTRE CARNET CULTUREL

1. Des étudiants francophones dans mon pays : combien ? Dans quelles villes ?
2. Des associations dans mon pays qui proposent la rencontre interculturelle : lesquelles ? Quelles missions ? Où ?
3. Des associations pour rencontrer des francophones : lesquelles ? Où ?

Retournez aux pages 28-29. Répondez à nouveau aux questions. Mettez en commun avec le groupe.

PROJETS

Projet de classe

Nous réalisons la carte de nos expériences insolites ou originales.

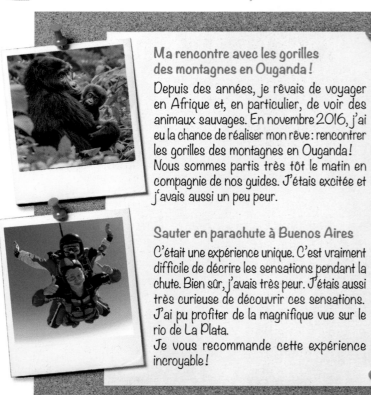

Ma rencontre avec les gorilles des montagnes en Ouganda !

Depuis des années, je rêvais de voyager en Afrique et, en particulier, de voir des animaux sauvages. En novembre 2016, j'ai eu la chance de réaliser mon rêve : rencontrer les gorilles des montagnes en Ouganda ! Nous sommes partis très tôt le matin en compagnie de nos guides. J'étais excitée et j'avais aussi un peu peur.

Sauter en parachute à Buenos Aires

C'était une expérience unique. C'est vraiment difficile de décrire les sensations pendant la chute. Bien sûr, j'avais très peur. J'étais aussi très curieuse de découvrir ces sensations. J'ai pu profiter de la magnifique vue sur le rio de La Plata.
Je vous recommande cette expérience incroyable !

a. Lisez ces deux extraits. À quel type d'expérience ils correspondent ?

une balade insolite • un safari • une rencontre originale • une activité sportive extrême • un voyage aventureux • un changement important • une expérience à l'étranger

b. Chaque étudiant choisit une expérience ou une activité originale personnelle. Il la décrit et parle des émotions et des sentiments ressentis.

c. En petits groupes, décidez de la présentation de l'ensemble des expériences et activités : textes, images, plans, sons, vidéos, etc.

d. Réalisez la carte de votre groupe. Affichez-la dans la classe.

e. Chaque groupe présente sa carte à la classe.

f. Réalisez une carte interactive sur www.thinglink.com et partagez-la avec la classe.

Projet ouvert sur le monde ▸ 📖 GP Parcours digital

Nous réalisons un mini-guide à destination des voyageurs francophones.

DELF 2

I Compréhension des écrits

Exercice 1 Lire des instructions

Vous êtes en France, à la réserve africaine de Sigean.
Vous lisez les consignes de sécurité.
Répondez aux questions.

1. Il est possible de faire la visite avec quel moyen de transport ?

2. Pour faire la visite d'une partie du parc à pied, il faut que vous…

3. Dans la réserve, il est autorisé de…
   a. nourrir les animaux.
   b. manger pendant la visite.
   c. se promener avec une bouteille d'eau.

4. Dans la réserve, vous ne pouvez pas…
   a. fumer.
   b. rester silencieux.
   c. prendre des photos.

5. Quand vous prenez en photo les animaux, il ne faut pas que vous…

RÈGLEMENT INTÉRIEUR

Pour votre sécurité, le respect et le bien-être des animaux ainsi que pour la protection de l'environnement, **IL EST IMPÉRATIF DE RESPECTER LES CONSIGNES DE SÉCURITÉ CI-DESSOUS** :

1. Les voitures ouvertes, les motos et les vélos ne sont pas autorisés à entrer dans la réserve. Vous pouvez prendre un minibus.

2. Il est interdit de descendre du minibus dans la réserve des lions.

3. Vous pouvez faire une partie du parc à pied. Vous devez rester sur les chemins.

4. Il ne faut pas que vous donniez à manger aux animaux et il est interdit de manger dans la réserve. Vous pouvez avoir une bouteille d'eau avec vous.

5. Ne jetez rien sur les animaux et dans la réserve.

6. Il est absolument interdit de fumer.

7. Il ne faut pas faire de bruit ou utiliser le flash de votre appareil photo quand vous photographiez les animaux.

II Production écrite

Exercice 1 Décrire un événement ou raconter une expérience personnelle

Vous avez fait un voyage insolite et vous avez fait la rencontre de personnes extraordinaires.
Vous écrivez à un ami francophone pour lui raconter cette expérience et pour lui parler de vos émotions et de vos sentiments. (60 mots minimum)

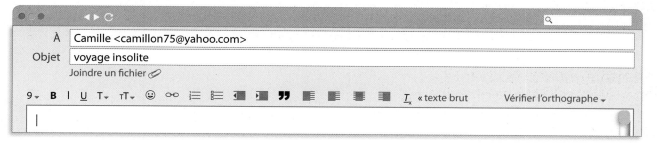

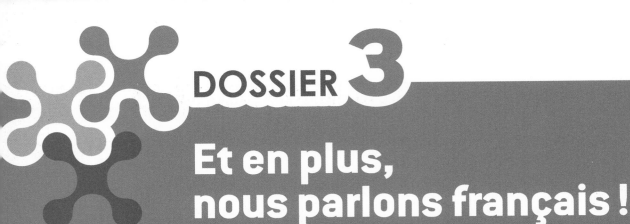

DOSSIER 3

Et en plus, nous parlons français !

La langue française et l'emploi

Par deux. Répondez et comparez vos réponses avec celles des autres groupes.

1 À votre avis, pour postuler à un emploi en France, c'est plutôt :

a

b

Denys Poulet, des compétences et bien plus...
DIRECTEUR DE FILIALE, disponible immédiatement
Ingénieur AGRO & Executive MBA

c

2 À votre avis, grâce à la langue française, vous pouvez trouver facilement un emploi :

a. dans le secteur du tourisme.

b. dans le secteur de la communication.

c. dans le secteur de la comptabilité et de la finance.

3 À votre avis, le programme ERASMUS, c'est plutôt :

a. un programme de mobilité pour les professionnels de l'éducation.

b. un programme de mobilité pour les étudiants universitaires.

c. un programme de mobilité pour les jeunes en formation professionnelle.

PROJETS

- **Un projet de classe**

  Postuler à « un job de rêve ».

- **Et un projet ouvert sur le monde**

  Nous entraîner à un entretien d'embauche en France.

Pour réaliser ces projets, nous allons apprendre à :

- ▶ comprendre une offre d'emploi
- ▶ rechercher un emploi
- ▶ proposer des services
- ▶ donner des conseils
- ▶ parler de notre parcours professionnel
- ▶ répondre à des questions formelles

LEÇON

1 Poste à pourvoir

Comprendre une offre d'emploi

---

document 1

http://www.institutfrancais.de

INSTITUT FRANÇAIS Allemagne ▾

EMPLOI

Réseau Contact Recherche

L'INSTITUT FRANÇAIS D'ALLEMAGNE (IFA) RECRUTE UN ASSISTANT BUDGÉTAIRE ET COMPTABLE (H/F)

Lieu : IFA, ambassade de France à Berlin, PariserPlatz 5.

Missions principales : Gestion des dépenses et des recettes, paiement des factures

Profil recherché :
- Avoir des connaissances en gestion budgétaire
- Avoir une bonne capacité d'organisation
- Faire preuve de rigueur et de logique
- Avoir l'esprit d'équipe

Langues :
- Maîtrise du français à l'oral et à l'écrit
- Maîtrise de l'allemand

> Envoyer CV et lettre de motivation à
> recrutement@institutfrancais.de
> Renseignements sur le poste :
> Paul Hamon
> 0049 (0) 30 – 590 03 9032

Conditions :
- CDD d'un an renouvelable. Possibilité de CDI
- Temps plein
- Salaire brut mensuel : 2 054,97 € (sur 13 mois)

---

document 2

http://www.institutfrancais-cambodge.com

L'INSTITUT FRANÇAIS DU CAMBODGE (IFC) RECRUTE UN CHARGÉ DE CLIENTÈLE (H/F) POUR SON CENTRE DE LANGUES (5 000 ÉTUDIANTS PAR AN EN MOYENNE)

vivre les cultures **INSTITUT FRANÇAIS** Cambodge

Missions :
- Accueillir les clients
- Leur vendre les cours et les examens du centre de langues
- Répondre aux demandes de renseignements pour les cours ou les examens par mail, téléphone et sur les réseaux sociaux

Compétences et qualités requises :
- Aimer le contact avec le public
- Avoir une bonne présentation
- Avoir la capacité à travailler en équipe

Langues :
- Français et anglais (niveau B1 minimum)
- Maîtrise du khmer indispensable

> Envoyer CV et lettre de motivation à :
> emploi@institutfrancais-cambodge.com
> Renseignements sur le poste :
> Claire Martin
> +855 (0) 23 213 124/312

Conditions :
- CDI, période d'essai de trois mois
- Temps plein
- Salaire à négocier

---

1. Observez ces deux documents (docs. 1 et 2) et répondez.

a. De quel type de document il s'agit ?

b. Qui a publié ces documents ? Dans quels pays ?

2. Lisez les documents (docs. 1 et 2) et relevez les informations données pour ces éléments :

intitulé du poste • lieu de travail • durée du contrat • temps de travail • langue(s) • salaire • modalités de réponse • personne à contacter.

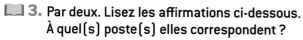 **3.** Par deux. Lisez les affirmations ci-dessous.
À quel(s) poste(s) elles correspondent ?

   a. Il faut des compétences en comptabilité.
   b. La maîtrise du français est obligatoire.
   c. Il y a une période d'essai.
   d. Il faut être très organisé et rigoureux.
   e. Il faut aimer le contact et la vente.
   f. Le candidat doit aimer travailler en équipe.

> **FOCUS LANGUE**

Comprendre une offre d'emploi

H/F → Homme/Femme
CV → Curriculum vitae
CDD → Contrat à durée déterminée
CDI → Contrat à durée indéterminée

Temps de travail : temps plein ou temps partiel
Salaire ou rémunération : brut(e) ou net(te)
Salaire net = salaire sans les charges sociales

                        ► p. 164

En petits groupes.
   a. Quelles sont les professions du centre
     de langues où vous étudiez le français ?
     (professeur, directeur, gardien, etc.)
   b. Selon vous, quelles autres professions
     peuvent être utiles au centre de langues ?
   c. Partagez avec la classe.

5. Sons du français   ► p. 197

> **Les sons [s] et [z]**
>
> 🎧 ▶28 En groupes. Écoutez et répétez
> les mots. Dites combien de fois vous entendez
> le son [s] et combien de fois le son [z].
> Exemple : *re**s**pon**s**abilités → 2 fois le son [s]*
>   *et 0 fois le son [z].*
>   ► p. 164

document 3   🎧 29

6. Regardez la photo et faites des hypothèses.
   a. Qui sont-ils ?
   b. Qu'est-ce qu'ils font ?

7. 🎧▶29 Par deux. Écoutez ces quatre extraits (doc. 3).
Vérifiez vos hypothèses puis associez chaque extrait
à l'offre d'emploi qui correspond. Justifiez vos choix.

8. 🎧▶29 En petits groupes. Réécoutez (doc. 3).
Quel est, selon vous, le ou la meilleur(e) candidat(e)
pour chaque poste ? Justifiez vos choix.

> **FOCUS LANGUE**

**Décrire des compétences
et qualités professionnelles**

En petits groupes.
   a. Dans la liste suivante, choisissez deux compétences
     ou qualités professionnelles qui vous semblent
     essentielles pour : accueillir du public, gérer
     un budget, vendre des cours et des examens.

Avoir le sens des responsabilités.
Avoir une bonne présentation.
Avoir la capacité à travailler en équipe, avoir l'esprit d'équipe.
Être créatif, réactif, autonome, organisé, dynamique, énergique.
Faire preuve de qualités relationnelles.
Faire preuve de rigueur, de logique.
Respecter les délais.

   b. Quelle est la profession de vos rêves ? Faites la
     liste des qualités ou compétences professionnelles
     essentielles pour exercer cette profession.
                            ► p. 164

À NOUS !

**9. Nous rédigeons une offre d'emploi
pour notre centre de langues.**

En petits groupes.
   a. Choisissez une profession (act. 4).
   b. Rédigez l'offre d'emploi pour ce poste. Indiquez le lieu
     de travail, le type de contrat, les missions à effectuer,
     le profil recherché (compétences et qualités requises),
     les langues (si nécessaire), le salaire indicatif et la
     personne à contacter.
   c. Partagez votre offre d'emploi avec la classe.
   d. La classe choisit une offre et la propose au responsable
     du centre.

                   ► **Expressions utiles p. 167**

Je me présente…

Rechercher un emploi

document **1**

http://www.gavroche-thailande.com

GAVROCHE
THAÏLANDE

| ACTU | AGENDA | BONNES ADRESSES | GUIDE EXPAT | GUIDE VOYAGEUR | **EMPLOIS** | ABONNEMENT | CONTACTEZ-NOUS |

Thaïlandaise parlant couramment français à la rech…   #10010

■ **Nationalités :**
française et thaïlandaise
■ **Téléphone :** 0934983648
■ **Langues :**
thaï, français, anglais
■ **Ville :** Koh Samui
et toute la Thaïlande

✉ **Envoyer à un ami**

@ **Répondre**

Bonjour,
Je m'appelle Cory Labarbere, j'ai 26 ans et je suis franco-thaïlandaise.
Tout d'abord, j'ai fait mes études secondaires en Thaïlande. Après mon baccalauréat, je suis partie en France pour suivre des études d'hôtellerie et restauration. À la fin de mon cursus, il y a 6 ans, j'ai obtenu un BTS dans ce domaine. J'ai ensuite travaillé pendant quatre ans en qualité de responsable de service dans un hôtel et deux restaurants.
De plus, j'ai suivi une formation d'aide médicale psychologique et j'ai travaillé en maison de retraite toute l'année dernière. Mon travail consistait à aider les personnes âgées et à organiser des activités culturelles (par exemple des sorties culturelles, des conférences, des animations). Enfin, je sais faire preuve de qualités humaines importantes : je suis attentive, rigoureuse et patiente.
Je suis rentrée en Thaïlande depuis maintenant six mois et je suis à la recherche active d'un emploi, dans l'un de ces deux domaines.
Pour conclure, je précise que j'habite actuellement à Koh Samui, dans le sud de la Thaïlande, mais que je suis prête à accepter un poste dans une autre ville.
Cordialement.
Cory Labarbere

📖 **1.** Observez cette page Internet (doc. 1).
De quoi s'agit-il ?

📖 **2.** Lisez le message (doc. 1).
a. Qui est Cory Labarbere ?
Où souhaite-t-elle travailler ?
b. Dans quel ordre elle cite les éléments suivants ?
formulation de la demande d'emploi •
qualités et compétences professionnelles •
parcours scolaire • expérience professionnelle
et formation continue • prise de congé •
formule d'appel

✏ **3.** Par deux. Relisez le message (doc. 1) et complétez
le profil professionnel de Cory Labarbere.

Cory Labarbere ✓

FORMATION
2015 : Formation …
2010 : BTS Hôtellerie-Restauration
2008 : Baccalauréat

EXPÉRIENCES
2016 : animatrice … → organisation …
2011-2015 : … dans un hôtel et deux restaurants

LANGUES
Maîtrise du … et du … . … (niveau B2)

COMPÉTENCES
Qualités humaines importantes : attentive, … et …

in

▶ FOCUS LANGUE   ▶ p. 211

Les articulateurs pour structurer le discours

En petits groupes.
Relisez vos réponses à l'activité 2b. Repérez comment Cory Labarbere organise les éléments suivants entre eux : parcours scolaire ; expérience professionnelle ; qualités et compétences professionnelles.

Introduire un message	…
Organiser chronologiquement des informations	après,…
Ajouter une information	…
Conclure	enfin,…

▶ p. 164

 4

En petits groupes. Échangez.

a. Selon vous, quels sont les meilleurs moyens pour rechercher des offres d'emploi et trouver du travail ? Quels sites Internet connaissez-vous ? Existe-t-il d'autres moyens ?

b. Existe-t-il dans votre pays des sites pour les francophones qui cherchent un emploi ? Partagez avec la classe.

> **document 2** 🎧 30 et 31

5. 🎧►30 Écoutez la 1re partie de la conversation téléphonique (doc. 2). Qui est Pierre Guichon ? Pourquoi il téléphone à Cory Labarbere ?

6. 🎧►31 Écoutez la 2e partie (doc. 2) et répondez.
  a. Quels éléments du profil de Cory Labarbere (doc. 1) ont retenu l'attention de Pierre Guichon ?
  b. Quel autre point positif elle ajoute ?

7. 🎧►30 et 31 **En petits groupes.**
a. Réécoutez l'entretien téléphonique (doc. 2) puis complétez les tableaux. Vérifiez avec la transcription.
b. Faites la liste des articulateurs utilisés dans la 2e partie de l'entretien téléphonique (act. 6). Vérifiez avec la transcription et classez-les dans le tableau du Focus langue.

Le recruteur	
cite l'annonce et introduit l'entretien.	… *Vous avez quelques instants à m'accorder ?*
vérifie que l'annonce est toujours d'actualité.	…
propose un emploi à Cory Labarbere.	…

La candidate	
accepte l'entretien téléphonique.	*Bien sûr, je vous écoute.*
exprime son intérêt pour le poste proposé.	…
mentionne une compétence.	*En plus, je connais très bien la région.* …

 **À NOUS !**

8. Nous postulons !

En petits groupes.

a. Choisissez un site de la liste (act. 4b).

Par deux.

b. Rédigez votre candidature spontanée. À la manière de Cory Labarbere, donnez des informations sur :
  – votre parcours scolaire ;
  – votre expérience professionnelle ;
  – vos compétences et qualités professionnelles ;
  – les langues que vous parlez.

  Pensez à utiliser les articulateurs.

c. Lisez la candidature de votre camarade. Vérifiez que l'ensemble des éléments apparaît.

En groupe.

d. Affichez les candidatures dans la classe.

e. Regroupez les candidatures spontanées par thèmes.

LEÇON

3 La nouvelle économie

Proposer ses services

http://www.needelp.com

needelp.com   Poster un besoin   Trouver un job   S'inscrire   Se connecter   Aide

Trouvez quelqu'un pour vous aider

30 000 jobbers compétents près de chez vous

De quoi avez-vous besoin ?   Adresse du job ?   C'est parti !

Bricolage
Déménagement
Nettoyage / Repassage
Jardinage
Livraison
Informatique
Autres

100 % confiance
Profils vérifiés et évalués

Économies assurées
2 à 3 fois moins cher qu'une entreprise

Accompagnement garanti
Notre service client à votre écoute

Assurance incluse
Prestations assurées

De quoi avez-vous besoin ?

1. Observez ce site.
  a. À votre avis, que propose-t-il ?
  b. Identifiez le nom, le slogan, les différentes rubriques et les deux questions posées.

document 1 🎧 32

2. 🎧▸32 **Par deux. Écoutez cette interview du président de Needelp (doc. 1) et répondez.**
  a. Quel est l'objectif de Needelp ?
  b. Quels types de service peut-on y trouver ?
  c. Qui sont les « jobbers » ?

3. 🎧▸32 **Par deux. Réécoutez (doc. 1). Vrai ou faux ? Pourquoi ?** *Selon son président...*
  a. Needelp participe à l'évolution du monde du travail.
  b. Le site aide à trouver un deuxième travail.

  c. Avec Needelp, les artisans vont avoir moins de travail.
  d. Sur ce site, il faut vingt-quatre heures en moyenne pour trouver un jobber.

4. En petits groupes. Échangez.
Que pensez-vous du site Needelp ?
Connaissez-vous des sites de services de proximité dans votre ville ou pays ?

5

En petits groupes.
  a. Faites la liste des différents types de services que propose le site Needelp.
  b. Identifiez dans la liste les services que votre groupe peut proposer.
  c. Mettez en commun avec la classe.

http://www.needelp.com

 **Azim**

Évidemment, ce site ne propose pas de travail à temps plein. C'est un site pour trouver un petit boulot. Mais c'est surtout une communauté qui permet de faire des rencontres autrement. Je suis en France pour perfectionner mon français et je propose mes services pour garder des enfants. J'ai rencontré des familles vraiment sympas et on est devenus amis !

 Édouard

Je travaille à mon rythme et en fonction de mes disponibilités.
Mon activité d'auto-entrepreneur fonctionne bien, mais je n'ai pas toujours le temps de chercher de nouveaux clients. Ce site me permet de trouver facilement et gratuitement des personnes qui ont besoin de mes services pour des petits travaux.

 Mariana

Je suis actuellement étudiante à l'université. Je suis d'origine espagnole, je parle donc cette langue couramment. Ce site me permet d'entrer fréquemment en contact avec des personnes qui cherchent des cours d'espagnol. Je peux donc suivre mes études et avoir un petit job pour m'aider financièrement !

6. Observez ce document (doc. 2).
Qui sont ces personnes ?

7. Lisez les témoignages (doc. 2).
a. Quels types de services ils proposent ?
b. Pourquoi ont-ils choisi de devenir « jobbers » ?
Relevez les raisons données dans les témoignages.

> **FOCUS LANGUE** ▶ p. 206

Les adverbes pour donner une précision

Par deux
a. À l'aide des extraits relevés dans l'activité 7, donnez des exemples pour compléter la règle.

Formation de l'adverbe	Exemples
En général → base de l'<u>adjectif</u> au féminin singulier + -**ment**.	*actuelle* → *actuellement* …
Si l'<u>adjectif</u> au masculin se termine par une voyelle → base de l'adjectif au masculin singulier + -**ment**.	*absolu* → *absolument* …
Si l'<u>adjectif</u> au masculin se termine par -*ent* ou -*ant*, → -**emment** ou -**amment**.	*évident* → *évidemment* …

b. Citez deux activités que vous faites :
régulièrement • gratuitement • actuellement • facilement • fréquemment.
▶ p. 165

8. Apprenons ensemble !
Natalia répond à la consigne suivante :
« Vous cherchez un petit job. Vous publiez une annonce sur un site d'entraide pour proposer vos services. »

Je suis étudiante au conservatoire de Paris et je cherche un petit job. Évidentement, je propose des cours de musique ! Je peux enseigner le chant, le piano et le solfège. J'ai une bonne expérience de l'enseignement aux enfants, j'ai fréquentement donné des cours dans des écoles. Je suis disponible, tous les jours à partir de 16 h 00 et également les week-ends. Mon tarif : 15 €/heure. Merci de m'écrire à natalia2001@hotmail.com.

a. Par deux. Lisez l'annonce de Natalia et relevez les adverbes utilisés pour préciser :
– le type de cours qu'elle propose ;
– son expérience et ses disponibilités.
b. Que remarquez-vous ? Aidez Natalia à corriger ses erreurs.
c. Proposez une technique pour ne pas répéter ce type d'erreurs.
d. Partagez vos idées avec la classe.

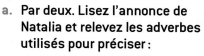 **À NOUS !**

9. Nous nous entraidons.
En petits groupes.
a. Choisissez un ou des service(s) (act. 5).
b. Rédigez une annonce pour proposer vos services.
c. Affichez votre annonce dans la classe.
d. Lisez les services proposés par les autres groupes. Le(s)quel(s) vous intéresse(nt) ?
e. Échangez des informations supplémentaires avec la ou les personnes qui propose(nt) ce(s) service(s).

▶ **Expressions utiles p. 167**

4 Nous osons !

Donner des conseils

document 1

LÉONIE
LAMOUREUX

23 ans, célibataire — 5

ASSISTANTE
COMMERCIALE

1

4 rue des Bahutiers
33000 Bordeaux
Tél. : 06 59 54 06 29
Mél : lamoureuxleonie@
mail.com

2

- Dynamique, organisée et rigoureuse
- Sens des responsabilités
- Excellentes qualités relationnelles

3

- Pratique de la voile
- Cinéma

ALLEMAND
(niveau C1)

4

ESPAGNOL SCOLAIRE
(niveau A2)

6

2015
BTS Management
des unités commerciales

2013
Baccalauréat, série ES

7

2016
Assistante commerciale
(CDD 6 mois), ALLTECH Consulting
→ Suivi des commandes
  et des dossiers clients
→ Facturation et relances clients

2015
Stage de 3 mois (ALLTECH Consulting)

8

- Maîtrise parfaite des outils Word, Powerpoint et Excel
- Qualités rédactionnelles
- Bonnes connaissances en gestion budgétaire

document 2

ELLE 🇫 🐦 📌 ▶ 📷 👻 g+ | S'IDENTIFIER | ABONNEZ-VOUS

ELLE > Société > ELLE active > Réussir au boulot

Des CV originaux pour impressionner vos futurs employeurs

Si vous voulez qu'on vous remarque quand vous recherchez un emploi, n'hésitez pas à être créatif !
Pour faire un CV original, les idées ne manquent pas !
À vous de trouver celui qui correspond le mieux à votre profil et à votre secteur d'activité.
Voici deux exemples pour vous inspirer.

Soyez « corporate » !
Si vous rêvez de travailler dans une entreprise parce qu'elle vous correspond parfaitement, rédigez votre CV objet qui rappelle l'univers de cette entreprise !

Soyez interactif !
Réalisez un site consacré à votre parcours. Le résultat est très personnalisé !
Si vous vous faites aider pour la réalisation technique, précisez-le ! Faites attention à la publicité mensongère !

Et pour terminer, CV classique ou CV créatif, respectez bien les rubriques principales qu'un CV doit contenir !

📖 **1.** Observez (doc. 1). De quel type de document il s'agit ?

📖 **2.** Par deux.
   a. Associez les éléments suivants aux différentes rubriques (doc. 1) :
   *compétences • langues • centres d'intérêt • expériences professionnelles •
   formation • coordonnées • état civil • qualités.*

   b. Comparez ce document avec un CV type de votre pays. Identifiez les différences et les points communs.

3. Observez le titre de l'article, les photos (doc. 2) et identifiez son sujet.

4. Par deux. Lisez l'article (doc. 2).

a. Identifiez les deux exemples donnés et leurs caractéristiques.

b. Pourquoi ces CV sont originaux ?

5. Par deux. Relisez l'article (doc. 2) et relevez les conseils donnés pour :

a. être remarqué dans sa recherche d'emploi ;
b. travailler pour l'entreprise de ses rêves ;
c. la réalisation technique du CV interactif ;
d. réaliser un CV classique ou créatif.

6.

En petits groupes.

a. Connaissez-vous d'autres types de CV originaux ? Donnez des exemples.

b. Imaginez d'autres types de CV originaux.

c. Faites la liste du groupe. Associez une profession ou un secteur d'activité à chaque type de CV.

7. Observez cette page Twitter et faites des hypothèses sur le sujet de la conversation.

---

document **3** 🎧 33

8. 🎧▶33 Par deux. Écoutez cette chronique radio (doc. 3).

a. Qui est Youcef Boualem ? Pourquoi on parle de lui dans la presse ?

b. Lisez l'extrait de sa lettre sur la page Twitter. Donnez votre opinion sur son initiative.

9. 🎧▶33 Par deux. Réécoutez (doc. 3).

a. Quelles informations donne-t-on sur la lettre de motivation en France ? Est-elle importante ?

b. Relevez les conseils donnés pour :
trouver un stage ou un emploi •
séduire un futur employeur • faire le buzz*...

c. Vérifiez avec la transcription.

* Faire parler de soi dans les médias.

▷ **FOCUS LANGUE** ▶ p. 210

L'hypothèse avec *si* pour donner des conseils et indiquer une conséquence

En petits groupes.
À l'aide des extraits relevés dans les activités 5 et 9b, donnez des exemples pour compléter la règle.

1. Pour donner un conseil dans une situation éventuelle, j'utilise *si* + verbe au présent de l'indicatif + verbe au présent de l'indicatif ou de l'impératif.
   Exemples : ...
   Le conseil se trouve dans la **2ᵉ partie de la phrase.**

2. Pour indiquer une conséquence dans une situation éventuelle, j'utilise *si* + verbe au **présent de l'indicatif** + **verbe au futur simple.**
   Exemple : ...
   La conséquence se trouve dans la **2ᵉ partie de la phrase.**

▶ p. 165

À NOUS !

10. Nous donnons des conseils à un francophone.

En petits groupes.

a. Rédigez des conseils pour un francophone qui recherche un emploi dans votre ville ou pays : présentation du CV (classique ou original), lettre de motivation, etc.

b. Partagez vos conseils avec la classe.

c. Proposez vos conseils sur un site de recherche d'emplois francophone.

▶ Expressions utiles p. 167

LEÇON
5 Francophonies

Parler de son parcours professionnel

document **1**

http://www.jexplore.ca

EXPLORE SANS LIMITES

PROGRAMME   INSCRIVEZ-VOUS   AU SUJET   CONTACT

TÉMOIGNAGES

SUCCÈS D'ANCIENS MONITEURS DE LANGUES

Harold Rennie, coordonnateur des services en français, ministère de l'Éducation de la Nouvelle-Écosse

Explore est un programme canadien qui propose des séjours linguistiques en anglais ou en français, en immersion.

En juin 1973, j'ai obtenu mon diplôme d'études secondaires à Winnipeg, au Canada anglophone, puis j'ai suivi le programme d'été *Explore* à l'université du Manitoba. Quelques mois auparavant, j'avais fait une demande d'inscription dans cette université.

À la fin de l'été, mon français s'était beaucoup amélioré et j'avais même obtenu un crédit universitaire ! Cette expérience m'a aussi permis de me faire une idée plus précise de la réalité francophone du Canada car j'avais pu échanger avec beaucoup de Québécois. Ils étaient venus apprendre l'anglais pendant que nous apprenions le français.

Ensuite, en 1974, j'ai obtenu un poste de moniteur de langue* anglaise du programme. Cette expérience m'a beaucoup appris. La même année, j'ai posé ma candidature à un programme d'échanges entre le Manitoba et le Québec.

En 1980, je suis devenu éditeur des publications anglophones à l'Office national du film. Je devais communiquer avec les graphistes francophones ou des collègues qui préféraient travailler en français. Ces personnes ne travaillaient pas du tout comme moi ! Heureusement, le programme *Explore* m'avait déjà familiarisé avec les différences culturelles entre francophones et anglophones : une connaissance très utile dans ma vie professionnelle !

* Le moniteur de langue (terme canadien) assiste le professeur de langue. Il anime des activités pour motiver les élèves.
En France, on l'appelle « assistant de langue ».

1. Lisez l'introduction du témoignage (doc. 1) et répondez.
  a. Qu'est-ce que le programme *Explore* ?
  b. Qui est Harold Rennie ?

2. Par deux. Lisez le témoignage (doc. 1). Complétez les étapes du parcours de Harold Rennie.

| Quelques mois auparavant | Juin 1973 | Été 1973 | 1974 | 1980 |

... ...

Diplôme d'études secondaires à Winnipeg.

Obtention d'un poste de moniteur de langue anglaise.

3. Par deux. Relisez le témoignage (doc. 1). Relevez pourquoi le programme *Explore* a eu un impact positif sur :
*son apprentissage du français • sa découverte de la culture francophone au Canada •
sa compréhension des différences culturelles.*

> **FOCUS LANGUE**

Parler de ses études et de son parcours professionnel

- Obtenir un diplôme, un crédit universitaire, un emploi
- Suivre un programme, un cursus
- Faire une demande d'inscription
- Proposer une candidature

▸ p. 166

4

En petits groupes. Répondez.

Connaissez-vous d'autres programmes d'échanges linguistiques ? Existe-t-il ce type de programmes dans votre pays ? Avec quel(s) pays francophone(s) aimeriez-vous faire un échange linguistique ?

5. Sons du français

▸ p. 198

La dénasalisation

🎧 ▸34 **Écoutez et répétez. Vous entendez une voyelle nasale dans le 1ᵉʳ mot, montrez** ⬚1⬚.
Vous entendez une voyelle nasale dans le 2ᵉ mot, montrez ⬚2⬚.

Exemple : *canadien - canadienne* → ⬚1⬚

▸ p. 166

---

document 2   🎧 35 et 36

6. 🎧 ▸35 **Écoutez la 1ʳᵉ partie de cette interview (doc. 2) de Nguyen Thi Cuc Phuong. Qui est-elle ? Quel est son lien avec le Canada ?**

7. 🎧 ▸35 **Par deux. Réécoutez la 1ʳᵉ partie de l'interview (doc. 2). Vrai ou faux ? Pourquoi ?**

a. Nguyen Thi Cuc Phuong a obtenu une bourse d'études.
b. Elle a découvert le Canada pour la 1ʳᵉ fois pendant ses études.
c. Quand elle est arrivée au Canada, elle ne parlait pas français.
d. Pendant son séjour, elle a beaucoup appris sur la francophonie.

---

8. 🎧 ▸36 **Par deux. Écoutez la 2ᵉ partie de l'interview (doc. 2). Qu'est-ce qui a changé à l'université de Hanoï avec l'arrivée de Nguyen Thi Cuc Phuong ?**

Avant	Après
…	…

> **FOCUS LANGUE**   ▸ p. 209

Le plus-que-parfait pour raconter des événements passés

a. Relisez ces extraits des documents 1 et 2. Pour chaque personne, classez les événements dans l'ordre chronologique.

1. **Harold Rennie :** J'ai obtenu mon diplôme universitaire à Winnipeg puis j'ai suivi le programme d'été de langue. • J'avais également fait une demande d'inscription dans cette université.
2. **Nguyen Thi Cuc Phuong :** J'ai fait un master à l'université de Sherbrooke et un doctorat à l'université de Montréal. • Auparavant, j'avais fait des études à l'université de Hanoï.

b. Complétez la règle.

J'utilise le plus-que-parfait pour parler d'une action antérieure à une autre action au passé.
Exemple : *J'ai fait un master à l'université de Sherbrooke. Je n'**étais** jamais **allée** au Canada.*

Pour former le plus-que-parfait :
j'utilise … ou … conjugué à … +… du verbe.

▸ p. 166

À NOUS ! 🗣️✏️

9. Nous parlons de notre parcours scolaire, universitaire ou professionnel.

En petits groupes.

a. Listez les principaux éléments ou événements liés à votre parcours : diplômes, stages ou séjours à l'étranger, postes occupés, etc.

b. Identifiez un événement marquant dans votre parcours scolaire ou professionnel. Pourquoi cet événement a eu un impact sur votre parcours (ce que vous faisiez avant et ce que vous avez fait après) ?

Seul.

c. Rédigez un court témoignage sur votre parcours.

d. Présentez-le à la classe.

▸ **Expressions utiles** p. 167

LEÇON

6 Parlez-nous de vous

Répondre à des questions formelles

ICI **LONDRES**
MAGAZINE
juillet 2016
GRATUIT

DOSSIER
Se dire oui à Londres

document 1

Réf. : 0g122016
EMPLOI
Le magazine *Ici Londres* recherche un stagiaire commercial et marketing pour une durée variable (prospection commerciale, vente de publicité, relances téléphoniques, relations avec les points de distribution et recherche de partenariats).
Pour plus d'informations, veuillez nous contacter et nous envoyer votre CV à l'adresse suivante : marketing@ici-londres.com. Prise en charge de la carte de transport zones 1-2.

1. En petits groupes. *Ici Londres* est un magazine gratuit pour les francophones de Londres. Existe-t-il dans votre ville ou pays des magazines destinés aux francophones ?

2. Par deux. Lisez cette offre de stage (doc. 1) et relevez :
l'intitulé du poste • le nom de l'employeur • le descriptif du poste • la durée du contrat • les modalités de réponse • la rémunération.

document 2 🎧 37

3. 🎧⤷37 Par deux. Écoutez l'entretien (doc. 2) et relevez :
a. les questions posées par l'employée ;
b. pourquoi le candidat a choisi de postuler.

4. 🎧⤷37 Par deux. Réécoutez (doc. 2). Est-ce que le profil du candidat correspond à l'offre ? Justifiez.

5

En petits groupes.
a. Rédigez une offre de stage pour votre centre de langues. Indiquez les éléments cités dans l'activité 2.
b. Affichez vos offres de stages dans la classe.

⟩ FOCUS LANGUE
► p. 211

Poser des questions en situation formelle

Par deux. Observez. Complétez avec les questions posées par l'employée (act. 3a) et transformez.

Français familier	Français standard	Français soutenu (situation formelle)
1. Vous pouvez me parler de vous ?	► Est-ce que vous pouvez me parler de vous ?	► …
2. …	► Qu'est-ce que vous préférez dans votre formation ?	► Que préférez-vous dans votre formation ?
3. Vous savez quoi de *Ici Londres* ?	► …	► Que savez-vous de *Ici Londres* ?
4. Pourquoi vous avez choisi notre offre de stage ?	► Pourquoi est-ce que vous avez choisi notre offre de stage ?	► …

Pour poser des questions dans un registre soutenu :
– j'inverse le sujet et le verbe ;
– le tiret est obligatoire entre le verbe et le sujet ;
– pour les questions ouvertes, le mot interrogatif se place au début de la phrase ;
– le mot interrogatif *quoi* devient *que*.

Attention ! Pour faciliter la prononciation, on ajoute parfois un **t** entre le verbe et le sujet.
Exemple : *Parle-**t**-il français ?*
Le **t** se place entre deux voyelles.

► p. 166

document 3

ⓘ INTERVIEW DU MOIS

OLIVIER ROLAND

Auteur de *Tout le monde n'a pas eu la chance de rater ses études*, Éditions Alisio.

Comment gagner sa vie et passer quelques mois au soleil ? Olivier Roland nous dévoile quelques solutions !

Bonjour Olivier. Où vivez-vous, exactement ?
Je vis à Londres mais pas toute l'année.

Pouvez-vous nous en dire un peu plus ?
Je vis 6 mois de l'année à Londres et 6 mois à l'étranger. Je ne suis pas en vacances, mais avec un ordinateur et une connexion Internet, je peux travailler dans tous les pays du monde. Par exemple, je viens de passer 3 mois au Brésil !

Comment est-ce possible ?
Dans le livre que je viens de publier, *Tout le monde n'a pas eu la chance de rater ses études*, je révèle tous mes secrets !

Et quels sont vos secrets ?
(Rires) Je conseille d'être créatif et de saisir toutes les occasions qui se présentent. Il ne faut pas attendre l'âge de la retraite pour profiter de la vie, quand toutes nos plus belles années sont derrière nous.

Comment avez-vous conçu votre livre ?
Je l'ai pensé et écrit comme un manuel pratique pour créer sa vie de rêve. J'y parle de mon expérience, mais je présente aussi plusieurs études scientifiques.

La création d'entreprise est-elle LA solution pour mener une vie de rêve ?
Oui, je crois que c'est la meilleure solution. Au début, à temps partiel ou en complément de ses études, pour diminuer les risques. Moi, c'est la liberté qui me rend heureux !

34 *Ici LONDRES – Juillet 2016*

---

6. En petits groupes. Lisez le titre du livre d'Olivier Roland et l'introduction de l'interview (doc. 3). Faites des hypothèses sur le sujet de ce livre.

7. Lisez cette interview (doc. 3).
a. Vérifiez vos hypothèses.
b. Pour quelles raisons Olivier Roland est interviewé dans ce magazine ?

8. Relisez l'interview (doc. 3) et répondez.
a. Comment l'auteur décrit son livre ?
b. Selon lui, qu'est-ce qu'il faut faire ou ne pas faire pour profiter de la vie ?
c. Quelle est sa solution pour une vie de rêve ?

9. En petits groupes. Échangez.
a. Pensez-vous qu'Olivier Roland mène une vie idéale ? Pourquoi ?
b. Qu'est-ce qu'une vie professionnelle idéale pour vous ? Pourquoi ?

> **FOCUS LANGUE**   ▸ p. 205

Les adjectifs indéfinis pour exprimer la quantité (1)

Observez ces définitions et donnez des exemples.
1. J'utilise l'adjectif indéfini *tout/tous/toute/toutes* pour exprimer la totalité.
2. J'utilise l'adjectif indéfini *quelques* pour exprimer un nombre indéterminé mais peu élevé.
3. J'utilise l'adjectif indéfini *plusieurs* pour exprimer un nombre indéterminé supérieur à *quelques*.

▸ p. 166

10. Sons du français

La prononciation de *tout* et *tous*

🎧 ▸38 Écoutez et répétez. Vous entendez [tu], montrez 1 . Vous entendez [tut], montrez 2 . Vous entendez [tus], montrez 3 .
Exemple : *Je les ai **tous** lus.* → 3

▸ p. 167

À NOUS ! 💬🖊

11. Nous nous préparons à un entretien professionnel.

Classe divisée en deux. Groupe « candidats » et groupe « recruteurs ».
a. Choisissez une offre de stage (act. 5).
b. **Groupe « recruteurs ».** Rédigez six questions formelles à poser au candidat : choix du stage, compétences…
   Groupe « candidats ». Préparez votre entretien : parcours professionnel, compétences et qualités. Pourquoi ce stage a retenu votre attention ?
c. Simulez l'entretien professionnel.

▸ Expressions utiles p. 167

CULTURES

1 **Destination francophonie** ▶ Vidéo **3**

AGENCE
ERASMUS+
FRANCE · EDUCATION & FORMATION

a. Connaissez-vous l'émission « Destination francophonie », diffusée sur TV5 Monde ?
À votre avis, de quoi parle-t-on dans cette émission ? Faites des hypothèses.

b. Observez les images. À votre avis, quel est le thème de l'émission du jour ?

c. Regardez la vidéo. Retrouvez dans quel ordre les éléments ci-dessous sont présentés.

témoignage de Delphine •
présentation du programme ERASMUS •
informations sur le pâtissier Jordi Bordas •
témoignage d'Eliott •
conclusion de l'émission •
présentation de l'histoire de deux jeunes Français •
introduction du reportage par le journaliste

d. Par deux. Regardez à nouveau la vidéo et relevez un maximum d'informations sur Jordi Bordas
et sur les deux apprentis français.

e. Qu'est-ce que le programme ERASMUS ? Qu'a-t-il apporté à Eliott ? à Delphine ?

f. En petits groupes. Existe-t-il des programmes de mobilité pour les jeunes de votre pays ? Lesquels ?
Pour étudier et/ou travailler dans quels pays ? Connaissez-vous des jeunes qui ont bénéficié
de ces programmes ?

2 Tous bilingues ?

a. Observez cette infographie. Identifiez la question posée et les trois réponses données.

b. Lisez l'infographie. Vrai ou faux ? Pourquoi ?
   – 50 % des élèves sont scolarisés en deux langues.
   – Il y a plus de gens monolingues que de gens bilingues.

c. Faites la liste des secteurs qui recrutent en priorité des bilingues.

d. Par deux. Relisez l'infographie. Quelle raison vous motive le plus à devenir bilingue ou multilingue. Pourquoi ?

e. En petits groupes. Répondez.
   Combien de langues parlez-vous ? Lesquelles ? Dans quel secteur travaillez-vous ou pensez-vous travailler ? Est-ce que le bilinguisme vous sera utile ?

Pourquoi préférer L'ENSEIGNEMENT BILINGUE ?

Apprendre différemment

A l'école, apprendre des disciplines en plusieurs langues

Apprendre en langue étrangère et mieux maîtriser sa langue maternelle

L'élève au centre

a b c

Autonomie
Motivation
Socialisation
Pédagogie active
Projets de classe
Interdisciplinarité

Un cerveau en pleine forme

Les bilingues contrôlent mieux leur attention, gèrent mieux l'information et ont de plus grandes capacités à choisir, gérer le changement, s'organiser, planifier.

1 élève sur 2 est scolarisé en deux langues

Une plus grande mobilité, de meilleures capacités à s'adapter

LES SECTEURS QUI RECRUTENT EN PRIORITÉ DES BILINGUES

Tourisme
Commerce
Relations internationales
Communication
Management
Éducation
Banque/Finance
Administration

Les salariés multilingues ont un salaire 5 à 20 % plus élevé que leurs homologues monolingues

€

4 millions d'étudiants suivent un cursus à l'international

Réussir ses choix

Accéder à de meilleures opportunités d'études, de carrière et d'évolution professionnelle

64% des dirigeants d'entreprises parlent au moins une langue étrangère

Rencontrer l'autre

Croiser les points de vue et établir un dialogue culturel

Voyager et découvrir la diversité du monde

L'apprentissage d'une langue étrangère active la zone du cerveau associée au plaisir

Maîtriser plusieurs langues augmente le pouvoir de séduction

66% de la population mondiale est bilingue

© CIEP – Département langue française. Conception graphique : Alain Chevallier. 2015

COMPLÉTEZ VOTRE CARNET CULTUREL

1. Dans mon pays, à l'école, on apprend généralement… langues.
2. Quelles langues sont les plus apprises à l'école dans mon pays ?
3. L'enseignement bilingue existe-t-il dans mon pays ? Dans quelle(s) langue(s) ?
4. Dans mon pays, être bilingue ou multilingue est utile pour…

Retournez aux pages 46-47. Répondez à nouveau aux questions. Mettez en commun avec le groupe.

Projet de classe

Nous postulons à « un job de rêve ».

a. En petits groupes. Qu'est-ce qu'un job de rêve, pour vous ?
Donnez des exemples de professions idéales. Partagez avec la classe.

1

2

3

4

5

6

Par deux.

b. Observez ces photos. Faites des hypothèses sur ces « jobs de rêve ».

c. Choisissez un « job de rêve » parmi les exemples de l'activité **a**.

d. À la manière de l'exemple, rédigez une courte présentation du poste recherché pour votre « job de rêve ». Choisissez une photo pour l'illustrer.

e. Affichez les présentations dans la classe.

f. Lisez les présentations et choisissez votre job préféré.

Exemple :

ON RECRUTE

#GRANMASTERS

TU PRENDS DES PHOTOS, ON TE RÉMUNÈRE

TA MISSION

⊗ VISITE DES LIEUX DE TOURNAGES INÉDITS !

◎ PRENDS DES PHOTOS

🖰 EMPOCHE TA PAIE

POSTE À POURVOIR EN 2016

*Empoche ta paie = gagne ton salaire.

g. Préparez votre candidature.
  – Présentez-vous.
  – Décrivez vos expériences professionnelles, vos qualités et compétences.
  – Présentez votre parcours professionnel.
  – Expliquez vos motivations pour ce job.
  – Précisez pourquoi la maîtrise du français est un plus pour ce poste.

h. Choisissez une présentation originale pour votre candidature, une vidéo, par exemple.

i. Présentez votre candidature à la classe.

Projet ouvert sur le monde ▶ 📖 GP   Parcours digital

Nous nous entraînons à un entretien d'embauche en France.

DELF 3

I Compréhension de l'oral

 39

Exercice 1 Comprendre une émission de radio

Vous entendez cette émission à la radio. Lisez les questions, écoutez deux fois le document puis répondez.

1. D'après Agnès, un bon CV doit être…
   a. bref.
   b. détaillé.
   c. original.

2. En combien de temps un recruteur doit pouvoir lire un CV ?

a   b   c

3. D'après Agnès, dans un CV, il n'est pas nécessaire d'écrire quelle information ?
   …

4. D'après Agnès, dans un CV, on doit écrire…
   a. sa situation personnelle.
   b. tout ce qu'on a fait jusqu'à aujourd'hui.
   c. seulement les compétences correspondant au métier recherché.

5. Dans une lettre de motivation, Agnès conseille de commencer par parler…
   a. de soi.
   b. du recruteur.
   c. de ce qu'on peut apporter à l'entreprise.

II Production orale

Exercice 1 Pour s'entraîner à la partie 1 de l'épreuve orale : l'entretien dirigé

Vous vous présentez et parlez de vous, de vos études, de vos activités, de ce que vous aimez et n'aimez pas.

Exercice 2 Pour s'entraîner à la partie 2 de l'épreuve orale : le monologue suivi

Vous vous vous exprimez seul(e) pendant environ 2 minutes sur le sujet suivant :

> **SUJET :** Le métier de mes rêves
>
> Avez-vous un métier et si oui, lequel ? Quel est le métier de vos rêves ? Pourquoi ? Pensez-vous avoir les compétences professionnelles pour faire le métier de vos rêves ? Expliquez.

Exercice 3 Pour s'entraîner à la partie 3 de l'épreuve orale : l'exercice en interaction

Par deux. Vous étudiez le français dans un centre de langues. Avec un étudiant de votre groupe, vous devez écrire une offre d'emploi pour votre centre de langues qui recherche un animateur culturel. Vous vous mettez d'accord sur les informations qui doivent être mises sur l'offre d'emploi (type de contrat, nombre d'heures, etc.) et sur les qualités et les compétences recherchées.

Nous échangeons sur nos pratiques culturelles

La culture française dans le monde

Par deux. Répondez et comparez vos réponses avec celles des autres groupes.

1 La bande dessinée française, pour vous, c'est plutôt :

2 Le spectacle vivant francophone, pour vous, c'est plutôt :

b

a

c

3 À votre avis, le(s)quel(s) de ces films est/sont français ? Ils sont projetés dans votre pays ?

PROJETS

- **Un projet de classe**

  Créer une enquête sur notre consommation médiatique.

- **Et un projet ouvert sur le monde**

  Partager nos découvertes culturelles avec une autre classe.

Pour réaliser ces projets, nous allons apprendre à :

- ▶ exposer, nuancer et préciser des faits
- ▶ rendre compte d'un événement
- ▶ répondre à une enquête
- ▶ faire une appréciation
- ▶ demander des explications
- ▶ exprimer des souhaits et donner des conseils

1 Silence, on tourne !

Exposer, nuancer et préciser des faits

1. Observez cette photo. À votre avis, qu'est-ce que *Jour polaire* ? Faites des hypothèses.

document 1 🎧 40

2. 🎧▶40 Écoutez la 1ʳᵉ partie de cette interview (doc. 1).

a. Vérifiez vos hypothèses.

b. Qui parle ?

3. 🎧▶41 Écoutez la 2ᵉ partie de l'interview (doc. 1). Relevez les informations données sur :
– *Jour polaire*
– les personnages de *Jour polaire*.

4. 🎧▶41 Par deux. Réécoutez la 2ᵉ partie de l'interview de Leïla Bekhti (doc. 1) et relevez :
a. ce qu'elle a pensé de son séjour en Suède ;
b. pourquoi elle a accepté de jouer dans cette série ;
c. ce qu'elle a pensé du tournage.

5 💬

En petits groupes.
a. Faites la liste de vos séries préférées.
b. Quelles séries françaises ou francophones connaissez-vous ?
c. À votre avis, regarder des séries peut-il aider à apprendre une langue étrangère ?

▸ FOCUS LANGUE

Parler d'une série

En petits groupes. Observez. Choisissez un mot puis proposez une définition ou un exemple.

> **GLOSSAIRE DES SÉRIES TÉLÉ**
>
> **A** un auteur • une avant-première • un acteur
> **C** un comédien • une caméra
> **E** un épisode
> **F** une fiction
> **P** un personnage
> **R** un réalisateur : il réalise ou tourne une série ou un film • un rôle
> **S** un scénario • une série : *Braquo* → série policière • une série de fiction • les sous-titres : traduction des dialogues d'un film, placée en bas de l'image
> **T** tourner dans une série • le tournage
>
> ▸ p. 168

document 2

franceinfo: 🏠/ Culture / Télévision vid◂

Les séries « made in France » qui cartonnent à l'étranger

Braquo, Engrenages, Les Revenants, Fais pas ci, fais pas ça !, Les Témoins, Un village français font partie des séries françaises qui s'exportent bien. Depuis quelques années, l'exportation des séries françaises a considérablement augmenté. Les raisons de ce succès sont multiples. Les genres sont beaucoup plus variés et la réalisation s'est profondément modernisée. Désormais, la fiction française est au même niveau que ses concurrentes internationales. Quelles sont donc ces séries françaises qui cartonnent à l'étranger ?

Engrenages a marqué un renouveau dans les séries policières françaises. Elle raconte de manière très réaliste les enquêtes de la police parisienne. *Engrenages* est diffusée dans plus de 70 pays à travers le monde. Une adaptation américaine va même être réalisée.

6. Lisez le titre de l'article (doc. 2). À votre avis, que signifie le verbe « cartonner » ?

7. Par deux. Lisez l'article (doc. 2).
   a. Pourquoi les séries françaises ont du succès à l'étranger ?
   b. Associez chaque série à son genre.

| a série policière | b comédie | c série historique | d série fantastique |

► FOCUS LANGUE ► p. 206

La place de l'adverbe

En petits groupes.

a. Observez et associez.

L'adverbe nuance ou précise

1. un verbe   a. *Je suis **vraiment** très heureuse d'être ici ce soir !*

2. un adjectif   b. *Le scénario m'a **beaucoup** plu.*

3. un autre adverbe c. *C'était **vraiment** fantastique !*

b. Ajoutez d'autres exemples avec les éléments relevés dans les activités 4, 7 et 9.
   1. Avec une forme verbale simple, l'adverbe se place **après** le verbe.
      Exemple : *C'était **vraiment** fantastique !* ; … ; … ; …
   2. Avec une forme verbale composée, l'adverbe se place **entre** l'auxiliaire **et le** participe passé.
      Exemple : *L'exportation des séries françaises a **considérablement** augmenté.* ; … ; … ; …
      ► p. 168

☆ 🔍

jo | jt | **magazines** | 🔍 | 🖵 DIRECT TV | ⌒ DIRECT RADIO

Les Revenants. Cette série fantastique raconte la réaction des habitants d'une petite ville des Alpes quand les morts reviennent à la vie… De nombreux pays ont progressivement diffusé la série : Canada, Australie, Allemagne, Suède, Turquie, Égypte…

Un village français est une fiction historique qui se déroule pendant la Seconde Guerre mondiale. Ce tableau de la France sous l'occupation allemande a voyagé à travers le monde. Elle avait déjà eu du succès en Allemagne, en Scandinavie. Elle est actuellement diffusée en Corée du Sud.

Fais pas ci, fais pas ça ! Cette comédie met en scène les aventures de deux familles : les Bouley et les Lepic. L'une est bobo* et l'autre est plus traditionnelle. Cette opposition donne lieu à des scènes comiques. Le rythme et l'humour de la série ont séduit de nombreux pays : la Pologne et l'Italie… et on dit même qu'elle a largement inspiré le succès mondial *Modern Family* !

* **Bobo :** contraction de « bourgeois-bohème ». Personne plutôt jeune, aisée et cultivée, affichant son anticonformisme.

---

8. Quelle série avez-vous envie de voir ? Pourquoi ?

9. Par deux. Relisez l'article (doc. 2). Pour chaque série, relevez les éléments qui montrent qu'elle s'exporte.

10. Apprenons ensemble !
   Riita répond à la consigne suivante : « Quelle est votre série française préférée ? Présentez-la à la classe et précisez pourquoi vous l'appréciez. »

> Cette série fantastique raconte le retour de personnes mortes depuis plusieurs années. Les séries souvent ne sont pas très réalistes mais cette série est extrêmement réaliste ! Également, le fantastique est bien maîtrisé. J'ai apprécié beaucoup le réalisme des personnages et leurs réactions. Le scénario m'a plu vraiment. C'est ma série française préférée !

En petits groupes.

a. Lisez la production de Riita. Quelle est sa série préférée ?
   Engrenages • *Un village français* • *Les Revenants* • *Fais pas çi, fais pas ça* .

b. Observez la place des adverbes surlignés par son professeur. Aidez-la à corriger ses erreurs.

c. Proposez une technique pour ne pas reproduire ces erreurs.

► À NOUS ! 💬 ✏️

11. Nous présentons nos séries préférées.
En petits groupes.

a. Choisissez une série dans la liste (act. 5).

b. Notez son genre, son année de création. Faites des recherches pour résumer les points principaux de l'histoire de la série. Prenez des notes.

c. Expliquez les raisons du succès de cette série.

d. À l'aide de vos notes, présentez-la à la classe.

e. La classe vote pour sa série préférée et regarde le 1er épisode de la saison 1 !
   ► Expressions utiles p. 171

LEÇON 2

Faites de la musique !

Rendre compte d'un événement

document 1

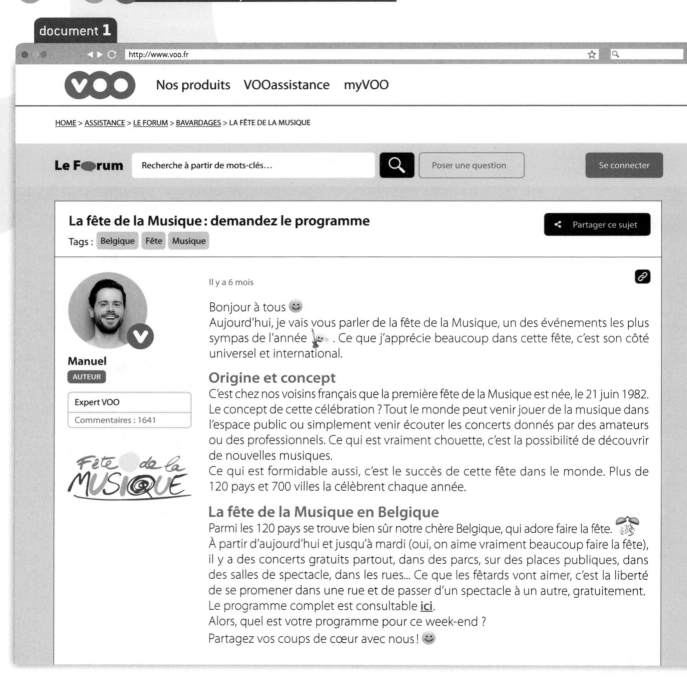

http://www.voo.fr

VOO

Nos produits   VOOassistance   myVOO

HOME > ASSISTANCE > LE FORUM > BAVARDAGES > LA FÊTE DE LA MUSIQUE

Le Forum   Recherche à partir de mots-clés…   🔍   Poser une question   Se connecter

La fête de la Musique : demandez le programme   ❮ Partager ce sujet

Tags : Belgique   Fête   Musique

Manuel
AUTEUR

Expert VOO
Commentaires : 1641

Fête de la MUSIQUE

Il y a 6 mois

Bonjour à tous 😊
Aujourd'hui, je vais vous parler de la fête de la Musique, un des événements les plus sympas de l'année 🎵. Ce que j'apprécie beaucoup dans cette fête, c'est son côté universel et international.

Origine et concept

C'est chez nos voisins français que la première fête de la Musique est née, le 21 juin 1982. Le concept de cette célébration ? Tout le monde peut venir jouer de la musique dans l'espace public ou simplement venir écouter les concerts donnés par des amateurs ou des professionnels. Ce qui est vraiment chouette, c'est la possibilité de découvrir de nouvelles musiques.
Ce qui est formidable aussi, c'est le succès de cette fête dans le monde. Plus de 120 pays et 700 villes la célèbrent chaque année.

La fête de la Musique en Belgique

Parmi les 120 pays se trouve bien sûr notre chère Belgique, qui adore faire la fête.
À partir d'aujourd'hui et jusqu'à mardi (oui, on aime vraiment beaucoup faire la fête), il y a des concerts gratuits partout, dans des parcs, sur des places publiques, dans des salles de spectacle, dans les rues… Ce que les fêtards vont aimer, c'est la liberté de se promener dans une rue et de passer d'un spectacle à un autre, gratuitement.
Le programme complet est consultable **ici**.
Alors, quel est votre programme pour ce week-end ?
Partagez vos coups de cœur avec nous ! 😊

📖 **1. Observez cette page de forum (doc. 1) et répondez.**
   a. Quel est le thème du message publié ?
   b. Qui est l'auteur ? Quelle est sa nationalité ?

💬 **2. En petits groupes. Échangez.**
Connaissez-vous la fête de la Musique ? Existe-t-elle dans votre ville ou votre pays ? Que fait-on pendant cette fête ?

3. Lisez « Origine et concept » (doc. 1) et complétez.

LA FÊTE DE LA MUSIQUE

1ʳᵉ édition en France, en •••

UN ÉVÉNEMENT
À DIMENSION INTERNATIONALE :

• Plus de ••• villes dans le monde,
dans ••• pays différents !

• En France, plus de **17 000 concerts**
en 2016 !

• **10 millions** de Français dans les rues en 2015 !

• Le concept de cette célébration ? •••

4. Par deux. Lisez le message de Manuel (doc. 1).
Vrai ou faux ? Pourquoi ?

a. Il explique pourquoi il apprécie la fête
de la Musique.

b. Il donne des informations sur le programme
de la fête de la Musique en France.

c. Il explique pourquoi les personnes qui aiment
faire la fête vont apprécier l'événement.

d. Il invite les internautes à participer au forum.

5 💬

En petits groupes.

Quels sont les principaux festivals culturels organisés
dans votre ville ou près de chez vous ?

6. Sons du français   ▸ p. 198

Le son [r]

🎧42 En groupes. Écoutez et et répétez. Dites si
vous entendez le son [r] 3 ou 4 fois.

Exemple : *On che**r**che les meilleu**r**s p**r**og**r**ammes !*
→ *J'entends 4 fois le son [r].*

▸ p. 169

document **2**   🎧 43 à 45

7. 🎧43 Écoutez la 1ʳᵉ partie de ce reportage (doc. 2).
Qui est l'homme en photo ? Pourquoi est-il à Malte ?

8. 🎧44 Écoutez la 2ᵉ partie (doc. 2) et répondez.

a. Pourquoi est-il heureux d'être à Malte ?

b. Quel événement l'a particulièrement marqué ?
Pourquoi ?

9. 🎧45 Par deux. Écoutez la 3ᵉ partie (doc. 2).

a. Qui est la personne interviewée ? Sur quoi porte
l'interview ?

b. Quel est son avis ? Quels exemples elle donne ?

▸ **FOCUS LANGUE**   ▸ p. 203 et 212

Ce qui/ce que... c'est/ce sont...
pour mettre en relief

En petits groupes.

a. Observez ces extraits de l'interview de Matthieu
Chedid. Quelle est la différence entre les deux
formulations ?
Exemples :
1. *Ma rencontre avec Ira Losco a été fantastique !
J'aime particulièrement la découverte de l'inconnu !*

2. *Ce qui a été fantastique, c'est ma rencontre
avec Ira Losco !
Ce que j'aime particulièrement, c'est la découverte
de l'inconnu !*

b. Complétez la règle. Illustrez-la avec les extraits
relevés dans les activités 4 et 8.
Pour mettre en relief ou souligner un élément
de la phrase, j'utilise *ce qui/ce que... c'est/ce sont...*
1. Dans *ce qui/ce que*, *ce* remplace une chose.
Ce qui est ☐ *sujet* ☐ *COD* du verbe qui suit.
Exemples : ... ; ...
2. **Ce que** est ☐ *sujet* ☐ *COD* du verbe qui suit.
Exemples : ... ; ... ; ...
▸ p. 168

À NOUS ! 💬✏️

10. Nous décrivons un événement culturel.
En petits groupes.
a. Choisissez un événement culturel (act. 5).
b. À la manière de Manuel (doc. 1), présentez votre
événement culturel. Indiquez l'origine et
le concept de l'événement.
c. Précisez ce que vous aimez particulièrement
dans cet événement et ce qui vous a marqué
si vous y avez assisté.
d. Proposez vos articles à l'office de tourisme
de votre ville.

▸ **Expressions utiles p. 171**

LEÇON

3 La culture et nous

Répondre à une enquête

document **1**

http://www.pratiquesculturelles.culture.gouv.fr

cultureCommunication.gouv.fr
Le site du ministère de la Culture et de la communication

INTERNET CINÉMA LOISIRS SPECTACLESVIVANTS LIVRES MUSÉES VIDÉO INTERNET SPECATCLES RADIO RADIO PATRIMOINE PRESSE MULTIMÉDIA LOISIRS SPE INTERNET SOCIABILITÉ LOISIRS CINÉMA LIVRES MUSE

Depuis le début des années 1970, le ministère de la Culture et de la communication réalise régulièrement l'enquête « Pratiques culturelles ». Cette enquête mesure le comportement des Français dans le domaine de la culture et des médias. Elle étudie les différentes formes de participation à la vie culturelle (lecture de livres, écoute de musique, fréquentation des manifestations et des équipements culturels) et l'utilisation des médias (télévision, radio, presse, Internet).
Voici quelques exemples de questions posées.

FRÉQUENTATION DES MANIFESTATIONS ET DES ÉQUIPEMENTS CULTURELS ‹|›

Bibliothèques et médiathèques
1. Avez-vous fréquenté une bibliothèque ou une médiathèque au cours des 12 derniers mois ?
☐ Oui. ☐ Non. Si oui, laquelle ou lesquelles ? _____

Spectacles vivants
2. Au cours des 12 derniers mois, êtes-vous allé voir des spectacles vivants (spectacles de danse, de rue, opéras, concerts, théâtre...) ?
☐ Oui. ☐ Non. Si oui, lequel ou lesquels ? _____

Festivals
3. Au cours des 12 derniers mois, avez-vous fréquenté un ou des festival(s)? Festival de musique du monde, festival de cinéma... Dans votre région, dans une autre région française, à l'étranger...
☐ Oui. ☐ Non. Si oui, lequel ou lesquels et où ? _____

Lieux d'expositions et de patrimoine
4. Au cours des 12 derniers mois, avez-vous visité des lieux d'expositions ou de patrimoine ? Expositions temporaires, musées, monuments historiques...
☐ Oui. ☐ Non. Si oui, lequel ou lesquels ? _____

1. Observez le nuage de mots (doc. 1). Identifiez la thématique.

2. Lisez l'introduction de l'article (doc. 1) et répondez.
a. Que réalise le ministère de la Culture et de la communication en France ? Quand ?
b. Pour quoi faire ? Comment ?

3. Par deux. Lisez les questions posées (doc. 1).
a. À quel thème ces questions correspondent ? Justifiez votre réponse.
– Formes de participation à la vie culturelle.
– Utilisation des médias.
b. Quelles sont les précisions demandées pour chaque question ?

⟩ FOCUS LANGUE ► p. 204

Les pronoms interrogatifs (*lequel, laquelle, lesquels, lesquelles*) pour demander une information ou une précision

a. **Par deux. Relisez les éléments relevés dans l'activité 3b. Dites quel(s) nom(s) remplace(nt) le pronom interrogatif.**
Exemple : *Avez-vous fréquenté une bibliothèque ou une médiathèque au cours des 12 derniers mois ? Si oui, laquelle ou lesquelles ?* → *Si oui, quelle bibliothèque ou quelle médiathèque ou quelles bibliothèques ou médiathèques ?*

b. **Complétez.**

	Singulier	Pluriel
Masculin	Lequel	...
Féminin	...	...

► p. 169

4. Par deux. Répondez à l'enquête (doc. 1).

5

En petits groupes.

a. Est-ce qu'il existe des enquêtes sur les pratiques culturelles dans votre pays ?
Faites des recherches et partagez vos résultats.

b. Faites la liste des différents thèmes étudiés.
Proposez d'autres thèmes ou rubriques.

document **2**

PRODUITS CULTURELS : LA CONSOMMATION DES FRANÇAIS PAR CLASSE D'ÂGE

15 / 24 ANS
JEUX VIDÉO 42 %
LIVRES ET BD 56 %
VIDÉOS / FILMS 80 %
MUSIQUE 81 %

25 / 34 ANS
JEUX VIDÉO 34 %
LIVRES ET BD 61 %
VIDÉOS / FILMS 72 %
MUSIQUE 65 %

35 / 49 ANS
JEUX VIDÉO 23 %
LIVRES ET BD 60 %
VIDÉOS / FILMS 64 %
MUSIQUE 63 %

50 / 64 ANS
JEUX VIDÉO 12 %
LIVRES ET BD 62 %
VIDÉOS / FILMS 57 %
MUSIQUE 63 %

65 ANS ET +
JEUX VIDÉO 5 %
LIVRES ET BD 72 %
VIDÉOS / FILMS 52 %
MUSIQUE 63 %

PRODUITS CULTURELS : LES MOTIVATIONS DES FRANÇAIS

POUR LE PLAISIR / POUR ME DIVERTIR → 85 %
POUR ME CULTIVER → 50 %
POUR M'ÉVADER → 44 %
POUR PARTAGER AVEC MON ENTOURAGE → 26 %
POUR FAIRE PLAISIR À MES PROCHES → 16 %
PARCE QUE JE LES AI REÇUS EN CADEAU → 14 %
JE NE SAIS PAS → 3 %

www.pratiquesculturelles.culture.gouv.fr

6. Par deux. Observez les résultats de l'enquête (doc. 2).

a. Quels sont les deux thèmes étudiés ici ?

b. Quelles sont les trois principales motivations des Français ?

c. Imaginez les questions posées aux Français pour obtenir ces résultats.

document **3** 🎧 46

7. 🎧 ▶46 Écoutez l'extrait de cette émission de radio (doc. 3).

a. Quel est le lien avec le document 2 ?

b. Relevez les trois questions posées par le journaliste.

8. 🎧 ▶46 En petits groupes. Réécoutez l'extrait (doc. 3).

a. Retrouvez, sur les graphiques (doc. 2), les résultats présentés par le journaliste :
– sur la consommation de produits culturels ;
– sur les motivations des Français pour consommer ces produits.

b. Et vous, quelles sont vos motivations pour consommer ces produits ? Comparez avec celles des Français. Quelles sont les différences et les similitudes ?

▶ FOCUS LANGUE

Présenter les résultats d'une enquête
Exprimer un pourcentage

• 50 % des personnes (interrogées) = la moitié des personnes = une personne sur deux
• La moitié des personnes interrogées disent que…
+ de 50 % des Français = une majorité de Français
– de 50 % des Français = une minorité de Français
• Les Français répondent à 85 % que…

Décrire une classe d'âge, une tranche d'âge

• Les jeunes de 15 à 24 ans = les 15-24 ans
• Les 25-64 ans
• Les 65 ans et + = les seniors ▶ p. 169

À NOUS !

9. Nous enquêtons sur nos pratiques culturelles.
En petits groupes.

a. Choisissez un thème dans la liste (act. 5b).

b. Préparez votre enquête (6 questions).

c. Échangez votre enquête avec celle d'un autre groupe.

d. Répondez aux questions de l'enquête.

e. Réalisez un tableau ou un graphique pour présenter les résultats.

LEÇON 4

La France s'exporte

Faire une appréciation

http://www.franceinter.fr

france inter   Info   Culture   Humour   Musique   VIDÉOS   PROGRAMMES

LE ZOOM DE LA RÉDACTION

La musique française s'exporte en Chine

📖 **1.** Observez cette page Internet. Identifiez : le nom de la radio, le nom de l'émission, le titre de l'émission du jour.

document 1 🎧 47 et 48

2. 🎧 47 Écoutez la 1ʳᵉ partie de l'émission (doc. 1) et associez.

Patrick •   • le correspondant de l'émission •   • à Pékin

Mathieu •   • le fondateur d'un festival •   • à Pékin

Zhang Ran •   • le présentateur de l'émission •   • à Paris

3. 🎧 47 **Par deux. Réécoutez (doc. 1) et répondez.**
a. Comment le journaliste présente la Chine ?
b. Qu'est-ce que le Festival Sound of the City ?
c. Est-ce que la musique internationale intéresse la Chine ?

4. 🎧 48 **Par deux. Écoutez la 2ⁿᵈᵉ partie de l'émission (doc. 1) et répondez.**
a. Selon Zhang Ran, pourquoi la musique française s'exporte-t-elle en Chine ?
b. Quel exemple donne Mathieu pour illustrer l'export de la musique française en Chine ?
c. Qui témoigne à la fin du reportage ? Qu'a-t-il ressenti pendant ses concerts ? Pourquoi ?

5 💬

En petits groupes.
Est-ce que la musique francophone s'exporte dans votre pays ? Quels sont les artistes populaires dans votre pays ? Quels sont les artistes français ou francophones préférés de la classe ?

6. Sons du français   ▶ p. 198

Les sons [y], [ø] et [u]

🎧 49 Écoutez et répétez. Vous entendez seulement [y], montrez ①. Vous entendez seulement [ø], montrez ②. Vous entendez seulement [u], montrez ③. Vous entendez plusieurs de ces trois sons, montrez ④.
Exemple : *le domaine culturel* → ①

▶ p. 170

📖 **7.** Observez cette affiche et le titre de l'article (doc. 2). Quel est le lien entre les deux documents ?

document 2

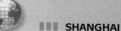

LEPETITJOURNAL.COM
Le média des Français et francophones à l'étranger

SHANGHAI

Arts plastiques, spectacles vivants, cinéma… les chouchous français des Chinois

Les domaines de la culture française qui attirent le plus de spectateurs en Chine sont **les arts plastiques, en particulier la peinture.** L'exposition Monet, par exemple, a rencontré un immense succès avec 350 000 visiteurs. Le public chinois, surtout dans les grandes villes, apprécie beaucoup **les spectacles vivants** venus de France. *Plus* Les spectateurs sortent le plus souvent pour voir des spectacles de danse, classique ou contemporaine : les chorégraphes Mourad Merzouki (qui mélange danse contemporaine et hip-hop) ou Benjamin Millepied sont très connus ici. Mais on trouve aussi des spectacles pour enfants et même du cirque ! Le théâtre français, lui, n'a pas vraiment séduit le public. C'est le domaine artistique que les Chinois apprécient le moins.

Côté cinéma, les acteurs qui connaissent le plus grand succès en Chine sont Sophie Marceau, Gérard Depardieu, Jean Reno et Marion Cotillard par exemple.

En littérature : Jean-Marie Le Clézio et Patrick Modiano font partie des auteurs contemporains étrangers les plus connus des lecteurs chinois depuis qu'ils ont reçu le prix Nobel.

Pour finir, les « artistes » du football, Zidane ou Henry sont tout de même les plus célèbres ! *Plus*

8. En petits groupes. Lisez l'article (doc. 2). Vrai ou faux ? Pourquoi ?
   a. En Chine, les arts plastiques sont très populaires.
   b. La danse attire le public chinois.
   c. Les spectacles vivants sont tous très appréciés.

9. Relisez l'article (doc. 2) et répondez.
   a. Qui sont les acteurs et les auteurs français préférés des Chinois ?
   b. Quel sport est cité par le journaliste ? Pourquoi ?
   c. Quels sont les artistes français cités dans l'article que vous connaissez ?

▶ FOCUS LANGUE
▶ p. 206

Le superlatif pour exprimer la supériorité ou l'infériorité

En petits groupes. Observez et complétez avec des extraits relevés dans les activités 4 et 8.

J'utilise le superlatif pour exprimer l'infériorité ou la supériorité d'un élément par rapport à d'autres.

Avec un nom	Avec un adjectif	Avec un adverbe	Avec un verbe
Exemples : … ; …	Exemples : *Les acteurs qui connaissent **le plus** grand succès en Chine…* *Les auteurs contemporains étrangers **les plus** connus des lecteurs chinois.* *Les artistes du football sont tout de même **les plus** célèbres !* … ; … ; …	Exemple : …	Exemples : *C'est le domaine artistique que les Chinois **apprécient** **le moins**.* …

Attention ! Le superlatif de **bon(ne)(s)** est **meilleur(e)(s).**
Exemple : *On avait l'impression d'être les **meilleurs** musiciens du monde.*
Le superlatif de **bien** est **mieux.**

▶ p. 169

À NOUS !

10. Nous présentons nos chouchous français.
En petits groupes.
   a. Chaque groupe choisit une forme d'art : les arts plastiques (la peinture et le dessin), le spectacle vivant (le théâtre, le cirque), la danse, la musique ou la littérature.
   b. Faites la liste des artistes français que vous connaissez pour la forme d'art choisie.
   c. Rédigez un article à la manière du site lepetitjournal.com. Précisez qui sont les artistes les plus célèbres.
   d. Proposez votre article au site lepetitjournal.com.

LEÇON

5 Vous aimez la BD ?

Demander des explications

document 1

http://www.lesechos.fr

Les Echos.fr

LES ECHOS: Tapez votre recherche — (+) OK — ✉ Newsletters

Comment la France est-elle devenue terre d'accueil de la bande dessinée ?

Les Échos ont rencontré Benoît Mouchard, directeur éditorial[1] de Casterman, et Thomas Ragon, directeur de collection[2] chez Dargaud.

Benoît Mouchard, à votre avis, la France a-t-elle le monopole de la bande dessinée ?
Sûrement pas ! La bande dessinée est depuis longtemps un art mondial. Dans les pays scandinaves, dans les pays du sud de l'Europe et en Asie, partout il y a de la BD.
Quel a été votre état d'esprit pendant les années où vous avez dirigé le festival d'Angoulême ?
J'ai toujours voulu faire découvrir « une BD venue d'ailleurs ».
Thomas Ragon, pourquoi parle-t-on de spécificités françaises dans le domaine de la BD ?
Je vois deux raisons principales. Tout d'abord, en France, on reconnaît la bande dessinée comme un art à part entière. De plus, ici, on lit plus de BD que dans les autres pays. Plus de reconnaissance et plus de lecteurs, forcément ça attire les auteurs !
Selon vous, pour quelles raisons la France est-elle devenue une terre d'accueil pour les auteurs de BD ?
La chance de la France, c'est aussi d'avoir eu à un moment une génération incroyable. On a eu en même temps Moebius, Goscinny, Enki Bilal et plein d'autres : on a eu le talent et la quantité ! Les auteurs du monde entier l'ont vu et nous avons attiré ici des Italiens comme Hugo Pratt, des Chiliens comme Alejandro Jodorowski, des Espagnols comme Juanjo Guarnido.

1 Le directeur éditorial suit l'élaboration d'un livre, de la recherche d'auteur à la promotion de l'ouvrage. Il sélectionne les œuvres à éditer et propose de nouvelles idées.
2 Le directeur de collection est un éditeur qui a la responsabilité d'une collection précise parmi celles publiées par sa maison d'édition.

UNE QUESTION À...

Les Éditions Fei font collaborer des scénaristes français et des dessinateurs chinois. Une démarche originale et une vraie réussite pour leur directrice Fei Xu.

– Comment cette idée vous est-elle venue ?
– Nos deux pays sont des pays de BD. Cela fait mille ans que l'on raconte chez nous des histoires avec des images. On crée une sorte de ratatouille franco-chinoise : raconter à la française des histoires chinoises et ça marche ! Les aventures du juge Bao et celles de la petite Yaya cartonnent !

📖 **1.** Observez cet article du journal *Les Échos* (doc. 1). Faites des hypothèses sur le sujet de l'article.

📖 **2.** Par deux. Lisez l'article (doc. 1).
  a. Vérifiez vos hypothèses.
  b. Associez chaque opinion à son auteur : Benoît Mouchard ou Thomas Ragon.
    1. Les dessinateurs du monde entier viennent en France parce que la BD y est reconnue.
    2. La BD est depuis longtemps présente sur plusieurs continents.
    3. Les auteurs de BD étrangers sont venus en France parce qu'ils connaissaient le travail de certains dessinateurs français.
    4. La France est devenue terre d'accueil de la BD grâce à une génération d'auteurs très doués.
    5. Le festival d'Angoulême a participé à la découverte de la BD internationale.

  c. Pour chaque opinion, retrouvez la question posée par le journaliste.

📖 **3.** Lisez « Une question à... » (doc. 1) et répondez.
    a. Qui est Fei Xu et quelle est la particularité des Éditions Fei ?
    b. Pourquoi les BD *Le Juge Bao* et *La Balade de Yaya* ont du succès ?

4

En petits groupes.
  a. Y a-t-il beaucoup de lecteurs de BD dans votre pays ? Quels sont les dessinateurs de votre pays les plus connus ?

  b. Quels dessinateurs et BD francophones connaissez-vous ?

5. Observez la photo. Que fait cette personne ?

CHRISTIAN ROSSI, FESTIVAL D'ANGOULÊME* 2016

Le festival
international
de la bande dessinée
d'Angoulême est
le plus important
au monde.

document **2** 🎧 50

6. 🎧▶50 **Par deux. Écoutez (doc. 2)
et répondez.**
  a. Qui est Adrien ?
     Pour quelles raisons s'intéresse-t-il
     au travail de Christian Rossi ?
  b. Que propose Christian Rossi à Adrien ?
     Pourquoi ?

7. 🎧▶50 **Réécoutez (doc. 2) et associez les questions aux réponses. Vérifiez avec la transcription.**

1. Et tu lis souvent mes BD ?
2. Et c'est quoi, ton truc ?
3. Tu es aussi dessinateur ?
4. Je mets quoi comme prénom ?
5. Ça fait combien de temps que tu dessines ?
6. Et tu voudrais en faire ton métier ?

a. Quelques années. C'est vraiment ma passion.
b. Ben, un peu comme vous, le western !
c. Oui ! J'adore ce que vous faites !
d. Adrien, s'il vous plaît.
e. C'est mon rêve.
f. J'essaie !

▶ FOCUS LANGUE
▶ p. 211

Les formes de l'interrogation pour poser des questions à l'écrit et à l'oral

a. Relisez les questions de l'interview (act. 2c) et les questions posées par Christian Rossi (act. 7).
Comparez la structure de ces questions.

b. Observez puis illustrez chaque structure à l'aide des questions relevées dans les activités 2c et 7.

Registre familier – À l'oral	Registre soutenu – À l'écrit
sujet + verbe + mot interrogatif + complément + ? Exemples : *Je mets quoi comme nom ?* … ; …	mot interrogatif + sujet + verbe + trait d'union + <u>pronom personnel correspondant au sujet</u> + ? Exemples : *Comment cette idée vous est-__elle__ venue ?* …
sujet + verbe + complément ? Exemples : *Et tu lis souvent mes BD ?* … ; …	mot interrogatif + verbe + (-t-) + sujet + complément ? Exemples : *Pourquoi parle-t-on de spécificités françaises dans le domaine de la BD ?* …
	sujet + verbe + (-t-) + pronom personnel correspondant au sujet + ? Exemples : …

> **Rappel !**   À l'écrit ou en situation formelle, on ajoute un **t** dans une question inversée pour faciliter la prononciation entre deux voyelles. Exemple : *La France a-**t**-elle le monopole de la bande dessinée ?*

▶ p. 170

▐ À NOUS ! 🗨 ✏

8. Nous nous informons sur un auteur de BD francophone.

En grand groupe.

a. Choisissez un auteur de bande dessinée francophone que vous connaissez (act. 4).

En petits groupes.

b. Préparez six questions à l'écrit pour cet auteur.

c. Partagez vos questions avec la classe. Choisissez vos six questions préférées.

d. Publiez vos questions sur la page Facebook, sur le blog ou sur le site de l'auteur.

▶ **Expressions utiles p. 171**

6 Quel cirque !

Exprimer des souhaits et donner des conseils

document **1**

FORUM MEXIQUE
Mexique-fr.com

🔍 Rechercher

Iztapampa
● ● ●

Bonjour à toutes et à tous !
Avec des copains, nous avons très envie de découvrir le Cirque du Soleil. C'est une troupe québécoise qui fait des tournées dans le monde entier. Nous aimerions beaucoup aller les voir à Monterrey en février prochain. Nous voudrions savoir si quelqu'un les connaît et peut nous donner son avis.

Flore
● ● ●

Moi, je peux vous en parler ! J'ai vu plusieurs spectacles et j'ai ADORÉ ! Allez-y sans hésiter ! Vous devriez d'ailleurs réserver sans tarder, ils ont toujours un succès fou !

Romain
● ● ●

Salut ! J'ai vu plusieurs spectacles de cette troupe et j'aimerais signaler que tous leurs spectacles ne sont pas bons... J'ai adoré certains mais d'autres m'ont un peu déçu... Lequel vont-ils jouer à Monterrey ?

Iztapampa
● ● ●

Ça s'appelle « Toruk, le premier envol ». C'est inspiré du film *Avatar*. Quelqu'un pourrait nous dire ce qu'il en pense ?

Flore
● ● ●

Je n'ai pas vu ce spectacle, mais tu devrais lire sa critique : lien. Elle est top !

Ana
● ● ● ●

C'est vrai, c'est super, mais les places sont trop chères ! Il faudrait vraiment que la culture soit plus accessible !

Iztapampa
● ● ●

Merci à tout le monde ! On va réfléchir et, si on va voir ce spectacle, on reviendra pour vous en parler, promis ! 😊

📖 **1.** Observez cette page Internet (doc. 1). À qui s'adresse ce forum ?

📖 **2.** Lisez le 1ᵉʳ message publié par Iztapampa (doc. 1). Pourquoi il écrit sur ce forum ?

📖 **3.** Par deux. Lisez la discussion (doc. 1) et dites qui :
   a. a déjà vu plusieurs spectacles du Cirque du Soleil.
   b. donne des conseils à Iztapampa.
   c. donne son avis sur les spectacles du Cirque du Soleil.
   d. demande des informations sur le spectacle *Toruk, le premier envol*.
   e. critique le prix des places et des sorties culturelles.
   Justifiez vos réponses.

4 💬

En petits groupes.
a. Connaissez-vous des compagnies de cirque contemporain ? Avez-vous déjà vu des spectacles de ce type ? Si oui, lesquels ? Sont-ils populaires dans votre pays ?
b. Échangez avec la classe.

a

CIRQUE DU SOLEIL

LUZIA

A WAKING DREAM OF MEXICO

document 2 🎧 51

5. 🎧 ᴴ51 Écoutez cet extrait de l'émission *À la une* diffusée sur Radio Canada (doc. 2). Qui est Karen Collado ? Pourquoi elle parle du Mexique ?

6. 🎧 ᴴ51 Par deux.
a. Réécoutez (doc. 2) et retrouvez la chronologie de ces trois spectacles : *Luzia, Joyà, Toruk, le premier envol*. Justifiez vos réponses.

b. Relevez les informations que donne Karen Collado pour chaque spectacle.

7. 🎧 ᴴ51 Par deux. Écoutez encore (doc. 2) et répondez.
a. Que souhaite proposer le Cirque du Soleil avec ses spectacles ?
b. Qui est Jean-François Bouchard ? Quel est son rêve ? Pourquoi ?

► FOCUS LANGUE
► p. 209

Le conditionnel présent pour exprimer un souhait et donner un conseil

a. En petits groupes. Observez et complétez à l'aide des extraits relevés dans les activités 3 et 7.
J'utilise le conditionnel présent pour :
  1. **exprimer un souhait**. Exemples : *Nous souhaiterions travailler sur le thème de l'eau ; On aimerait connaître le même succès avec Toruk ; La compagnie voudrait que les spectateurs ressentent des émotions fortes à travers nos spectacles ;* … ; … ; … ; … ; …
  2. **donner un conseil** (avec le verbe *devoir*). Exemples : … ; …

b. Observez les verbes conjugués au conditionnel. Choisissez la réponse correcte.
Pour former le conditionnel présent, j'utilise :
  – la base : ☐ du présent ☐ du futur ☐ de l'imparfait
  – et les terminaisons : ☐ du présent ☐ du futur ☐ de l'imparfait
Exemple : *Nous **aimer**ions beaucoup aller les voir à Monterrey.*
      *J'**aimer**ais quand même signaler que tous leurs spectacles ne sont pas bons.*

> **Attention !**
> Une seule forme pour le verbe *falloir* (*il faut*) → *il faudrait.*

c. Conjuguez ces verbes irréguliers au conditionnel présent.
vouloir – pouvoir – devoir
► p. 170

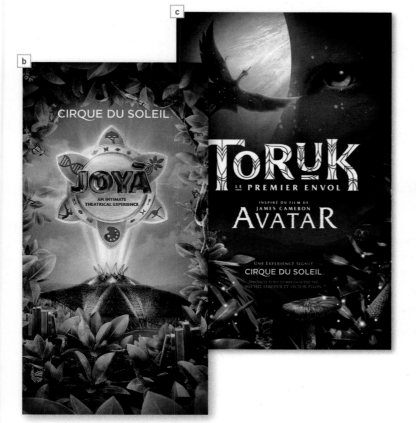

c

b

CIRQUE DU SOLEIL

JOYÀ
AN INTIMATE
THEATRICAL EXPERIENCE

TORUK
LE PREMIER ENVOL

INSPIRÉ DU FILM DE
JAMES CAMERON
AVATAR

UNE EXPÉRIENCE SIGNÉE
CIRQUE DU SOLEIL.

---

8. Sons du français

La prononciation à l'imparfait et au conditionnel

🎧 ᴴ52 Écoutez. Dites si vous entendez l'imparfait ou le conditionnel en première position.
Exemple : *je voulais / je voudrais → J'entends l'imparfait en première position.*
► p. 171

À NOUS ! 💬 ✏️

9. Nous exprimons des souhaits et des conseils.
En petits groupes.
Le guide créatif du Cirque du Soleil décide de réaliser un spectacle sur votre pays.
a. Imaginez quels éléments il pourrait mettre en avant.
b. Rédigez une liste de souhaits et de conseils pour le Cirque du Soleil.
c. Partagez vos souhaits et conseils avec la classe.
d. Publiez vos souhaits sur la page Facebook du Cirque du Soleil.
► Expressions utiles p. 171

CULTURES

1 Un nouveau roi à Versailles ▶ Vidéo **4**

a. Observez ces photos. Faites des hypothèses sur le sujet du reportage : où ? quand ? qui ? quoi ?

b. Imaginez le type de musique qui accompagne ce reportage.

c. Regardez la vidéo et comparez avec vos hypothèses.

d. En petits groupes. Lisez les opinions ci-dessous. Avec quel avis êtes-vous d'accord ? Pourquoi ?
1. C'est vraiment une très bonne idée, ces installations. À chaque visite, il y a quelque chose de nouveau à découvrir.
2. Ce n'est pas choquant par rapport à l'environnement.
3. Il y a de la grandeur et de l'élégance dans ces structures-là.
4. Chaque partie de l'arbre est essentielle à sa survie et c'est pour ça que l'arbre a une structure si belle, si parfaite.
5. Je les trouve effectivement assez grandioses, (…) assez spectaculaires.

e. En petits groupes. Connaissez-vous le château de Versailles et ses jardins ? Qu'en pensez-vous ? Que pensez-vous de l'exposition ? Est-ce que, dans votre pays, il y a des lieux historiques où on organise des expositions d'art contemporain ?

f. Choisissez une exposition que vous avez vue ou que vous avez envie de voir. Présentez-la à la classe. Expliquez les raisons de votre choix.

2 Le cinéma français à l'étranger

LES SUCCÈS DU CINÉMA FRANÇAIS À L'INTERNATIONAL

Pour la **3e fois** en **4 ans**, les films français franchissent le seuil des **100 millions** de spectateurs à l'international

42,6 millions d'entrées pour les films en langue française : **+ 22 %** par rapport à 2014

3e meilleure année depuis **20 ans**

a

MY FRENCH FILM FESTIVAL

6,5 millions de visionnages

b

Amérique du Nord 14,6 %

Europe occidentale 24,1 %

Europe centrale et orientale 8,9 %

Asie 27,2 %

Amérique latine 21 %

Afrique et Moyen-Orient 2,3 %

Océanie 1,9 %

c

Films	Entrées cumulées à l'international	Nombre de territoires
1 Lucy	56 071 700	70
2 Taken 2	47 677 904	81
3 Taken 3	43 991 188	83
4 Intouchables	31 857 397	66
5 Taken	30 157 011	59
6 Le Fabuleux Destin d'Amélie Poulain	23 139 709	53
7 La Marche de l'empereur	19 964 375	45
8 Le Pianiste	17 830 643	44
9 Le Transporteur 3	16 772 977	56
10 Le Petit Prince	15 124 537	56

d

a. Observez ces quatre infographies. Associez chaque titre au document qui correspond.
   1. Répartition des entrées du cinéma français par zone géographique en 2015.
   2. Record de fréquentation pour la 6e édition de MyFrenchFilmFestival.
   3. Les 10 plus grands succès français au box-office international depuis 2000.
   4. 2015, année historique pour le cinéma français à l'international.

b. Par deux. Lisez les informations suivantes. Retrouvez dans les infographies de quoi il s'agit.
   1. C'est un concept inédit qui a pour objectif de faire connaître la jeune génération de cinéastes français et qui permet aux internautes du monde entier de partager leur amour du cinéma français.
   2. Ce nombre a considérablement augmenté depuis 2014.
   3. En 2015, c'est la 3e zone d'exportation en nombre d'entrées.

c. En petits groupes. Est-ce que vous regardez des films français ? Faites la liste des films de votre groupe. Partagez avec la classe. Faites un top 10 des films français de la classe.

COMPLÉTEZ VOTRE CARNET CULTUREL

1. Dans mon pays, les gens aiment le cinéma français, les actrices et les acteurs français ?
2. Quels films français ont eu le plus de succès dans mon pays ?
3. Il y a des festivals de cinéma français dans ma ville ?
4. Où est-ce que je peux voir un film français dans ma ville ?

Retournez aux pages 64-65. Répondez à nouveau aux questions. Mettez en commun avec le groupe.

Projet de classe

▸ **Nous créons une enquête sur la consommation médiatique.**

Sur une journée moyenne **98 %** des Français consomment au moins un média

88 %
regardent la télévision
(2 h 29'/j)

88 %
utilisent un ordinateur
fixe ou portable (2 h 26'/j)

69 %
écoutent la radio
(1 h 22'/j)

56 %
utilisent un smartphone
(1 h 09'/j)

51 %
lisent un journal ou
un magazine (0 h 26'/j)

34 %
utilisent une tablette
(0 h 52'/j)

En grand groupe.

a. Observez cette infographie.

1. Quel est le thème de cette enquête ?
2. Que pensez-vous de ces résultats ? Avez-vous une consommation différente des médias ? Si oui, laquelle ?

b. Observez ces types de réponses. Associez-les aux questions posées.

Parmi les médias suivants, lesquels utilisez-vous le plus souvent ? ☐ la tablette ☐ le téléphone portable ☐ l'ordinateur portable ☐ la radio	Réponse fermée (oui, non)
Utilisez-vous une tablette ? ☐ Oui ☐ Non	Réponse unique parmi un choix
Classez les médias suivants par ordre de préférence pour vous informer : ☐ la tablette ☐ le téléphone portable ☐ l'ordinateur portable ☐ la radio	Réponses multiples
Que pensez-vous de la multiplication des outils numériques ?	Réponse ouverte
Pour rechercher une information sur Internet, vous commencez par : ☐ l'ordinateur ☐ la tablette ☐ le smartphone	Classement par ordre de préférence

En petits groupes.

c. Choisissez le thème de votre enquête (*les sorties culturelles*, *la consommation cinématographique*, etc.).

d. Préparez votre questionnaire. Rédigez 10 questions. Variez les types de questions.

e. Publiez votre sondage sur le site gratuit de sondage en ligne : https://fr.surveymonkey.com/

f. Demandez aux autres groupes de répondre à votre sondage.

g. Observez les résultats obtenus. Choisissez comment présenter vos résultats (infographie, tableaux, etc.).

Projet ouvert sur le monde ▸📖 GP **Parcours digital**

Nous partageons nos découvertes culturelles avec une autre classe.

DELF 4

I Compréhension des écrits

Exercice 1 Lire pour s'orienter

Vous êtes à Paris avec 5 amis. Vous regardez sur le site internet de la ville, les activités culturelles proposées.

1 **FÊTE DU CINÉMA FRANCOPHONE**
Profitez d'un tarif réduit (2 € la place) pendant 4 jours !

2 **SALON DE LA BD AU CŒUR DE PARIS**
Venez rencontrer près de 200 artistes et auteurs. Entrée gratuite.

3 Mélange de théâtre et des arts du cirque et de la rue, découvrez le nouveau spectacle du **CIRQUE DU SOLEIL**.

4 Événement majeur de la rentrée musicale, **LE FESTIVAL ROCK EN SEINE** se déroule pendant 3 jours dans le cadre magique du Domaine national de Saint-Cloud.

5 **TRANSCENDANSES – THÉÂTRE DES CHAMPS-ÉLYSÉES**
Benjamin Millepied, Ballet national de Norvège, Ballet du Capitole de Toulouse. Retrouvez tous nos spectacles de danse sur www.transcendanses.info/les-spectacles

Écrivez le numéro de l'activité qui correspond à chacun de vos amis.

Activité n°

a. Fang est passionnée de danse. Elle pratique la danse classique depuis plusieurs années. ...
b. Esteban est guitariste. Il fait partie d'un groupe de rock. ...
c. Luca adore les séries et les films français. ...
d. Lena danse et fait du théâtre de rue. Elle aimerait découvrir les arts du cirque. ...
e. Hiroki est dessinateur de manga et veut rencontrer des auteurs de bande dessinée français. ...

II Production écrite

Exercice 1 Inviter, remercier, s'excuser, demander, informer, féliciter

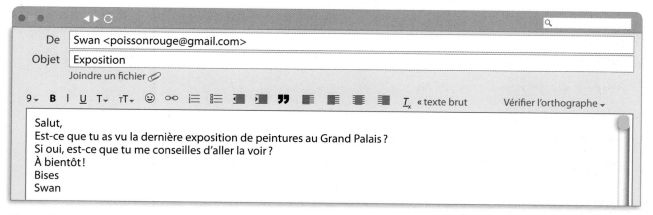

De Swan <poissonrouge@gmail.com>
Objet Exposition
Joindre un fichier

Salut,
Est-ce que tu as vu la dernière exposition de peintures au Grand Palais ?
Si oui, est-ce que tu me conseilles d'aller la voir ?
À bientôt !
Bises
Swan

Vous répondez à Swan. Vous avez vu cette exposition. Vous dites pourquoi vous l'avez aimée et lui conseillez d'aller la voir. Vous aimeriez voir une autre exposition et lui proposez de vous accompagner. (60 mots minimum)

DOSSIER 5

Vivons ensemble !

Vivre ensemble

Par deux. Répondez et comparez vos réponses avec celles des autres groupes.

1 Selon vous, les Français sont-ils plutôt individualistes ou plutôt solidaires ?

 a
 b
 c

Et les habitants de votre pays ?

2 Selon vous, les Français sont plutôt :

a râleurs.
b pessimistes.
c optimistes.

Et les habitants de votre pays ?

3 **Selon vous, les Français à l'étranger :**

a. aiment rester entre Français.

b. participent à des associations d'échanges culturels avec leur pays d'accueil.

c. partagent la vie des étrangers.

Et les habitants de votre pays ?

PROJETS

- **Un projet de classe**

  Nous mettre en scène « à la française » !

- **Et un projet ouvert sur le monde**

  Créer et partager une infographie qui illustre nos différences ou découvertes culturelles.

Pour réaliser ces projets, nous allons apprendre à :

▶ caractériser des personnes

▶ rapporter des propos

▶ exprimer notre désaccord

▶ parler des relations entre des personnes

▶ convaincre

▶ parler de notre état d'esprit

LEÇON 1 Opinions

Caractériser des personnes

document 1

http://www.la-croix.com

≡ SOMMAIRE **LA CROIX** Recherche 🔍 **ABONNEZ-VOUS** à partir de 1€

🏠 FRANCE   Politique   Justice   Sécurité   Éducation   Exclusion   Immigration

La France et les Français vus par trois étrangers

Je ne râle pas, je communique !

« La réalité quotidienne n'est pas si dramatique. »
Edward Gomaa, Américain, 36 ans, community manager, en France depuis 6 ans.
Les Français, pour moi, ce sont les Européens qui se plaignent le plus ! Se plaindre fait partie de la culture française, mais je crois qu'il existe une grande différence entre la vraie vie des Français et leur opinion. La vie en France est confortable comparée à d'autres pays européens. La réalité quotidienne des Français n'est pas si dramatique !

« On vit encore bien en France aujourd'hui. »
Xi Chen, Chinoise, 28 ans, étudiante, en France depuis 4 ans.
Je vis en France depuis 4 ans. Je réalise que les Français, ce sont des gens qui critiquent beaucoup leur pays. La vie en France n'est pas toujours facile mais, par rapport à la Chine, les Français vivent beaucoup mieux.

« En France, tout ne va pas mal. »
Lukas Macek, Tchèque, 45 ans, directeur du campus européen Europe centrale et orientale de Sciences Po à Dijon.
Les Français, ce sont des personnes que j'adore, mais qui sont trop pessimistes ! En France, tout ne va pas mal. On dit aux jeunes qu'ils vivront moins bien que leurs parents. On n'entend pas ce discours en Europe centrale. Les salaires ne sont pas très élevés, mais on vit mieux que nos parents, parce qu'on est libres.

📖 **1.** Observez ce document (doc. 1).

   a. Identifiez le nom du journal, le titre de l'article et son thème.

   b. D'après le dessin, comment sont vus les Français : positivement ou négativement ?

Critiquer   Être pessimiste   Se plaindre

📖 **2.** Lisez l'article (doc. 1).

   a. Associez chaque témoignage à une photo. Justifiez votre choix.

   b. Relisez le titre de chaque témoignage. Quelle opinion partagent ces trois étrangers ?

📖 **3.** Par deux. Relisez les témoignages d'Edward Gomaa et de Xi Chen (doc. 1). Relevez comment ils justifient leur opinion.

📖 **4.** Relisez le témoignage de Lukas Macek (doc. 1) et répondez.

   a. Selon lui, quelle différence existe entre la France et l'Europe centrale ?

   b. Partagez-vous son opinion ? Quelle est la situation dans votre pays ?

En petits groupes. Échangez.

a. Êtes-vous d'accord avec les témoignages de l'article ?

b. Quelle image a-t-on des Français dans votre pays ?

c. Faites la liste des clichés de la classe.

6. Sons du français
▶ p. 199

Les sons [f], [v] et [b]

🎧◄53 Écoutez. Dites si vous entendez deux fois le son [f], deux fois le son [v], deux fois le son [b] ou si vous entendez deux sons différents.

Exemple : *fin de con*v*ersation*

→ *On entend le son* [f] *et le son* [v].

▶ p. 172

7. Observez le document ci-dessus. Que font ces personnes ? Faites des hypothèses.

 document 2 🎧 54

8. 🎧◄54 Écoutez cet enregistrement (doc. 2).

a. Vérifiez vos hypothèses.

b. Quel est le sujet de la conversation ?
Quelles sont les nationalités des participants ?

9. 🎧◄54 En petits groupes. Réécoutez (doc. 2) et relevez l'image que chaque participant a des Français.

10. 🎧◄54 En petits groupes. Écoutez encore (doc. 2). Quelle image a-t-on de la France au Mexique ? en Chine ?

FOCUS LANGUE

Caractériser quelqu'un

Par deux. Observez et, à l'aide des activités 2 et 9, complétez avec un ou deux exemples.

c'est ou **ce sont** + <u>nom</u> + *proposition relative*
Les Français, pour moi, **ce sont** <u>les Européens</u> *qui se plaignent le plus !* Pour les Mexicains, le Français, **c'est** <u>une personne</u> *qui a une bonne éducation, qui est cultivée et qui a fait des études…*

c'est ou **ce sont** + <u>pronom indéfini</u> + *proposition relative*
Pour les Danois, le Français, **c'est** <u>quelqu'un</u> *qui comprend ce qu'on lui dit en anglais, mais qui répond en français !…*

▶ p. 172

À NOUS !

11. Nous caractérisons les Français.

En petits groupes.

a. Choisissez un cliché dans la liste de la classe (act. 5).

b. Rédigez un témoignage sur le modèle de ceux de *La Croix*.

c. Ajoutez un dessin ou une photo.

d. Partagez vos témoignages pour composer l'article « La France et les Français vus par notre classe. »

▶ Expressions utiles p. 175

LEÇON

2 Très français !

Rapporter des propos

1. Observez le site de l'université Lucian Blaga à Sibiu (Roumanie). Quelles langues reconnaissez-vous ? Quels mots comprenez-vous ? À votre avis, pourquoi ?

document **1** 🎧 55 et 56

2. 🎧 н55 Écoutez la 1ʳᵉ partie (doc. 1) et répondez.
a. Qui parle ? À qui ? Où ? Dans quel but ?
b. Quel diplôme a obtenu l'étudiante ? Qu'a-t-elle pensé de l'examen ?

3. 🎧 н55 Réécoutez la 1ʳᵉ partie (doc. 1).
a. **Que demande l'examinateur du DELF ?**
☐ Pouvez-vous vous présenter ?
☐ Parlez-moi de vous !
☐ Faites-vous du sport ?
☐ Qu'est-ce que vous faites dans la vie ?
☐ Que faites-vous pendant vos loisirs ?
☐ Quels sont vos qualités et vos défauts ?
☐ Pourquoi étudiez-vous le français ?

b. **Expliquez pourquoi cela pose problème à Anca.**

4. 🎧 н56 **Par deux. Écoutez la 2ᵉ partie (doc. 1).**
a. Lisez ces deux extraits du DELF B1. De quel sujet parle Anca ? Justifiez votre réponse.

> **1** Vous apprenez le français dans une école de langues. Vous n'êtes pas satisfait du niveau de votre groupe. Vous allez voir le directeur pour lui dire que vous souhaitez intégrer le groupe de niveau supérieur.

> **2** Vous faites des études de commerce international. Vous faites votre stage en France dans une grande entreprise. Après une semaine, vous n'avez toujours pas fait de travail intéressant. Vous allez expliquer la situation au directeur.

b. **Qu'en pensent les étudiants roumains ? Pourquoi ?**

5

En petits groupes.
a. **Que pensez-vous des activités de l'examen du DELF ? Partagez-vous l'opinion d'Anca ?**
b. **Observez les pages DELF A2 de votre manuel. Repérez les quatre épreuves de l'examen. Faites la liste des exercices proposés pour chaque épreuve.**

6. **Lisez le message de Roxana (doc. 2) et répondez.**
a. À qui elle écrit ? Pourquoi ?
b. Qu'a-t-elle fait en France ?
c. Qu'est-ce que son expérience française lui a apporté ? Que lui reproche-t-on à l'université ?

7. **Par deux. Relisez le message de Roxana (doc. 2). Relevez ce que/qu'…**
a. lui demandent ses amis français.
b. lui demandent ses amis roumains et les réponses qu'elle leur donne.
c. elle propose à ses amis français.
d. elle leur demande de faire.

http://www.facebook.com

Roxana Titieni

Salut à tous !

Déjà un mois que je suis rentrée en Roumanie, chez moi, à Sibiu. Le temps passe vite ! Vous me demandez tous comment ça va, si je suis bien rentrée, si tout va bien...

Alors, voici quelques nouvelles. J'ai repris mes études de journalisme dans mon université. Grâce à cette année d'échange Erasmus passée avec vous à Dijon, j'ai beaucoup changé. Cette expérience de vie en France m'a appris beaucoup de choses sur « le débat à la française » ! Maintenant, à la fac, on me reproche de donner trop souvent mon avis et de n'être jamais d'accord avec les autres ! 😆

Mes amis ici me posent plein de questions. Ils me demandent si le français est une langue difficile, je réponds que oui, un peu. Mais je leur dis que le français, c'est super utile dans le monde du travail ! Ils me demandent comment sont les Français... Je leur explique que mes amis sont tous très sympas !

J'ai vraiment envie de vous revoir tous bientôt, alors je vous propose de venir me rendre visite à Sibiu. Je vous demande aussi de donner de mes nouvelles aux professeurs, de leur dire que tout va bien pour moi ici et que je ne les oublie pas !

Merci ! Grosses bises !

FOCUS LANGUE
▶ p. 213

Le discours indirect au présent pour rapporter des propos

En petits groupes. Observez et complétez la règle avec : *de, si, que, ce que.*
Rapportez les propos de la colonne de gauche avec les extraits relevés dans l'activité 7.

Discours direct	Discours indirect
Question avec un mot interrogatif : **comment, quel(le)(s), quand, où**, etc. → *Quels sont vos qualités et vos défauts ?* → *Comment sont les Français ?*	**demander** + mot interrogatif → *Il nous demande quels sont nos qualités et nos défauts.* → ...
Question fermée (réponse « oui », « non ») → *Est-ce que le français est une langue difficile ?* → (Est-ce que) tout va bien ?	**demander** +... → ... → ...
Question avec **Qu'est-ce que... ?** → *Qu'est-ce que vous faites dans la vie ?*	**demander** +... → *Il nous demande aussi ce qu'on fait dans la vie.*
Affirmation → *Cette activité est difficile.* → *Le français, c'est super utile dans le monde du travail.*	**dire, expliquer** +... → *Presque tous les étudiants disent que cette activité est difficile.* → ...
Demande, reproche, invitation, proposition → *Parlez-moi de vous !* → *Tu donnes trop souvent ton avis !*	**demander, proposer, reprocher** +... + verbe à l'infinitif → *L'examinateur nous demande de parler de nous.* → ...

▶ p. 172

À NOUS !

8. Nous préparons le DELF A2 !

En petits groupes.

a. Rédigez un descriptif des trois exercices de l'épreuve de production orale du DELF A2 (act. 5).

Exemple : Pendant l'entretien dirigé, nous devons nous présenter...

b. Pour chaque exercice, complétez votre descriptif. Rapportez les questions posées par l'examinateur.

Exemple : L'examinateur nous demande si nous faisons du sport.

En grand groupe.

c. Partagez vos descriptifs avec la classe. Rédigez une fiche commune pour la classe.

D'accord, pas d'accord !

Exprimer son désaccord

Quartier 10ᵉ
Saint-Louis – Faubourg du Temple

Conseil de quartier

MARDI 17 JANVIER

Entrée Libre

FAUBOURG DU TEMPLE
HÔPITAL SAINT-LOUIS

École élémentaire
200 rue Saint-Maur
de 19h00 à 21h00

mairie 10ᵉ
www.mairie10paris.fr

1. Observez ce document.

a. Identifiez l'auteur. À votre avis, à qui s'adresse ce document ?

b. Qu'est-ce qu'un conseil de quartier ? Faites des hypothèses.

document 1 🎧 57

2. 🎧▶57 Écoutez (doc. 1) et répondez.

a. Vérifiez vos hypothèses.

b. Dites quel est le sujet du jour.

3. 🎧▶57 Par deux. Réécoutez (doc. 1) et répondez.

a. Qui sont Hugo, Bogdan et Anna ?

b. Ont-ils le même avis ?

4. 🎧▶57 Par deux. Écoutez encore (doc. 1). Associez chaque opinion à son auteur : Hugo, Bogdan ou Anna. Justifiez vos réponses.

1. Le café associatif, c'est un lieu bruyant dont nous n'avons pas besoin !

2. Il n'y aura pas de bruit le soir.

3. Le café associatif, c'est un lieu de rencontres dont nous avons tous besoin !

4. La place Raoul-Follereau est bien trop calme.

5. Le café associatif, c'est un lieu idéal pour nos associations.

5

En petits groupes.

Existe-t-il des conseils de quartier dans votre ville ? Que pensez-vous de ce concept ? Aimeriez-vous participer à un conseil de quartier ? De quels projets aimeriez-vous discuter ? Faites la liste de la classe.

6. Observez cette page Internet (doc. 2).

a. Qui sont les personnes interviewées ?

b. Comparez vos hypothèses (act. 1b) avec la définition du document.

document 2

http://www.rouenensemble.fr

Rouen

Je suis **conseiller**

La participation citoyenne à Rouen

Le conseil de quartier est un groupe de réflexion et de propositions pour l'amélioration de la vie des habitants.

Quel est le rôle d'un conseiller de quartier ?

Gilles Bénard : Le conseiller de quartier est d'abord un bénévole. C'est l'intermédiaire dont les habitants du quartier ont besoin pour mieux communiquer avec la mairie. Le conseiller de quartier essaie d'améliorer la vie des habitants. Le conseiller et les citoyens se réunissent pour discuter de la vie du quartier. Il écoute les différentes choses dont les habitants ont besoin ou envie et présente des projets concrets à la municipalité.

Pourquoi devenir conseiller ?

Bénédicte Guillot : Pour être utile aux autres, utile pour son quartier et participer à la réalisation de projets. Me mettre au service des autres, c'est une chose dont je suis fière. Dans le quartier, il y a des

7. Lisez les réponses des trois conseillers (doc. 2) puis complétez le portrait-robot.

CONSEILLER DE QUARTIER : PORTRAIT-ROBOT
SON STATUT bénévole
SON RÔLE ...
SES TÂCHES – discuter de la vie du quartier – ... – ...
OÙ A-T-ON BESOIN DE LUI ? ...
QUAND FAIRE APPEL À LUI ? ...
SON BUT – essayer d'améliorer la vie des habitants – ...

8. Par deux. Relisez les réponses de Bénédicte Guillot et de Vincent Cherrier (doc. 2). Vrai ou faux ? Pourquoi ?

1. Bénédicte Guillot est fière d'être conseillère.
2. Vincent Cherrier donne des exemples de projets mis en place avec son conseil de quartier.
3. Il a participé à la création d'une médiathèque.
4. Pour ces projets, les habitants étaient d'accord avec la mairie.

zones où les habitants ont de gros problèmes. Le conseiller donne de son temps, écoute les gens. Il peut être utile en cas de conflit, quand les gens ne sont pas du même avis sur un sujet de la vie quotidienne. Devenir conseiller, c'est améliorer le quotidien de ses voisins.

Sur quels projets votre conseil de quartier a déjà travaillé ?
Vincent Cherrier : Nous avons travaillé sur le jardin de l'hôtel de ville. C'est un lieu où il ne se passe jamais rien. Nous ne partagions pas du tout le projet de la mairie et nous avons proposé d'y installer un kiosque à musique. Nous avons aussi fait des propositions pour la transformation de la bibliothèque en médiathèque, car beaucoup d'habitants n'étaient pas d'accord avec la mairie.

FOCUS LANGUE ▸ p. 203

Les pronoms relatifs *où* et *dont* pour donner des précisions

Par deux.
a. Complétez (act. 7 et 8).
1. C'est l'intermédiaire ... les habitants du quartier ont besoin pour mieux communiquer avec la mairie.
2. Dans le quartier, il y a des zones ... les habitants ont de gros problèmes.
3. Il écoute les différentes choses ... les habitants ont besoin ou envie et présente des projets concrets à la municipalité.
4. Nous avons travaillé sur le jardin de l'hôtel de ville ... il ne se passe jamais rien.

b. Observez et complétez la règle.
1. *Le conseiller de quartier est* un intermédiaire → *Les habitants du quartier ont besoin* **de** cet intermédiaire.
Le pronom relatif **dont** remplace…
2. *Dans le quartier, il y a* des zones. → *Les habitants ont de gros problèmes* **dans** ces zones.
Le pronom relatif **où** remplace…

c. Retrouvez pour les exemples 3 et 4 les compléments remplacés par *où* et *dont*.

▸ p. 173

9. 🎧 H58 **Apprenons ensemble !**
Sina répond à la question : *Selon vous, à quoi ressemble un quartier idéal ?*
Par deux
a. Écoutez. À quoi ressemble son quartier idéal ?
b. Relevez ses erreurs et corrigez-les.
c. Comment faire pour ne pas répéter ces erreurs ?
d. Partagez vos idées, vos techniques avec la classe.

À NOUS

10. Nous organisons un conseil de quartier.
En petits groupes.
a. Choisissez un projet (act. 5).
b. Formez trois groupes : ❶ « tout à fait d'accord », ❷ « en partie d'accord », ❸ « pas du tout d'accord ».
c. Préparez vos arguments en petits groupes.
d. Choisissez un médiateur et un conseiller de quartier par groupe.
e. Chaque conseiller donne le point de vue de son groupe.
f. La classe décide si le projet sera adopté ou non.

▸ Expressions utiles p. 175

LEÇON

4 Vivre ensemble

Parler des relations entre des personnes

document 1

http://www.lepetitjournal.com

LEPETITJOURNAL.COM
Le media des Français et francophones à l'étranger

DUBLIN

ACCUEIL DUBLIN   COMMUNAUTÉ   ÉCONOMIE   SOCIÉTÉ   À VOIR, À FAIRE   PRATIQUE   CONTACT   PÉKIN   ARCHIVES

La colocation à Dublin

Vivre à Dublin, c'est presque toujours vivre en colocation. Le partage d'une maison ou d'un appartement est naturel et évident pour les Dublinois. Nous avons demandé leur avis à des francophones qui vivent en colocation.

À votre avis, quelles sont les contraintes de la colocation ?
Alexandre : Pour moi, la contrainte, c'est le manque de vie privée. Nous sommes quatre dans l'appartement, deux par chambre : un Allemand, un Danois, un Mexicain et moi. Je partage ma chambre avec le Danois. Je partage aussi la salle de bains, et la cuisine bien sûr. Tout se passe très bien entre nous, mais j'aimerais pouvoir être seul de temps en temps.

Que pensez-vous de la cohabitation entre étrangers ?
Marvin : Six personnes vivent avec moi dans l'appartement : un Canadien, un Américain, un Brésilien, un Uruguayen, un Italien et un Portugais. Je pense que, si on s'organise bien, ce n'est pas difficile. Après un mois de colocation, nous avons eu une « réunion » entre colocs pour fixer des règles : respecter les besoins des autres, ranger ses affaires, dialoguer en cas de conflit, faire un planning pour le ménage, partager les dépenses. Et depuis, tout se passe très bien !

Je peux avoir votre avis sur vos colocataires ?
Alan : Je suis très satisfait de ma colocation parce qu'elle m'a permis de découvrir d'autres cultures et de me faire de nouveaux amis. Au début, nos rapports étaient basés sur le respect. Mais ils sont ensuite devenus amicaux. Nous sommes comme une petite famille en fait.

Quelle est votre opinion sur la colocation ?
Amanda : Moi, je trouve qu'au début, tout va toujours bien, mais les problèmes finissent par arriver. Quand tu vis avec des gens vraiment radins, c'est un cauchemar pour payer les dépenses communes ! J'ai vraiment découvert l'individualisme et l'égoïsme des gens. Une grosse déception !

1. Observez cet article (doc. 1) publié sur le site lepetitjournal.com. Identifiez le pays et le sujet de l'article.

2. Lisez l'introduction (doc. 1). Que pensent les Dublinois de la colocation ? La colocation est-elle très pratiquée dans votre ville ?

3. Par deux. Lisez les témoignages (doc. 1). Associez chaque image à un témoignage. Justifiez.

a

b

c

d

	M	T	W	T	F	S	S
Joel	X						
Jorge					X		
Marco	X						
Gabriel			X				
Marvin							X
Patrick					X		
João						X	

📖 **4.** Par deux. Relisez les témoignages (doc. 1). Répondez et justifiez.

- **a.** Quel est le problème principal de la colocation pour Alexandre ? Pourquoi ?
- **b.** Quels conseils donne Marvin pour réussir sa colocation ?
- **c.** Que pense Amanda de la colocation ? Qu'a-t-elle découvert avec la colocation ?

5 💬

En petits groupes.

- **a.** Avez-vous déjà partagé un logement avec une autre personne (famille, amis, étrangers, etc.) ? Si oui, quels problèmes avez-vous rencontrés ?
- **b.** Faites la liste des avantages et des inconvénients de la colocation.
- **c.** Proposez des idées, des conseils pour éviter les problèmes liés à la colocation.

6. Sons du français

L'enchaînement consonantique

🎧▸59 Écoutez et répétez ces phrases. Enchaînez la consonne finale avec le mot suivant s'il commence par une voyelle.

Exemples : *Ils vive͟nt e͟n colocation. Vivr͟e à Dublin.*

→ *La consonne [v] s'enchaîne avec le mot suivant.*

▸ p. 173

document 2 🎧 60 et 61

7. 🎧▸60 Écoutez l'introduction de cette émission de radio (doc. 2) et répondez.

- **a.** Quel est le nom de l'émission ? À qui s'adresse-t-elle ?
- **b.** Qui est l'invité du jour ?
- **c.** Quel est le sujet du jour ?

8. 🎧▸61 Écoutez l'émission (doc. 2).

- **a.** Relevez dans la liste ci-dessous les thèmes dont parle l'invité.

  le travail • la vie de famille • les sorties • la ponctualité • la gastronomie • le sport • les manières de se saluer • les commerces

- **b.** Retrouvez pour chaque thème la question du journaliste.

9. 🎧▸61 Par deux. Réécoutez (doc. 2). Pour chaque thème, relevez les différences culturelles entre la France et l'Irlande.

▸ FOCUS LANGUE

Demander et donner un avis sur des relations entre des personnes

Associez. (Plusieurs réponses possibles.)

Demander un avis	Donner son avis
Que pensez-vous **de** la cohabitation entre étrangers ?	Je trouve qu'au début, tout va toujours bien.
Qu'est-ce que vous pensez **de** la ponctualité ?	Pour moi, la contrainte, c'est le manque de vie privée.
À votre avis, quelles sont les contraintes de la colocation ?	À mon avis, en France, on est plus souvent en famille.
Et une chose qui vous a surpris ?	Je crois que ce qui m'a le plus surpris, c'est qu'on ne fait jamais la bise.
Je peux avoir votre avis **sur** vos colocataires ?	
Quelle est votre opinion **sur** la colocation ?	Il me semble que nous n'avons pas du tout la même éducation.
Il y a des différences **entre** la vie de famille en France et en Irlande ?	J'ai remarqué que les Irlandais ne sont jamais à l'heure.
	Je pense que si on s'organise bien ce n'est pas difficile.

▸ p. 173

À NOUS ! 💬✏️

10. Nous parlons de nos différences culturelles.

En petits groupes.

- **a.** À votre avis, quelles sont les principales différences culturelles entre les Français et les habitants de votre pays ? Choisissez deux grands thèmes.
- **b.** Échangez avec les membres de votre groupe. Demandez et donnez votre avis sur les thèmes choisis.
- **c.** Partagez vos avis avec la classe.

En groupe.

- **d.** Faites la liste des principales différences culturelles entre les Français et les habitants de votre pays.
- **e.** Réalisez une infographie pour illustrer ces différences.

▸ **Expressions utiles p. 175**

document **1**

AMITIÉ
France-Autriche
de Linz

http://www.amitielinz.at

Qui sommes-nous ?

Notre association a pour but de promouvoir l'amitié entre la France et l'Autriche. Nous soutenons la promotion de la culture française et les échanges culturels. Nous proposons un programme de manifestations à celles et à ceux qui s'intéressent à la francophonie. Nos valeurs sont la curiosité, l'intérêt pour la culture de l'autre, la sociabilité, le respect des différences. Vous partagez ces valeurs ? N'hésitez pas à devenir membre !

| Accueil Startseite | Qui sommes-nous ? Wer sind wir ? | Activités Aktivitäten | Rétrospective Retrospektive | Liens utiles Nützliche Links | Devenir membre Mitglied werden |

▶ Programmes / Programme

• Café-Ciné

• Fête nationale / Nationalfeiertag

• Lingua Franca

• Matinées francophones / Französisches Frühstück

• Soirées à thème / Themenabende

• Soirées cuisine / Kochabende

• Soirée de l'Avent / Adventabend

Soirées cuisine : « Passe-moi la casserole ! »

Régulièrement, un membre de l'Amitié nous propose de découvrir une spécialité culinaire de son pays d'origine. Celle de notre ami Amar ? Un couscous à ne pas manquer !
Ces moments passés ensemble en cuisine nous font voyager dans les pays francophones, comme celui d'Amar, le Maroc. Venez participer à nos soirées cuisine, vous ne le regretterez pas !

Café-ciné

« Café-ciné », c'est l'occasion de partager nos impressions et nos avis sur nos derniers films « coup de cœur », ceux qui viennent de sortir, ou les grands classiques. Et ce n'est pas tout ! Les soirées sont animées par une passionnée, Anja !

Matinées francophones

Ces matinées ont pour objectif de discuter de sujets variés. Elles s'adressent à ceux qui ont envie de pratiquer le français. Débutants ou francophones, tout le monde est bienvenu ! Et en plus, Sylvia, l'animatrice, vous aidera à trouver les mots que vous cherchez en français !

📖 **1.** Observez ce site Internet (doc. 1) et choisissez la réponse correcte.

C'est le site : ☐ d'une école.
☐ d'une association.
☐ d'une ambassade.

📖 **2.** Lisez la rubrique « Qui sommes-nous ? » (doc. 1).
Qu'est-ce que Amitié France-Autriche de Linz veut développer ? Comment ?

3. Par deux. Lisez la page Internet (doc. 1).

a. Identifiez les trois activités proposées par l'association. Quel est l'objectif de chacune ?

b. Quelle activité préférez-vous ? Pourquoi ?

4. En petits groupes.

a. Relisez (doc. 1). Vrai ou faux ? Pourquoi ?

1. Il y a un animateur/une animatrice pour toutes les activités de l'association.
2. Chaque semaine, Amar cuisine pour l'association.
3. Les participants du Café-ciné donnent leur avis sur des films récents.
4. Les matinées francophones s'adressent uniquement à des étudiants.

b. Pour chaque activité, relevez comment l'association motive ses membres à y participer.

5

En petits groupes.

a. Dans votre pays, votre ville, existe-t-il des associations pour la promotion de l'amitié entre la France et votre pays ? Quelles activités proposent-elles ?

b. Vous voulez créer votre association. Faites la liste des activités que vous souhaitez proposer.

---

document 2 🎧 62

6. 🎧•62 Écoutez cet enregistrement (doc. 2).

a. De quelle activité de l'association Amitié France-Autriche de Linz il s'agit ? Justifiez.

b. Quel est le sujet de la conversation ?

7. 🎧•62 Par deux. Réécoutez (doc. 2).

a. Relevez les éléments qui montrent que le français est présent en Autriche.

b. Comment sont classées les associations en Autriche ?

c. Quel choix l'Autriche a-t-elle fait pour l'Eurovision ?

> **FOCUS LANGUE**

Convaincre

Et ce n'est pas tout !
Et en plus…
Il y a même…
À ne pas manquer !
Vous ne le regretterez pas !
Vous vous rendez compte ?

▸ p. 174

> **FOCUS LANGUE**   ▸ p. 204

Les pronoms démonstratifs pour désigner et donner des précisions

En petits groupes.

a. Lisez ces extraits des documents 1 et 2. Qu'est-ce que ces pronoms remplacent ?

1. *Régulièrement, un membre de l'Amitié nous propose de découvrir une spécialité culinaire de son pays d'origine.* **Celle** <u>de</u> *notre ami Amar ?*
2. *Ces moments passés ensemble nous font voyager dans les pays francophones, comme* **celui** <u>d'</u>*Amar, le Maroc.*
3. *En Autriche, il y a beaucoup de francophiles, pas seulement* **ceux** <u>qui</u> *ont fait des études en France !*
4. *Les associations sont classées en plusieurs catégories. Il y a* **celles** <u>qui</u> *proposent des échanges interculturels, comme nous, mais aussi* **celles** <u>qui</u> *s'occupent de l'éducation.*

b. Complétez.

	Masculin	Féminin
Singulier	…	celle
Pluriel	…	…

Attention ! Les pronoms démonstratifs sont suivis par :
— la préposition **de**. Exemple : …
ou
— un pronom relatif. Exemple : …

▸ p. 174

---

8. Sons du français

L'intonation expressive pour convaincre

🎧•63 Écoutez et répétez. Dites si ces phrases sont prononcées avec enthousiasme (pour convaincre) ou sans enthousiasme.

Exemple : *Couscous à ne pas manquer !*
→ *Avec enthousiasme.*

▸ p. 174

À NOUS !

9. Nous allons vous convaincre !

En petits groupes.

a. Choisissez deux activités (act. 5).

b. Rédigez un court descriptif de vos activités à la manière de l'association Amitié France-Autriche. Motivez vos futurs membres !

c. Affichez vos activités. Présentez-les et essayez de convaincre la classe de choisir l'une de vos activités.

d. La classe vote pour ses trois activités préférées.

LEÇON
6 On y va !

Parler de son état d'esprit

L'émission **Planète Afrique** a pour objectif de faire découvrir aux gens de Québec et d'ailleurs l'originalité de l'Afrique. Avec des chroniques, des interviews et des musiques africaines, l'équipe de l'émission veut faire découvrir la personnalité et les réalités de l'Afrique. Venez voyager avec nous, tous les lundis à 17 heures !

1. Lisez cette page Internet. Identifiez : le nom de la radio ; le titre et le concept de l'émission ; le public visé.

document 1 🎧 64

2. 🎧▶64 Par deux. Écoutez cet extrait (doc. 1).

a. Qui est Adama Ouédraogo ? De quel pays africain parle-t-il ? Qu'est-ce qu'il demande aux auditeurs ?

b. Complétez la fiche.

NOM DE L'ASSOCIATION	Sauvons le reste !
OBJECTIFS	…
	…
RÉALISATION	…
PROJET	…

3. 🎧▶64 Par deux. Réécoutez (doc. 1) et répondez.

a. Pourquoi l'association a besoin de bénévoles ?

b. De quel sujet parle-t-on dans la dernière partie de l'interview ? Pourquoi ?

c. Comment Adama Ouédraogo rassure les auditeurs ?

▶ FOCUS LANGUE ▶ p. 208

Le futur proche et le passé récent (rappel)

Lisez et complétez avec des extraits du document 1.

1. J'utilise **le futur proche** pour exprimer des actions dans le futur immédiat. Exemples : … ; …

Pour former **le futur proche**, j'utilise le verbe … au présent + action à l'infinitif.

2. J'utilise **le passé récent** pour exprimer des actions dans un passé immédiat, juste avant le moment où on parle. Exemple : …

Pour former **le passé récent**, j'utilise le verbe … au présent + … + action à l'infinitif. ▶ p. 174

4 💬

En petits groupes.

a. Que pensez-vous du bénévolat ? En avez-vous déjà fait ? Aimeriez-vous en faire ? Dans quel(s) domaine(s) ?

b. Recherchez des associations qui proposent du bénévolat dans des pays francophones.

5. Observez cette page Internet (doc. 2).

a. Identifiez le type de site.

b. Quel est le point commun avec l'association d'Adama Ouédraogo ?

document 2

TOURISME AU BURKINA FASO

Journal d'une stagiaire canadienne au Burkina Faso

Je viens de recevoir la confirmation : je suis inscrite au stage d'initiation à la coopération internationale. Je vais quitter le Québec et partir au Burkina. Je suis en train de préparer mes bagages et je ressens des émotions contradictoires, comme la peur, l'excitation, la tristesse et la joie.

SAM 09 mai
09:11

Arrivée au pays
Je viens d'arriver au Burkina Faso, il fait très chaud. Ces premières journées à Ouagadougou me permettent de me familiariser avec ce pays qui m'est encore inconnu. En ce début de voyage, je suis en train de découvrir un nouveau monde. J'aime beaucoup ce que je vois, je n'ai plus du tout peur, je ne suis pas inquiète.

SAM 16 mai
13:48

En route vers la communauté d'accueil
Après ces quelques jours dans la capitale, nous nous rendons dans un village, à plusieurs kilomètres de là. Les familles d'accueil nous y attendent. Elles vont nous recevoir pour la durée du séjour au Burkina. Je découvre une culture riche et un peuple accueillant. Je me sens chez moi grâce à l'accueil chaleureux de la communauté. Quand un problème se présente, les gens trouvent toujours une solution. Ils sont très positifs : « Ne t'inquiète pas, on va trouver une solution, ça va s'arranger ! »

JEU 16 juin
20:03

Un apprentissage réciproque
Dans ce stage, il y a beaucoup d'échanges entre les gens du village et nous. Mes rencontres m'apprennent beaucoup sur le Burkina. Je vais avoir du mal à rentrer au Québec ! Je suis vraiment en train de réaliser mon rêve !

---

6. Par deux. Lisez le journal (doc. 2). Qui écrit ? Quand ? Dans quels pays ? Pourquoi ?

7. En petits groupes. Relisez (doc. 2) et complétez.

Ce qu'elle écrit…	Actions	Sentiments et émotions
avant le 9 mai	…	…
le 9 mai	…	J'aime beaucoup ce que je vois,…
le 16 mai	Nous nous rendons dans un village.	…
le 16 juin	…	Je vais avoir du mal à rentrer au Québec ! …

FOCUS LANGUE ▶ p. 208

Le présent continu pour parler d'une action en cours

Observez ces extraits du journal et complétez la règle.
*Je suis **en train de** découvrir un nouveau monde.*
*Je suis **en train de** préparer mes bagages.*

Le présent continu exprime une action en cours de réalisation au moment où je parle.
Pour former le présent continu, j'utilise le verbe …
au présent de l'indicatif + **en train de** + … . ▶ p. 175

À NOUS !

8. Nous imaginons notre journal de voyage !
En petits groupes.
a. Choisissez une association (act. 4) et une mission.
b. À la manière de la stagiaire canadienne :
  – Imaginez votre état d'esprit avant le départ.
  – Imaginez votre arrivée sur place : parlez de vos « découvertes » et précisez vos « sentiments et impressions ».
  – Rassurez vos proches qui s'inquiètent pour vous.
  – Rédigez enfin la partie « apprentissage culturel » et évoquez votre retour.
c. Affichez vos journaux. La classe vote pour celui qui donne le plus envie de s'engager.

ULTURES

1 **Vous avez compris ?** ▶ Vidéo **5**

a. Regardez la vidéo sans le son. Faites des hypothèses. Quel est le thème de cette vidéo ?

b. Par deux. Regardez la vidéo avec le son. Vérifiez vos hypothèses et légendez les pictos.

Compter (Chine) ....

c. Par deux. Associez chaque geste ou attitude à sa signification.

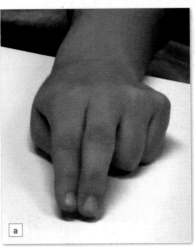  

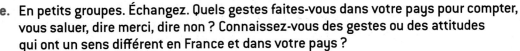

1 Désigner le chiffre 10 en Chine.

2 Dire non en Turquie.

3 Dire merci dans un restaurant taïwanais.

d. Par deux. Regardez encore la vidéo et répondez.
1. Comment se salue-t-on en France ? Qu'en pensent les Japonais ?
2. Qu'est-ce qu'il ne faut surtout pas faire en Corée ?

e. En petits groupes. Échangez. Quels gestes faites-vous dans votre pays pour compter, vous saluer, dire merci, dire non ? Connaissez-vous des gestes ou des attitudes qui ont un sens différent en France et dans votre pays ?

f. En petits groupes. Faites la liste des gestes ou des attitudes des Français que vous connaissez et qui vous surprennent. À la manière des personnages de la vidéo, présentez vos gestes et attitudes à la classe.

2 Les cafés citoyens

a. Connaissez-vous le concept des cafés citoyens ? Si non, faites des hypothèses.

b. Lisez cette affiche et vérifiez vos hypothèses.

c. Relisez et répondez.
1. Qui est l'auteur du document ?
2. À qui s'adresse le café citoyen ?
3. Qui choisit les thèmes de débat ?

d. Vrai ou faux ? Pourquoi ? Lisez encore et répondez.
1. Dans un café citoyen, tout le monde peut s'exprimer.
2. En général, les participants partagent les mêmes idées.
3. Les participants y font des propositions pour améliorer la société.

e. En petits groupes. Que pensez-vous du concept des cafés citoyens ? Est-ce qu'il y en a dans votre pays ? Est-ce qu'ils fonctionnent comme les cafés citoyens français ? Échangez.

COMME DANS PLUSIEURS VILLES EN EUROPE, CRÉEZ DANS VOTRE VILLE UN

CAFÉ CITOYEN

Pourquoi les politiques devraient-ils toujours penser à notre place ?

La démocratie ne se résume pas aux élections !

La démocratie nécessite la participation de tous les citoyens. Le café citoyen est une école de la démocratie où l'on…

- exprime son opinion personnelle,
- écoute les arguments des autres citoyens,
- reprend goût au débat et à la contradiction,
- propose des solutions pour résoudre les problèmes abordés.

Un café citoyen, c'est un espace :
- de débat ouvert à tous,
- de réflexion sur notre société,
- où l'on pense aussi la société de demain,
- indépendant où les participants choisissent les thèmes de débat.

Pour en savoir plus :
www.cafes-citoyens.fr

LA FÉDÉRATION DES CAFÉS CITOYENS

COMPLÉTEZ VOTRE CARNET CULTUREL

1. Deux exemples de différences culturelles entre la France et mon pays :…
2. Deux exemples de gestes ou attitudes qui ne signifient pas la même chose en France et dans mon pays :…
3. Deux exemples de vie de quartier en France et dans mon pays :…

↘ Retournez aux pages 82-83. Répondez à nouveau aux questions. Mettez en commun avec le groupe.

Projet de classe

Nous nous mettons en scène « à la française » !

En petits groupes.

1. Observez ces trois photos. Associez-les à la situation qui correspond. Justifiez vos réponses.
1. une personne est en désaccord
2. une personne veut rassurer
3. une personne veut convaincre

2. Choisissez un thème de discussion :
- obtenir un diplôme de français
- créer un café associatif dans votre quartier
- se loger en colocation avec des personnes de différentes nationalités
- créer une association d'amitié entre la France et votre pays
- faire du bénévolat dans un pays francophone

3. Distribuez les rôles dans le groupe en fonction des thèmes choisis : *d'accord, pas d'accord ;
je veux convaincre, je ne suis pas convaincu ; je veux rassurer, j'ai besoin d'être rassuré.*

4. Préparez une discussion, une scène en relation avec le thème choisi. En fonction de votre rôle,
exprimez l'accord ou le désaccord, rassurez, essayez de convaincre, etc.

5. Discutez ou jouez la scène « à la française ». Pensez à la gestuelle.

6. Discutez ou jouez à nouveau la scène avec les codes culturels de votre pays.

7. Filmez la scène puis visionnez la discussion.

8. Commentez les différences entre les deux scènes.

Projet ouvert sur le monde ▸ 📖 GP **Parcours digital.**

Nous créons et partageons une infographie qui illustre nos différences ou découvertes culturelles.

DELF 5

I Compréhension de l'oral

Exercice 1 Comprendre une émission de radio

Vous écoutez une émission sur le DELF. Lisez les questions, écoutez deux fois le document puis répondez.

1. Pour Mme Stylianou, les candidats qui passent le DELF…
   a. sont stressés par l'examen.
   b. ont l'habitude de passer des examens.
   c. sont contents de participer à l'examen.

2. D'après Mme Le Goupil, les personnes qui passent le DELF sont passionnées par quoi ?

3. Waee Shen apprend le français…
   a. à l'Institut français d'Athènes.
   b. à l'Alliance française de New York.
   c. à l'Alliance française de Hong Kong.

4. Pour quelle raison Waee Shen associe-t-elle le DELF au mot « reconnaissance » ?

5. Pour Mme Gacoska-Zlatkovska, pourquoi est-ce important d'obtenir un DELF ?

II Production orale

Exercice 1 Pour s'entraîner à la partie 1 de l'épreuve orale : l'entretien dirigé

Vous vous présentez et parlez de vous, de vos études, de vos activités, de ce que vous aimez et n'aimez pas.

Exercice 2 Pour s'entraîner à la partie 2 de l'épreuve orale : le monologue suivi

Vous vous exprimez seul(e) pendant environ 2 minutes sur un des deux sujets suivants :

> **SUJET 1 : La colocation**
>
> Selon vous, est-il possible de bien vivre en colocation avec des personnes de cultures différentes ? Pourquoi ?

> **SUJET 2 : Le bénévolat**
>
> Pensez-vous qu'il est important de faire du bénévolat ? Pourquoi ? Dans quel domaine le bénévolat est-il, selon vous, nécessaire ? Pourquoi ?

Exercice 3 Pour s'entraîner à la partie 3 de l'épreuve orale : l'exercice en interaction

Par deux. Vous êtes en colocation avec un étudiant francophone. Vous décidez de fixer ensemble des règles de vie commune. Vous vous mettez d'accord sur ce que vous devez et ne devez pas faire dans votre logement (bruit, ménage, dépenses, etc.).

Nous mettons en scène notre quotidien

Vie pratique

En petits groupes. Répondez et comparez vos réponses avec celles des autres groupes.

1 Selon vous, quels objets ont une « deuxième vie » en France ?

a. le mobilier.

b. l'électroménager.

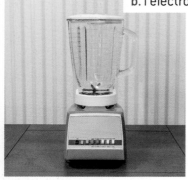

c. les disques vinyles.

Et dans votre pays ?

2 Selon vous, quels produits français s'exportent bien ?

a. les parfums.

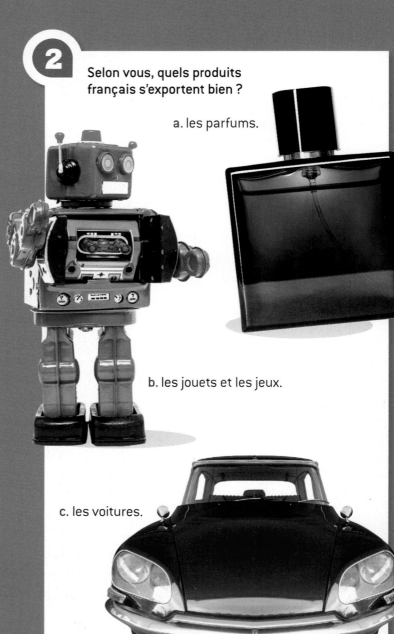

b. les jouets et les jeux.

c. les voitures.

Quels produits de votre pays s'exportent bien ?

3 Selon vous, quels savoir-faire français s'exportent bien ?

a. la cuisine.

b. l'hôtellerie.

c. l'esthétique et la cosmétique.

Quels savoir-faire de votre pays s'exportent bien ?

PROJETS

Pour réaliser ces projets, nous allons apprendre à :

- **Un projet de classe**

  Imaginer 24 heures de la vie d'un objet de notre quotidien.

- **Et un projet ouvert sur le monde**

  Créer et publier une recette de cuisine fusion sur un site de partage.

▶ comprendre des tâches et des instructions

▶ rédiger une recette de cuisine

▶ comprendre un mode de fonctionnement

▶ évoquer une réussite

▶ parler des produits d'hygiène et des cosmétiques

▶ raconter une suite d'actions

Comprendre des tâches et des instructions

document **1**

http://www.terroubi.com

TERROU-BI
DAKAR
★★★★★

HÔTEL *****

RESTAURANTS & BAR

CASINO

TRAITEUR & ÉVÉNEMENTIEL

RÉSERVATION

RÉUNIONS & SÉMINAIRES

LOISIRS & BIEN-ÊTRE

LES RDV DU TERROU-BI

LE TERROU-BI & VOUS

Recrutement

Vous souhaitez rejoindre l'équipe du *Terrou-Bi* ? Consultez les offres d'emploi ci-dessous ou adressez une candidature spontanée (CV + lettre de motivation) à espacerecrute@tbmail.com.

Poste : aide-cuisinier, apprenti (H/F)

L'aide-cuisinier exécute des tâches simples. Il apprend de l'observation et de la pratique des professionnels qui travaillent avec lui.

Missions

Placé sous les ordres du chef cuisinier, vous êtes chargé de tous types de travaux en cuisine :
– Vous recevez les livraisons de produits alimentaires et vous les rangez.
– Vous aidez aux préparatifs avant la cuisson des plats (nettoyage, épluchage et découpe des légumes, préparation des viandes et des poissons, etc.)
– Vous assistez les cuisiniers.
– À la fin du service, vous faites la vaisselle et vous nettoyez la cuisine.

Conditions

Contrat d'apprentissage.
Pendant cet apprentissage, et en fonction de vos aptitudes et de vos progrès, vous pourrez avoir plus de responsabilités et participer à des tâches plus complexes, comme la préparation d'une entrée ou la cuisson de certaines viandes.

---

1. Observez le menu de ce site Internet (doc. 1). Qu'est-ce que le *Terrou-Bi* ? Que propose-t-il ? Dans quelle ville ?

2. Lisez l'offre (doc. 1) et répondez.
  a. Que recherche le *Terrou-Bi* ? Pour faire quoi ?
  b. Quel type de contrat est proposé ?

3. Par deux. Relisez la rubrique « Missions ».
  a. Associez les tâches aux photos ci-dessous.

a

b

c

d

  b. L'apprenti peut-il faire d'autres tâches ? Lesquelles ? Sous quelles conditions ?

4.

En petits groupes.
  a. Relisez les missions de l'aide-cuisinier. Quelles tâches faites-vous régulièrement ?
  b. Recherchez avec quel(s) objet(s) : on nettoie, on épluche, on découpe, on fait la vaisselle.
  c. Faites la liste de la classe des tâches et des objets.

document **2** 🎧 66 et 67

5. 🎧66 Écoutez la 1ʳᵉ partie de l'enregistrement (doc. 2) et répondez.
  a. Où se passe la conversation ?
  b. Quelles sont les professions des deux hommes ?

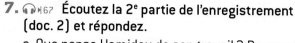

6. 🎧 ₦66   Par deux. Réécoutez la 1ʳᵉ partie
de la conversation (doc. 2).

a. Relevez les instructions du chef. À quelles missions
de l'annonce (doc. 1) correspondent-elles ?

b. Associez chaque tâche au produit qui correspond :
*crabes • légumes (les aubergines, les poivrons,
les courgettes, les tomates) • poissons.*

c. Remettez dans l'ordre les tâches (b) réalisées
par Hamidou.

7. 🎧 ₦67   Écoutez la 2ᵉ partie de l'enregistrement
(doc. 2) et répondez.

a. Que pense Hamidou de son travail ? Pourquoi ?

b. Observez les photos de l'activité 3. Associez
chaque instruction du chef à une photo.

Plonger dans l'eau   Mélanger   Couper

Placer   Essuyer   Faire cuire   Rincer

8. Sons du français   ▶ p. 199

Les sons [y], [ɥ] et [u]

🎧 ₦68   Écoutez et répétez ces phrases. Dites si
vous entendez deux fois le même son ou deux sons
différents.

Exemple : *Tu cuisines bien !* → *On entend deux sons
différents.*

▶ p. 176

▶ FOCUS LANGUE   ▶ p. 207

Les verbes pour cuisiner

a. Observez. Associez chacun des verbes suivants à la colonne qui correspond : *placer, nettoyer, plonger.*

-cer		-ger		-yer		-ayer	
Je rince	Nous rinçons	Je mélange	Nous mélangeons	J'essuie	Nous essuyons	Je balaie	Nous balayons
Tu rinces	Vous rincez	Tu mélanges	Vous mélangez	Tu essuies	Vous essuyez	Tu balaies	Vous balayez
Il rince	Ils rincent	Il mélange	Ils mélangent	Il essuie	Ils essuient	Il balaie	Ils balaient

> **Attention !** Pour obtenir le son [s], on écrit **c** devant **e, é, è, ê, i, y** et **ç** devant **a, o, u**.
> Pour obtenir le son [ʒ], on écrit **g** devant **e, é, è, ê, i, y** et **ge** devant **a, o, u**.
> Avec les verbes en **-oyer** et en **-uyer**, le **y** du radical se transforme en **i** devant les terminaisons **e, es, ent**.
> Pour la conjugaison des verbes en **-ayer** (exemples : *payer, balayer*), deux possibilités :
> – **y** avec toutes les personnes : *je balaye, tu balayes, nous balayons,* etc.
> – **i** devant les terminaisons **e, es, ent** : *je paie, tu paies, il paie, ils paient.*

b. En petits groupes : un cuisinier et des apprentis.
– Le cuisinier donne des instructions aux apprentis.
  Exemple : *Tu prends les légumes et tu les rinces, tu les épluches, etc.*
– Les apprentis miment ces instructions. Le cuisinier donne les instructions de plus en plus vite.

▶ p. 176

9. Nous donnons des instructions.

En petits groupes.

a. Choisissez une tâche (act. 4c).

b. Faites la liste des actions utiles pour votre tâche.
  Exemple : *prendre, laver, essuyer → pour faire la vaisselle*

c. Rédigez vos instructions.
  Exemple : → *Vous prenez les assiettes
  et les verres et vous les lavez. Vous les rincez
  et vous les essuyez.* → *pour faire la vaisselle*
  N'oubliez pas de préciser les objets nécessaires.

d. Affichez vos productions dans la classe.
  La classe devine de quelle tâche il s'agit.

▶ **Expressions utiles p. 179**

2 Au travail !

Rédiger une recette de cuisine

Depuis le début des années 2000, **le chef Alain Nonnet** vient régulièrement donner des cours de cuisine à **Santiago**. Il y a rencontré l'équipe de l'École et en est devenu le président. L'École de Santiago est reconnue par **les Maîtres cuisiniers de France**. La langue française y est bien sûr enseignée.

———

Americo Vespucio Sur 922
Las Condes, Santiago, Chile

📖 **1.** Lisez la page Internet de l'école culinaire française. Où se trouve-t-elle ? Qui est son président ?

document 1 🎧 69

2. 🎧▸69 Écoutez l'enregistrement (doc. 1).
a. Identifiez la situation : qui parle ? à qui ? où ?
b. De quel type de cuisine parle-t-on ? Quelle est la définition proposée ?
c. Relevez les deux exemples donnés.

3. 🎧▸69 Par deux. Réécoutez (doc. 1) et répondez.
a. Aidez Alejandro à compléter ses notes.
b. Que pensez-vous de la cuisine fusion ? Est-ce qu'il existe dans votre ville ou pays des restaurants qui proposent de la cuisine fusion ?

4 💬

En petits groupes.
a. Faites la liste de 3 plats traditionnels de votre pays.
b. Partagez avec la classe.

📖 **5.** Lisez la recette (doc. 2).
a. Identifiez :

le nom du plat • les ingrédients et la quantité • le nombre de personnes • le temps de préparation • le niveau de difficulté • les instructions pour la préparation.

b. Faites la liste des ustensiles nécessaires.

document 2

Wok de dinde au curry

👤 2 pers.

👨‍🍳 facile

⏱ 50 min.

Pour 2 personnes,
il vous faut

- **400 grammes** d'escalope de dinde
- **1** courgette
- **2** carottes
- **1** pâte de curry
- **1 pincée** de sel et de poivre
- **1** sauce barbecue asiatique
- **2 cuillères à soupe** de beurre

La cuisine fusion

Faire attention à...
Éviter de...
Penser à... (wok ? tajine ? plancha ?)
Chercher à...
Faire...

6. Par deux. Associez les photos aux instructions en rose dans la recette (doc. 2).

Exemple : *h → recommencez à faire chauffer un peu de beurre.*

Action !

① Dans un wok, commencez par faire chauffer 2 à 3 cuillères à soupe de beurre.

② Coupez en morceaux de 2 à 3 cm les 400 g. d'escalope de dinde. Faites-les revenir dans le beurre, n'oubliez pas de saler et poivrer selon votre goût.

③ Quand les morceaux de dinde sont dorés, ajoutez à la viande une cuillère à café de pâte de curry et une cuillère à soupe de sauce barbecue asiatique.

④ Arrêtez la cuisson de la viande.

⑤ Dans une poêle à part, recommencez à faire chauffer un peu de beurre et mettez dans la poêle les 2 carottes et la courgette coupées finement.

⑥ Faites dorer légèrement. Remuez avec une spatule en bois. Quand les légumes sont cuits, remettez sur le feu le wok avec la viande, ajoutez les légumes.

⑦ Pensez à faire réchauffer avant de servir.

Bon appétit !

> **FOCUS LANGUE**

Les verbes prépositionnels pour donner des instructions

En petits groupes.

a. Relisez les notes d'Alejandro (act. 3). Classez les verbes dans la colonne qui correspond.

Verbes avec la préposition *de* + infinitif
Essayer, …, …

Verbes avec la proposition *à* + infinitif
Réussir, servir, …, …, …

b. Relisez les instructions données dans la recette (act. 6) et complétez le tableau.

▸ p. 176

7. En petits groupes. Échangez.

Que pensez-vous de cette recette (doc. 2) ?
S'agit-il d'une recette de cuisine fusion ? Pourquoi ?
Êtes-vous d'accord avec le niveau de difficulté ?

> **FOCUS LANGUE**

Les verbes d'action pour cuisiner

Les poids et mesures

g. → gramme   cm → centimètre
cl. → centilitre   c. à soupe → cuillère ou cuiller à soupe

▸ p. 176

À NOUS !

8. Nous rédigeons une recette de cuisine.

En petits groupes.

a. Choisissez un plat traditionnel de votre pays (act. 4b).

b. Rédigez la recette de votre plat.

c. Publiez votre recette sur le site de cuisine français www.marmiton.org.

▸ **Expressions utiles p. 179**

document **1**

Je change

Repair Café : et si on arrêtait de gaspiller ?
Si on faisait réparer ses objets pour ne plus rien jeter ?

Quand un objet tombe en panne ou qu'un vêtement se déchire, le premier réflexe, c'est souvent d'en racheter un neuf ! Pourtant, une solution écologique existe : aller dans un Repair Café. Vous y trouverez des outils et plusieurs bricoleurs bénévoles pour vous aider. Et c'est gratuit !

1 Trouver son Repair Café.
Ce sont des équipes bénévoles qui organisent les Repair Cafés. Ils peuvent avoir lieu partout ! Dans un café, bien sûr, mais aussi dans un local associatif, un jardin public quand il fait beau. À Paris, deux ou trois Repair Cafés sont organisés par mois. Rendez-vous sur le site national **repaircafe.org/fr** et tapez le nom de votre ville.

2 Choisir quelque chose à réparer.
Chez soi, on se rend compte que des objets attendent qu'on les répare. Le réveil qui ne sonne plus sur la table de chevet. Un jean déchiré au fond de l'armoire... Vous pouvez aller au Repair Café avec plusieurs objets à réparer : électroménager, ordinateur, téléphone portable, vêtement, meuble, vaisselle, vélo, jouet...

3 Prendre un ticket.
Vous devez faire la queue, et la règle, c'est un seul objet par personne. Une solution ? Venir à deux, chacun avec un objet. Et pendant qu'on patiente, on fait connaissance. Certains prennent un café, d'autres discutent...

---

1. Observez la couverture du magazine. Identifiez son nom et son slogan.

2. Lisez le titre de l'article (doc. 1).
 a. Identifiez son sujet.
 b. Faites des hypothèses sur le lien entre l'article et la couverture du magazine.

3. Lisez l'introduction de l'article (doc. 1) et vérifiez vos hypothèses. Quel est le concept d'un Repair Café ?

4. Par deux. Lisez l'article (doc. 1).
 a. Relevez les trois étapes à suivre pour utiliser les services d'un Repair Café.
 b. Choisissez la (ou les) réponse(s) correcte(s).
  1. Le Repair Café est un événement...
   gratuit • convivial • participatif • culturel.
  2. Le Repair Café est organisé dans des...
   restaurants • jardins • locaux associatifs.
  3. Nos réparateurs sont tous des...
   bricoleurs • professionnels • bénévoles.
  4. Vous pouvez faire réparer...
  de l'électroménager • des jouets • des vêtements.

5

En petits groupes. Échangez.

a. Les Repair Cafés existent-ils dans votre ville ou pays ?

b. Connaissez-vous des cafés ou des lieux associatifs qui proposent un mode de fonctionnement original ?

> ## FOCUS LANGUE ► p. 210
>
> *Si* + imparfait pour faire une proposition ou inciter à agir
>
> Trouvez deux exemples dans l'article (doc. 1).
>
> J'utilise *si* + imparfait pour faire une proposition, une suggestion.
>
> ► p. 177

> ## FOCUS LANGUE ► p. 205
>
> **Les pronoms indéfinis pour désigner une personne, une chose, un lieu**
>
> Par deux
>
> **a.** Relisez ces extraits.
>
> 1. Si on faisait réparer ses objets pour ne plus rien jeter ?
> 2. Les Repair Cafés peuvent avoir lieu partout !
> 3. Choisir quelque chose à réparer.
> 4. Personne n'a encore appelé mon numéro.
> 5. Aucun de mes amis n'arrive à le réparer.
> 6. Quand je suis arrivée, quelqu'un a pesé mon aspirateur !
> 7. Aujourd'hui, on ne peut faire réparer ces petits objets nulle part !
> 8. C'est rare d'arriver quelque part où vous rencontrez tout de suite des gens avec qui discuter !
>
> **b.** Classez les pronoms indéfinis dans le tableau.
>
> | | Sens positif | Sens négatif | Fonction |
> |---|---|---|---|
> | Humains | … | personne … | sujet ou complément |
> | Choses | … | … aucun | |
> | Lieux | … partout | … | complément |
>
> **Attention !**
> – Les pronoms indéfinis de la colonne *Sens négatif* s'utilisent **toujours à la forme négative**.
>   Exemple : **Aucun** de mes amis **n'**arrive à le réparer.
> – Le pronom indéfini complément se place en général après le verbe.
>   Exemple : *Les Repair Cafés peuvent avoir lieu **partout** !*
>
> ► p. 177

9. Sons du français

> Le rythme et l'intonation de la question hypothétique (*Si* + imparfait… ?) pour inciter à agir
>
> 🎧 ▸72 Écoutez et répétez les phrases.
> Imitez le rythme et l'intonation.
>
> Exemple : *Et si on arrêtait de gaspiller ?* ► p. 177

📖 **10.** Apprenons ensemble !
Fernanda répond à la question de l'activité 5a.

Il y a un Repair Café à Porto Alegre. Il se trouve dans un café, le Nova York Café. Il a ouvert récemment et pour le moment il n'y a pas personne. Je n'ai pas apporté d'objet à réparer parce que rien ne marche pas chez moi. Aucun de mes amis y va.

---

document 2 🎧 70 et 71

6. 🎧 ▸70 Par deux. Écoutez la 1ʳᵉ partie de la conversation (doc. 2) dans un Repair Café.

a. Identifiez les deux objets à faire réparer.

b. Relevez pourquoi cette femme a décidé de faire réparer son objet dans un Repair Café.

7. 🎧 ▸70 En petits groupes. Réécoutez (doc. 2). Qu'est-ce qui a surpris la femme ? Faites des hypothèses sur l'objectif de cette pratique.

8. 🎧 ▸71 Par deux. Écoutez la 2ᵉ partie de la conversation (doc. 2). Vérifiez vos hypothèses et relevez pourquoi ces visiteurs apprécient le Repair Café.

a. Fernanda a-t-elle bien répondu à la question ?

b. Aidez Fernanda à corriger ses erreurs.

c. Comment faire pour ne pas répéter ces erreurs ? Partagez vos idées, vos techniques avec la classe.

À NOUS !

11. Nous présentons un concept original.

a. Choisissez un lieu de votre ville (act. 5) : café associatif, Repair Café, etc.

b. À la manière de l'article (doc. 1), présentez :
– son concept/son principal objectif ;
– le(s) lieu(x) et la fréquence des activités ;
– son mode de fonctionnement.

c. La classe vote pour le lieu le plus original.

LEÇON

4 Un beau succès !

Évoquer une réussite (un succès)

1. Observez le titre de cette émission. Faites des hypothèses sur son thème.

document 1 🎧 73 et 74

2. 🎧 ▸73 Écoutez l'introduction de l'émission « Parlons PME » (doc. 1). Vérifiez vos hypothèses et identifiez le sujet du jour.

3. 🎧 ▸74 Par deux. Écoutez l'émission « Parlons PME » (doc. 1).

a. Légendez ces trois exemples d'exportation.

b. Associez chaque phrase à sa photo.
1. Elles sont partout dans le jardin du Luxembourg.
2. C'est une structure qui permet de pratiquer une activité physique.
3. Il est destiné à la vente de la presse et à la petite restauration.

4. 🎧 ▸74 En petits groupes. Réécoutez l'émission (doc. 1). Relevez pour chaque exemple de mobilier urbain :
– le(s) lieu (x) et les pays où il s'exporte ;
– ce qui montre qu'il a du succès.

document 2

http://www.frenchplanete.fr

FRENCH PLANETE   ACTUS   GUIDES PAYS   INFOS PRATIQUES ⌄   VOS ADRESSES ⌄

MADE IN FRANCE : CES PRODUITS E

Nous vous proposons un zoom sur les produits français qui ont bien marché à l'étranger au cours de ces derniers mois. Et vous allez être surpris ! Les ventes de la France à l'export, ce ne sont pas que des parfums et des sacs de luxe. En effet, de nombreux objets du quotidien marchent très bien à l'étranger.

Par exemple, le Made in France marque des points avec la société Maped, qui fabrique des crayons à papier. Les Mexicains les ont vraiment adorés. Arrivée au Mexique il y a seulement 2 ans, Maped représente aujourd'hui plus de 15 % du marché des crayons dans ce pays.

Dans le domaine de l'électroménager, l'entreprise Seb connaît une énorme réussite avec son « compagnon kitchen machine », robot à tout faire. Les Allemands l'ont adopté. C'est aujourd'hui le modèle qui a le plus de succès dans sa catégorie : 40 000 robots seront vendus cette année.

Enfin, n'oublions pas Sophie la girafe. Les Japonais, comme les Américains, l'ont énormément achetée ces derniers mois. Le packaging insiste particulièrement sur la « French Touch » du jouet préféré des bébés, avec du bleu-blanc-rouge et la tour Eiffel.

5
En petits groupes.
Quels sont les principaux produits de votre pays qui s'exportent ? Dans quel(s) pays ?
Selon vous, pourquoi ces produits ont-ils du succès ?

6. Observez le site French Planète (doc. 2).
Quels sont les points communs entre les trois objets en photo ?

7. Lisez le billet (doc. 2).
   a. Relevez le nom des trois produits qui s'exportent.
   b. Associez chaque produit à sa photo (doc. 2).

8. Par deux. Relisez le billet (doc. 2). Identifiez :
   – les pays qui achètent beaucoup ces produits ;
   – ce qui montre le succès de ces produits.

9. En petits groupes. Échangez.
   Connaissez-vous ces produits ? Vous les avez déjà vus ? Utilisés ? Sont-ils populaires dans votre pays ?

▶ FOCUS LANGUE   ► p. 208

L'accord du participe passé avec le verbe *avoir*
Par deux.
a. De quel objet on parle ?
1. Les Mexicains **les** ont vraiment adorés.
2. Les Japonais, comme les Américains, **l'**ont énormément achetée ces derniers mois.
3. Starbucks **les** a commandées chez nous.

b. Observez et complétez la règle.
1. 🔒 Les Mexicains ont vraiment adoré les crayons à papier.

   🔓 Les Mexicains **les** ont vraiment adorés.
         COD (masculin pluriel)

2. 🔒 Les Japonais ont énormément acheté Sophie la girafe.

   🔓 Les Japonais **l'**ont énormément achetée.
         COD (féminin singulier)

3. 🔒 Starbucks a commandé 10 000 chaises chez nous.

   🔓 Starbucks **les** a commandées chez nous.
         COD (féminin pluriel)

Le participe passé s'accorde avec le … seulement s'il est placé … le verbe.

> **Attention !**
> Au passé composé, avec l'auxiliaire *avoir*, le participe passé ne s'accorde jamais avec le sujet.

► p. 177

À NOUS !

10. Nous présentons un produit de notre pays.
En petits groupes.
   a. Choisissez deux ou trois produits (act. 5).
   b. À la manière du site French Planète, rédigez un article sur vos produits.
   c. Illustrez votre article par une ou deux photos.
   d. Proposez votre article à la Chambre de commerce et d'industrie de votre ville ou pays.

► **Expressions utiles** p. 179

5 Je prends soin de moi

Parler des produits d'hygiène et des cosmétiques

document **1**

http://www.beautetest.fr

Beauté *test*

Tapez votre recherche ici…

Se connecter
Devenir membre

votre guide d'achat 100% beauté   Produits   Parfums   Communauté   Services   Shopping   Magazine

Quel gel douche choisir ?

Colline
03/03/17

Salut ! J'ai besoin d'un conseil sur un gel douche. Je viens de finir le mien (c'était le gel douche Rogé Cavaillès). Ma coloc m'a proposé le sien (je devrais dire la sienne), c'est une huile de douche orientale de chez Yves Rocher. Quelqu'un la connaît ?

Angie
03/03/17

Oui, elle n'est pas mal. Mais on parle toujours de gel douche, pourquoi pas utiliser des savons ? Moi, je change de savon tous les jours, j'en ai 15 au total ! 😊

Marie2188
03/03/17

Oui, moi aussi, je suis plus « savon ». J'achète les miens en parapharmacie. Je teste toutes les marques. Et toi, les tiens, tu les prends où ?

Pierre-Yves
03/03/17

Moi, je les prends à L'Occitane.

Pauline33
03/03/17

Oui, les leurs sont très bien, je confirme. Je conseille aussi les basiques : les savons de Marseille parfumés ou pas. On les trouve partout.

Crèmes visage et corps : quelles marques vous préférez ?

Pauline33
04/03/17

Moi, j'utilise beaucoup de crèmes bios. Les miennes, je les prends à Sephora. Il y a un rayon « soins naturels » pour visage et corps qui est vraiment top ! Et il y a aussi des produits pour homme. Mon mari en achète régulièrement.

Angie
04/03/17

Marionnaud : pour les grandes marques. L'Occitane, pour leurs laits parfumés aux fleurs.

Aurélie31
04/03/17

Vous connaissez les cosmétiques naturels Nuxe ? Leurs huiles pour le corps sont exceptionnelles. La mienne, c'est l'Huile Prodigieuse. Je la recommande à 100 % ! En plus, ils font des coffrets cadeaux géniaux. Et comme c'est bientôt Noël… 😊

bons *plans*

SEPHORA

Rogé Cavaillès

NUXE
PARIS

YVES ROCHER

Marionnaud
PARIS

L'OCCITANE
EN PROVENCE

1. Observez cette page Internet (doc. 1). Identifiez le type de site et son thème.

2. En petits groupes. Échangez.
   a. Observez la rubrique « bons plans ». Quelles marques connaissez-vous ?
   b. Quels produits d'hygiène et quels cosmétiques connaissez-vous ?

3. Lisez les discussions du forum (doc. 1).

   a. Qui sont ces internautes ? Qu'est-ce qu'ils font sur le forum ?

   b. Légendez les produits en photo.

huile de douche

4. Par deux. Relisez « Quel gel douche choisir ? » (doc. 1). Vrai ou faux ? Pourquoi ?

   a. On a proposé un nouveau gel douche à Colline.

   b. Angie et Marie2188 préfèrent les savons aux gels douche.

   c. Pierre-Yves et Marie2188 achètent leurs savons à L'Occitane.

   d. Pauline33 pense que les savons de L'Occitane sont de bonne qualité.

5. Par deux. Relisez la discussion (doc. 1). Quelle enseigne conseillez-vous à ces personnes ? Pourquoi ?

   a. François cherche une crème pour le visage.

   b. Lætitia préfère les cosmétiques naturels.

   c. Anna veut faire un cadeau original à une amie.

6

En petits groupes.

a. Dans votre ville ou votre pays, est-ce qu'on trouve des produits d'hygiène et des cosmétiques français ? Lesquels ? Quelles marques ? Faites la liste de la classe.

b. Est-ce que les habitants de votre pays apprécient ces produits ? Pourquoi ?

document 2 🎧 75

7. 🎧▸75 Écoutez cette conversation (doc. 2) et identifiez la situation : qui ? où ? pour faire quoi ?

8. 🎧▸75 Réécoutez la conversation (doc. 2).

   a. Quels produits la cliente souhaite acheter pour son amie ? Et pour le mari de son amie ?

   b. Pourquoi ?

9. 🎧▸75 Écoutez encore (doc. 2) et répondez.

   a. Quel produit conseille la vendeuse pour l'amie de la cliente ? Pourquoi la cliente est-elle intéressée ?

   b. Pourquoi la vendeuse conseille-t-elle L'Occitan ?

▶ FOCUS LANGUE   ▶ p. 204

Les pronoms possessifs pour exprimer la possession

Par deux.

a. Relisez ces extraits (act. 4 et 8). De quel(s) produit(s) on parle ?

Je viens de finir le mien et ma coloc m'a proposé le sien.

Elle m'a dit qu'elle aimait beaucoup les miennes.

J'achète les miens en parapharmacie.

Il a dit ce matin qu'il avait fini la sienne.

Les leurs sont très bien.

b. Complétez.

		Objet possédé			
		Singulier		Pluriel	
		Masculin	Féminin	Masculin	Féminin
Possesseur	(je)	…	la mienne	…	…
	(tu)	le tien	la tienne	les tiens	les tiennes
	(Il/elle)	…	…	les siens	les siennes
	(nous)	le nôtre	la nôtre	les nôtres	
	(vous)	le vôtre	la vôtre	les vôtres	
	(ils/elles)	le leur	la leur	…	

▶ p. 178

10. Sons du français   ▶ p. 199

Les sons [ʃ] et [ʒ]

🎧▸76 Écoutez et répétez ces phrases. Dites si on entend la consonne [ʃ] ou la consonne [ʒ] en 1ʳᵉ position.

Exemple : *Je cherche un cadeau original. → On entend la consonne [ʒ] en 1ʳᵉ position.*

▶ p. 178

À NOUS ! 💬

11. Nous parlons des produits d'hygiène et des cosmétiques !

Seul.

a. Choisissez un produit d'hygiène ou de cosmétique. À la manière du forum (doc. 1), rédigez un message pour :

   – conseiller ce produit et le(s) magasin(s) où l'acheter ;

   – demander des conseils sur d'autres produits et le(s) magasin(s) où les acheter.

b. Affichez votre message dans la classe.

c. Lisez les messages des autres puis répondez à deux messages de votre choix.

d. Créez une nouvelle discussion sur le forum *Beauté Test*.

LEÇON

6 La culture du vintage

Raconter une suite d'actions

document **1**

http://www.lapresse.ca

leSoleil

0°C QUÉBEC Changer de ville

leDroit | leNouvelliste | laTribune | leQuotidien | laVoixdel'Est

Actualités Affaires Arts Chroniques Justice et faits divers Le Mag Maison Opinions Photos Sports Voyages ZONE

Architecture Déco Design Habitation Horticulture Mobilier Patrimoine

Si les objets pouvaient parler : le rendez-vous des nostalgiques.

« Le vintage est une contre-culture* née au début des années 90, en réaction à la surconsommation**. » Bruno-Clément Boudreault

Avant d'ouvrir leur première boutique, Bruno-Clément et Dominique, sa compagne, vendaient sur Internet des objets trouvés dans les brocantes. C'est en 2012 qu'ils ont décidé de créer leur première boutique de quartier *Si les objets pouvaient parler* pour y vendre des objets vintage et être en contact avec la clientèle. La même année, Bruno-Clément a quitté son emploi principal pour avoir le temps de faire des recherches sur les marchés aux puces : de la vaisselle, des cafetières, des jeux de société…

L'année suivante, ils ont accueilli dans leur boutique les travaux d'une quinzaine d'artisans qui n'avaient pas encore de « vitrine » : Marc-Olivier Grenier et ses lampes en bois, Laurence Petitpas et ses boucles d'oreilles en tissu, etc.

Deux ans plus tard, ils ont déménagé dans le quartier Saint-Roch. Depuis, ils ont fait de leur commerce un lieu de rencontre et de discussion dans le quartier. Après avoir été une simple boutique, leur magasin est désormais un mélange de brocante, musée, galerie et librairie.

* La contre-culture : ensemble des manifestations culturelles différentes et/ou opposées aux différentes formes de la culture dominante.
** La surconsommation : consommation excessive.

---

1. Observez cette page Internet du journal *Le Soleil* (doc. 1). Identifiez :
– dans quel pays on diffuse ce journal ;
– les rubriques sélectionnées.

2. Observez la photo (doc. 1). Faites des hypothèses sur le sujet de l'article.

3. Lisez l'article (doc. 1). Vérifiez vos hypothèses puis répondez.
a. Qui sont Bruno-Clément et Dominique ?
b. Que faisaient-ils avant l'ouverture de leur boutique ?
c. Que peut-on acheter dans leur magasin ?
d. Pourquoi ces objets sont-ils qualifiés de « vintage » ?

4. Par deux. Relisez l'article (doc. 1).

a. Complétez l'historique de la boutique.

Bruno-Clément a quitté son emploi principal. …   …

| 2012 | 2013 | 2015 | Depuis 2015 |

…   …

b. Relevez :
– les expressions utilisées pour situer les étapes de l'historique ;
– pourquoi le magasin est bien plus qu'une simple boutique.

5

En petits groupes. Échangez.

Est-ce qu'il existe des magasins d'objets d'occasion dans votre ville ou pays ? Quels objets y trouve-t-on ? Quels types d'objets vintage sont populaires dans votre pays ? Faites la liste de ces objets.

▶ **FOCUS LANGUE**   ▶ p. 211

Indiquer la chronologie dans une suite de faits et d'actions

Par deux.

a. Observez ces deux extraits (act. 3 et 4b).

  1. **Avant d'**<u>ouvrir</u> leur première boutique, Bruno-Clément et Dominique vendaient sur Internet des objets trouvés dans les brocantes.

  2. **Après** <u>avoir été</u> une simple boutique, leur magasin est désormais un mélange de brocante, musée, galerie et librairie.

b. Retrouvez l'ordre chronologique des faits pour chaque extrait.

c. Complétez.

  – J'utilise … + <u>verbe à l'infinitif</u> pour exprimer **l'antériorité** d'une action par rapport à une autre.

  – J'utilise … + <u>verbe à l'infinitif passé</u> pour exprimer **la postériorité** d'une action par rapport à une autre.

  Je forme <u>l'infinitif passé</u> avec *être* ou … + … du verbe.

                                                       ▶ p. 178

---

document 2   🎧 77 et 78

6. 🎧▸77 Écoutez la 1ʳᵉ partie de cette conversation (doc. 2) entre Dominique et Bruno-Clément.

a. Quelle idée a eu Dominique ?

  ☐ Elle veut raconter l'histoire des objets.

  ☐ Elle veut demander à Bruno-Clément de raconter l'histoire des objets.

  ☐ Elle veut demander aux objets de raconter leur histoire.

b. De quel objet ils parlent ?

7. 🎧▸78 Par deux. Écoutez la 2ᵉ partie de la conversation (doc. 2) et répondez.

  a. Complétez l'« autobiographie » de cet objet vintage.

  > Je suis né dans les années 1900. Après ma naissance, ❶ À l'âge de 10 ans, ❷ En 1950, ❸ Cinquante ans ont passé, puis ❹ Un professeur qui m'aimait bien m'a emporté chez lui. En 2012, ❺ Ses enfants m'ont donné à la boutique « Si les objets pouvaient parler ». Depuis, ❻

  ⓐ j'avais déjà travaillé avec beaucoup de professeurs.

  ⓑ j'attends que quelqu'un m'achète !

  ⓒ j'ai commencé à travailler très vite, dans une école.

  ⓓ j'ai obtenu une place dans une université.

  ⓔ ce professeur est mort.

  ⓕ on m'a trouvé trop vieux.

  b. Vérifiez avec la transcription.

▶ **FOCUS LANGUE**   ▶ p. 207 et 211

Les marqueurs temporels (2) pour situer des événements dans le temps

Par deux. Complétez à l'aide des marqueurs temporels (act. 7).

Indiquer une date, une période	Indiquer l'âge d'un objet, d'une personne	Préciser la chronologie d'une série d'événements	Indiquer l'origine d'un événement qui continue au moment où l'on parle
C'est en 2012 que… … … …	…	Deux ans plus tard… La même année… Cinquante ans ont passé… … …	Désormais… …

                                                       ▶ p. 178

À NOUS 🎧 💬

8. Nous imaginons la vie d'un objet.

En petits groupes.

a. Choisissez un objet (act. 5).

b. Faites la liste des moments-clés de la vie de votre objet.

c. Rédigez l'« autobiographie » imaginaire de votre objet (utilisez les marqueurs temporels).

d. À la manière de Bruno-Clément, présentez l'autobiographie de votre objet.

e. Enregistrez votre présentation à l'aide de votre smartphone.

                              ▶ **Expressions utiles p. 179**

1 **Made in France**  ▶ Vidéo **6**

a. Regardez la vidéo.
Quel est le thème de ce journal ?
Quels produits sont présentés ?

b. En petits groupes.
Regardez encore la vidéo
et associez chaque PME
à son produit et au pourcentage
qui correspond.

60 %

66 %

80 %

c. Faites la liste des villes et des pays cités dans la vidéo. Associez-les aux produits.
Regardez à nouveau la vidéo si nécessaire.

d. En petits groupes. Identifiez comment l'on présente chacun de ces produits dans le journal.
Exemple : *Méphisto → une carte de France et une photo du produit, un pourcentage à l'export,*
les drapeaux des pays où le produit s'exporte, des images animées de l'entreprise.

e. Cette structure présente-t-elle efficacement ces entreprises ?

f. En petits groupes. Est-ce que ces produits existent dans votre pays ?
Selon vous, pourquoi ils s'exportent bien ?

2 Vous avez dit vintage ?

http://www.evous.fr

evous

f J'aime 6 771

PARIS **LE MARAIS** ARRONDISSEMENTS DE PARIS ÎLE-DE-FRANCE GUIDES FRANCE MUSIQUE CINÉMA EXPOSITIONS +++

Salon du vintage à Paris

20e Salon du vintage au Carreau du Temple. Les 15 et 16 octobre. Entrée : 6 €.
Au programme : mode, créateurs, vinyles à découvrir dans le Marais. Que reste-t-il de la création des designers des années 80 ? Découvrez la réponse avec plusieurs dizaines d'exposants sur 2 000 m².

Le Salon du vintage est de retour au Carreau du Temple et promet pour sa 20e édition une magnifique sélection des années 80 !
C'est le rendez-vous des passionnés de vintage à Paris. Le salon regroupe une sélection des meilleurs exposants qui proposent des tee-shirts vintage, des accessoires hommes et femmes comme des sacs et des lunettes de grandes marques. Un véritable marché vintage où vous retrouverez aussi du mobilier et un grand choix de vinyles. Vous plongerez dans un univers rétro, chic, tendance et unique.

a. Lisez l'introduction de cet article et observez la photo. Répondez.
1. Quel événement présente la page ?
2. Dans quel quartier de Paris ?
3. Quand ?
4. Quel est le prix de l'entrée ?

b. En petits groupes. Qu'est-ce que le Salon du vintage. Faites des hypothèses.

c. Lisez l'article et vérifiez vos hypothèses. Proposez une définition du style vintage.

d. Relisez l'article. Vrai ou faux ? Pourquoi ?
1. Au Salon du vintage, on propose des créations des années 2000.
2. C'est la 1re fois qu'on organise ce salon à Paris.
3. En français, « vintage » a le même sens que « rétro ».

e. Où est situé le quartier du Marais ? Qu'est-ce que le Carreau du Temple ? Faites des recherches.

f. En petits groupes. Échangez. Vous aimez le style vintage ? Pourquoi ? Est-ce que ce style est populaire dans votre pays ?

COMPLÉTEZ VOTRE CARNET CULTUREL

En petits groupes. Dans notre ville/notre pays, on trouve :
1. des objets français : …
2. des chaussures et des vêtements français : …
3. des meubles français : …
4. du mobilier urbain français : …
5. des produits d'hygiène et des cosmétiques français : …

 Retournez aux pages 100-101. Répondez à nouveau aux questions. Mettez en commun avec le groupe.

PROJETS

Projet de classe

▌ **Nous imaginons 24 heures de la vie d'un objet de notre quotidien.**

En grand groupe.

1. Faites la liste des objets du quotidien découverts dans ce dossier.

En petits groupes. Chaque groupe choisit un objet parmi ceux de la liste (act. 1).

2. Lisez ces extraits de monologues d'objets et associez-les aux photos.

   a. « Je suis un voyageur qui change de place sans bouger. J'appartiens à une femme qui m'utilise pour se déplacer. Tous les matins, à la même heure … »

   b. « Je suis un peu fatigué de mon propriétaire. Il croit que je lui appartiens. Il m'utilise tout le temps. J'ai trois copains : le bleu, le noir, le vert. »

   c. « J'habite tout au fond d'un sac à main. Il n'y a pas beaucoup de lumière à l'intérieur. Ma propriétaire, elle ne m'aime pas, mais parfois elle me fait une belle surprise. Elle m'invite à voir un film avec elle ou à lire un livre. Le matin, elle n'arrête pas de crier : "Où je les ai mises ?" »

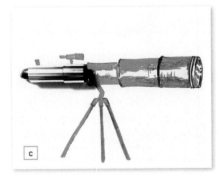

3. En petits groupes. Ne mentionnez pas le nom de l'objet.

4. Cherchez des sons pour accompagner le monologue de votre objet.

5. Désignez la personne de votre groupe qui lira le monologue.

6. Enregistrez votre monologue (le texte et les sons).

7. Choisissez et imprimez une photo de votre objet, ou dessinez une mise en scène de votre objet. Inspirez-vous des dessins ci-dessous.

8. En groupe. Affichez les photos et les dessins dans la classe.

a

b

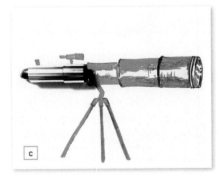

c

9. Chaque groupe fait écouter son monologue à la classe. La classe choisit la photo ou le dessin qui correspond à l'objet.

Projet ouvert sur le monde ▸ 📖 GP **Parcours digital**

Nous créons et publions une recette de cuisine fusion sur un site de partage.

DELF 6

I Compréhension des écrits

Exercice Lire des instructions

Vous lisez cette recette sur un site de cuisine.

CRÊPES SAMOSSAS — Pour réaliser 12 samossas

Pâte :
- 125 g. de farine
- 3 œufs
- 70 cl de lait
- 2 cuillères à soupe d'huile d'olive

Garniture :
- 2 bananes • 100 g. de chocolat noir •
10 cl de lait de coco • 1 cuillère à soupe de pâte de noisettes

---

- Mettez la farine dans un saladier.
- Incorporez les œufs un à un dans la farine sans cesser de mélanger.
- Versez ensuite le lait puis ajoutez l'huile.
- Quand la pâte est prête, verser une louche de préparation dans une crêpière et faites cuire 2 minutes de chaque côté. Faites ceci pour toute la pâte à crêpe.
- Dans une casserole, faites fondre le chocolat, la pâte de noisettes et le lait de coco.
- Déposez une cuillère à café de chocolat fondu et quelques rondelles de bananes dans un demi-crêpe et formez un triangle.
- Mettez au four pendant 10 minutes et servez chaud.

1. Pour réaliser cette recette il faut...

2. Quel fruit devez-vous mettre dans la garniture ?

3. Quel premier ingrédient devez-vous mettre d'abord dans le saladier ?
a. Le lait.
b. L'huile.
c. La farine.

4. Vous versez l'huile...
a. avant de mettre la farine dans le saladier.
b. au moment de mettre les œufs.
c. après avoir versé le lait.

5. Il faut faire fondre quels ingrédients avec le chocolat ? (Deux réponses attendues.)

II Production écrite

Exercice 1 Inviter, remercier, s'excuser, demander, informer, féliciter

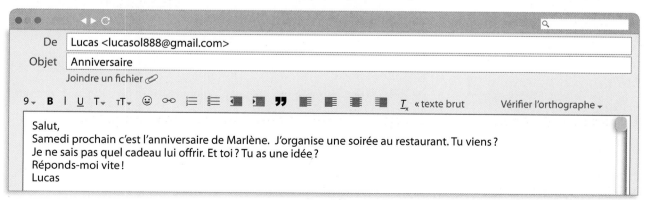

De : Lucas <lucasol888@gmail.com>
Objet : Anniversaire

> Salut,
> Samedi prochain c'est l'anniversaire de Marlène. J'organise une soirée au restaurant. Tu viens ?
> Je ne sais pas quel cadeau lui offrir. Et toi ? Tu as une idée ?
> Réponds-moi vite !
> Lucas

Vous répondez à Lucas. Vous le remerciez et vous acceptez son invitation. Vous lui demandez l'heure du rendez-vous et le nom du restaurant. Vous lui faites des propositions de cadeaux à offrir à Marlène. (60 mots minimum)

DOSSIER 7

Nous nous souvenons... et nous agissons !

S'engager

En petits groupes. Répondez et comparez vos réponses avec celles des autres groupes.

1 Quelle(s) manifestation(s) en faveur de la langue française connaissez-vous ?

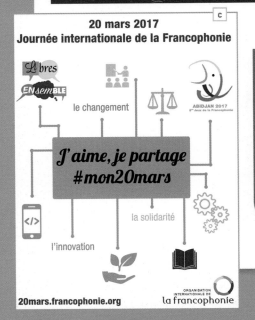

a. Lundi 14 Mars — Journée de la langue française — Virgin RADIO

b. SEMAINE DE LA LANGUE FRANÇAISE & DE LA FRANCOPHONIE

c. 20 mars 2017 — Journée internationale de la Francophonie — Libres ENsemBLE — le changement — ABIDJAN 2017 — J'aime, je partage #mon20mars — la solidarité — l'innovation — ORGANISATION INTERNATIONALE DE la francophonie — 20mars.francophonie.org

Dans votre pays, il y a des manifestations en faveur de la langue française ? Si oui, lesquelles ?

2 À votre avis, les Français s'engagent pour quelles causes ? (Classez de 1, la plus importante, à 3, la moins importante.)

a. L'action politique.

b. La protection de la nature.

c. L'action locale (de quartier).

Et les habitants de votre pays ?

3 À votre avis, les Français sont plutôt :

a. volontaires pour faire évoluer la vie en société.

b. volontaires pour s'engager dans l'armée.

c. volontaires pour participer à des actions humanitaires.

Et les habitants de votre pays ?

PROJETS

- **Un projet de classe**
  Décrire un lieu et parler de son évolution dans le temps.

- **Et un projet ouvert sur le monde**
  Créer et diffuser un dépliant pour défendre une cause.

Pour réaliser ces projets, nous allons apprendre à :

▶ comprendre un récit

▶ raconter un souvenir

▶ exposer une suite de faits

▶ défendre une cause

▶ formuler une critique et proposer des solutions

▶ demander et donner un avis

LEÇON 1
Ils écrivent en français

document 1

http://www.actualitte.com

ActuaLitté — Ils ont préféré le français à leur langue maternelle

Linda Lê (*Œuvres vives*) est vietnamienne. Nancy Huston (*Bad Girl*) est canadienne. Atiq Rahimi (*Synguésabour. Pierre de patience*), est afghan. Tous les trois ont commencé leur carrière d'écrivain quand ils sont arrivés en France. Ils ont choisi d'écrire en français, pas dans leur langue maternelle. Mais pour quelles raisons ?

Nancy Huston est venue pour ses études et est restée pour l'écriture : «Il était plus facile pour moi d'écrire en français qu'en anglais car je n'avais pas vécu mon enfance en français. Si j'écris dans ma langue maternelle, certaines émotions sont trop fortes.» L'auteure explique qu'à l'écriture de son livre *Bad Girl*, elle avait choisi d'alterner le français, pour les passages théoriques, et l'anglais pour les passages plus intimes.

Atiq Rahimi, Linda Lê et Nancy Huston – Salon du livre de Paris.

Linda Lê a rapidement abandonné sa langue natale pour écrire en français. « Quand j'étais enfant, j'avais une passion pour la langue française. J'apprenais le français dans les dictionnaires. Je mémorisais des pages entières du *Petit Larousse* qui était un livre précieux quand je vivais au Vietnam. Les livres français y étaient rares. […] Je n'y avais jamais réfléchi mais quand je me suis mise à écrire mon premier livre, la langue française s'est imposée.»

Atiq Rahimi a appris le français, une langue très différente de la sienne, grâce à la littérature française : «Le persan et notre littérature sont très poétiques. À chaque fois que j'écrivais dans ma langue maternelle, mon histoire se transformait en poème. […] Je n'avais pas imaginé écrire un jour en français. Mais, c'est dans cette langue que j'ai écrit *Synguésabour. Pierre de patience*. Et c'est la langue française qui m'a permis de créer ce roman.»

1. **Observez cette page Internet (doc. 1) et répondez.**
   a. Quel est le nom du site ? Quel est son thème ?
   b. À votre avis, quels sont les deux mots utilisés pour former le nom de ce site ?

2. **En petits groupes. Lisez l'introduction (doc. 1).**
   a. Quels sont les points communs entre les trois personnes en photo ?
   b. Pourquoi ces auteurs étrangers ont choisi d'écrire en français ? Faites des hypothèses.

3. **Par deux. Lisez l'article (doc. 1).**
   a. Associez chaque « présentation » à son auteur(e).
      1. Il/Elle ne pensait pas écrire un jour en français.
         Il/Elle trouve que sa langue maternelle est trop poétique pour écrire des romans.
         Il/Elle a appris le français avec les livres.
      2. Il/Elle apprenait par cœur des mots en français et leurs définitions.
         Pour lui/elle, le français est une passion.
         Il/Elle a découvert le français très jeune.
      3. Il/Elle est venu(e) en France pour étudier.
         Pour lui/elle, le français est une langue moins émotionnelle que sa langue maternelle.
         Il/Elle est resté(e) pour écrire.
   b. Pourquoi ces auteurs ont-ils choisi d'écrire en français ?
   c. Comparez avec vos hypothèses (act. 2b). Quels sont les points communs ? Les différences ?

4. **Relisez les paragraphes sur Nancy Huston et Atiq Rahimi (doc. 1). Relevez pourquoi le français les a aidés à écrire.**

En petits groupes.

a. Connaissez-vous des auteurs étrangers qui écrivent en français ?

b. Faites des recherches pour compléter votre liste.

c. Pour chaque auteur, indiquez le titre d'un de ses livres.

d. Partagez avec les autres groupes et réalisez la bibliographie francophone de la classe.

document 2   🎧 79 et 80

6. 🎧▸79 Écoutez la 1ʳᵉ partie de l'interview d'Anna Moï (doc. 2) et répondez.

a. Qui est Anna Moï ?

b. Quel est son point commun avec Atiq Rahimi, Nancy Huston et Linda Lê (doc. 1) ?

7. 🎧▸79 Réécoutez (doc. 2).

a. Pourquoi Anna Moï a-t-elle choisi d'écrire en français ?

b. Retrouvez la chronologie des événements. Vérifiez avec la transcription.

> À Saigon, dans les années 90…
> *proposition d'écriture d'une rubrique* •
> *écriture d'un 1ᵉʳ texte* • *rencontre avec*
> *la rédactrice en chef d'une revue francophone* •
> *écriture du livre* L'Écho des rizières

8. 🎧▸80 Par deux. Écoutez la 2ᵉ partie de l'interview (doc. 2) et répondez.

a. Pour Anna Moï, la langue française, c'est quoi ?

b. Quel exemple donne-t-elle pour illustrer la francophonie ?

▸ FOCUS LANGUE
▸ p. 209

Le passé composé, l'imparfait et le plus-que-parfait pour construire un récit au passé

En petits groupes.

a. Observez ces extraits (docs. 1 et 2).

> • « Quand j'étais enfant, j'avais une passion pour la langue française. […] Je mémorisais des pages entières du *Petit Larousse*. […] Je n'y avais jamais réfléchi mais quand je me suis mise à écrire mon premier livre, la langue française s'est imposée. »
>
> • « J'avais beaucoup pratiqué le français avant cette rencontre avec la rédactrice en chef. Ce n'était pas la seule langue que j'avais apprise mais c'était ma préférée. »
>
> • « Je n'avais pas imaginé écrire un jour en français. Mais, c'est dans cette langue que j'ai écrit *Synguésabour. Pierre de patience*. Et c'est la langue française qui m'a permis de créer ce roman. »

c. Associez chaque règle de formation au temps verbal qui correspond : le passé composé, l'imparfait ou le plus-que-parfait.

1 *avoir* ou *être* **au présent** + **participe passé** du verbe

2 **la base :** présent de l'indicatif (1ʳᵉ personne du pluriel) + **les terminaisons :** *-ais, -ais, -ait, -ions, -iez, -aient*

3 *avoir* ou *être* **à l'imparfait** + **participe passé** du verbe

b. Associez.

1. J'utilise le passé composé pour décrire/raconter… •

2. J'utilise l'imparfait pour décrire/raconter… •

3. J'utilise le plus-que-parfait pour décrire… •

• a. des habitudes, des souvenirs, une situation et des circonstances dans le passé.

• b. des actions ponctuelles et accomplies dans le passé, des événements passés dans l'ordre chronologique.

• c. une action antérieure à une autre action passée.

▸ p. 180

À NOUS 🔔

9. Nous présentons un auteur étranger qui écrit en français.

En petits groupes.

a. Choisissez un auteur de la liste (act. 5).

b. Pourquoi a-t-il choisi d'écrire en français et pas dans sa langue maternelle ? Faites des recherches sur ses raisons : enfance, études, etc.

c. À la manière du site ActuaLitté, rédigez un paragraphe pour expliquer son choix.

En groupe.

d. Rédigez un article à partir des productions de la classe. Imaginez un titre et une introduction.

▸ **Expressions utiles p. 183**

LEÇON

2 Bilingues !

Raconter un souvenir

document **1**

http://www.un.org/events/frenchlangageday

Nations unies
Journée de la langue française*

Recherche

| Le français à l'ONU | Mars, mois de la francophonie | Pourquoi apprendre le français ? | Dites-le en français ! | Langues et diversité culturelle | Célébrations de l'ONU |

L'ONU encourage vivement le personnel à pratiquer plusieurs langues. Certains membres sont bilingues ou trilingues grâce à un héritage familial multiculturel, d'autres ont appris le français au cours de leurs études ou à l'ONU. Pilar Fuentes et Penelope MacDonnell expliquent ici pourquoi la maîtrise du français a été importante pour leur carrière.

Pilar Fuentes

J'ai appris le français à partir du moment où j'ai réalisé que cette langue allait être utile pour ma carrière. J'ai toujours voulu travailler dans une organisation internationale. J'ai étudié le français et l'anglais pendant plusieurs années, à l'école et à l'université. Le jour où j'ai commencé à travailler à l'ONU, j'ai compris que je ne m'étais pas trompée. L'ONU a six langues officielles, mais seuls l'anglais et le français sont des langues de travail. La maîtrise du français est donc un vrai « plus ». Je suis affectée au protocole et nous nous occupons de toutes les manifestations officielles. On m'a chargée des relations avec les pays francophones. Presque tous mes collègues parlent français.

Penelope MacDonnell

Je me suis intéressée au français après mes premières vacances en famille en France. Mon père parlait très bien le français. Il m'a fallu plusieurs années pour bien maîtriser la langue, jusqu'au moment où j'ai eu un niveau suffisant pour faire une maîtrise en interprétation et traduction. Ensuite, je suis partie travailler à Strasbourg comme interprète, au Conseil de l'Europe, où le français et l'anglais sont langues officielles. J'ai vécu à Strasbourg pendant sept ans. Quelques mois plus tard, j'étais capable de parler couramment. Je travaille désormais à l'ONU, à New York, et je traduis ou j'interprète du français à l'anglais. Les sujets sont variés : affaires juridiques, affaires politiques, maintien de la paix... La maîtrise de la langue française a été déterminante dans ma carrière.

* Depuis 2010, l'ONU célèbre le multilinguisme et la diversité culturelle avec les Journées des langues (pour ses six langues officielles).

1. Observez cette page Internet (doc. 1).
Identifiez le type de site et la rubrique sélectionnée.

2. Lisez l'introduction sur la « Journée de la langue française » (doc. 1) et répondez.
À votre avis :
a. quelles sont les cinq autres langues officielles de l'ONU ?
b. pourquoi l'ONU encourage son personnel à pratiquer des langues ?

3. Par deux. Lisez les témoignages (doc. 1).
a. Retrouvez à qui correspondent ces affirmations : Pilar Fuentes ou Penelope MacDonnell.
   1. Elle a commencé à apprendre le français pour des raisons familiales.
   2. Elle a commencé à étudier le français pour des raisons professionnelles.
   3. Elle a étudié le français et l'anglais à l'université.
   4. Elle a travaillé en France.
b. Quel est le statut de la langue française à l'ONU ? Au Conseil de l'Europe ?

4. Par deux. Relisez les témoignages (doc. 1) et répondez.

   a. Quand Pilar Fuentes a-t-elle compris que parler le français était un atout ? Pourquoi ?

   b. En France, pour quelle institution a travaillé Penelope MacDonnell ? Pendant combien de temps ?

   c. Où travaille-t-elle maintenant ?

5

En petits groupes.

   a. Souvenez-vous du jour où vous avez décidé d'étudier le français. Qu'est-ce qui vous a conduit à apprendre cette langue : décision personnelle, professionnelle, liée à votre entourage ?

   b. Quelles sont les raisons qui ont motivé ce choix dans votre groupe ?

   c. Partagez-les avec la classe.

6. Sons du français
▶ p. 199 et 200

Les sons [u] et /o/

🎧)81 Écoutez et répétez ces phrases. Dites si on entend le son [u] comme « vous » ou le son /o/ comme « francophone » ou bien les deux.

Exemple : *Souvenez-vous de ce jour-là.*
   → *On entend seulement le son* [u].

▶ p. 180

---

document 2 🎧 82

7. 🎧)82 Écoutez cette interview diffusée sur French Morning (doc. 2). Qui est Kaye Murdoch ? Pourquoi est-elle interviewée ?

8. 🎧)82 Réécoutez (doc. 2) et complétez l'infographie.

---

9. 🎧)82 Par deux. Écoutez encore (doc. 2) et relevez :

   a. pourquoi l'État de l'Utah a choisi le français ;

   b. comment les parents d'élèves ont réagi ;

   c. quelle est la préoccupation de Kaye Murdoch ;

   d. les institutions qui participent aux programmes.

▶ FOCUS LANGUE
▶ p. 207

Quelques structures pour indiquer un moment précis et une durée dans le temps

Observez ces extraits des documents 1 et 2.

Indiquer un moment précis
J'ai appris le français **à partir du moment où** j'ai réalisé que cette langue allait être utile pour ma carrière. **Le jour où** j'ai commencé à travailler à l'ONU, j'ai compris que je ne m'étais pas trompée. **Au début**, nous avons eu beaucoup de questions, **jusqu'au moment où** nous leur avons expliqué que le français est une langue importante de la diplomatie. **À l'époque**, on a créé des classes bilingues français-anglais dans deux écoles. Il existe **désormais** 13 programmes bilingues français-anglais à l'école.

Indiquer une durée
J'ai vécu à Strasbourg **pendant** sept ans. **Jusqu'à présent**, nous avons eu un excellent partenariat.

▶ p. 180

À NOUS ! 🗨 ✏

10. Nous racontons nos souvenirs d'apprentissage du français.

Seul.

a. Rédigez vos souvenirs d'apprentissage du français (act. 5). Expliquez comment l'apprentissage du français vous a fait évoluer.

b. Précisez si votre apprentissage de la langue a (eu) des conséquences sur votre carrière professionnelle et/ou sur votre vie personnelle.

En petits groupes.

c. Regroupez vos témoignages pour réaliser des recueils « Journée de la langue française ».

LEÇON 3 Mémoires

Exposer une suite de faits

inter france   Info   Culture   Humour   Musique

■ Dimanche 17 mars

PÉRIPHÉRIES   *PAR* **Édouard Zambeaux**

Passeurs de mémoires

1. Observez ce site Internet.

a. Identifiez : le nom de la station de radio ; le nom de l'émission et le sujet du jour.

b. Qui sont « les passeurs de mémoire » ? Faites des hypothèses.

---

document 1 🎧 83 et 84

2. 🎧▶83 Écoutez la 1ʳᵉ partie de l'émission (doc. 1).

a. Qui est Marion ? De quelle expérience parle-t-elle ?

b. En France, qui peut faire un service civique ? Quels domaines cite Marion ?

3. 🎧▶83 Par deux. Réécoutez la 1ʳᵉ partie de l'émission (doc. 1) et répondez.

   a. Qu'est-ce que le projet « Passeurs de mémoire » ? Comparez avec vos hypothèses (act. 1b).

   b. À quel domaine du service civique correspond-il ?

   c. Quelle est la durée du service civique pour ce projet ?

4. 🎧▶84 Par deux. Écoutez la 2ᵉ partie de l'émission (doc. 1).

a. Relevez les différentes activités des volontaires du projet « Passeurs de mémoire ».

b. L'expérience de volontaire de Marion est-elle positive ? Pourquoi ?

5 💬

En petits groupes.

a. Si vous participiez au projet « Passeurs de mémoire », quelle personne de votre entourage aimeriez-vous interviewer ?

b. Préparez une rencontre avec cette personne.

---

6. Observez cette page Internet (doc. 2). Expliquez le lien avec l'émission « Périphéries » (doc. 1).

7. Lisez le témoignage de Joël (doc. 2). Associez chaque étape de sa vie à une photo. Justifiez.

◀ ▶ C   http://www.passeursdememoire.fr

   Les mémoires   Le projet

Les mémoires > Enfance & jeunesse > La jeunesse d'hier

La jeunesse d'hier à aujourd'hui

Témoignage de Joël, 70 ans, mémoire recueillie à Angers.

La famille

Je suis né dans une ferme, mes parents étaient agriculteurs. J'ai vécu chez eux pendant assez longtemps, jusqu'à l'âge de 20 ans. Nous avions de bonnes relations.

L'école

Je suis allé à l'école jusqu'à 14 ans. J'aimais bien l'école. C'était assez difficile. Il fallait être discipliné. Je n'ai été qu'à l'école primaire, de 6 à 14 ans. J'aimais bien les mathématiques. À l'époque, c'était plus difficile, il fallait passer un concours pour entrer en 6ᵉ.

📖 **8.** Par deux. Vrai ou faux ? Pourquoi ?

    a. Joël est resté longtemps chez ses parents.

    b. Il a fait de longues études.

    c. Il avait 20 ans quand il a commencé son service militaire.

    d. Il a effectué le service militaire pendant deux ans.

    e. Il a changé plusieurs fois de travail.

📖 **9.** En petits groupes. Lisez encore et répondez. Que pense Joël :

    a. de l'école de son enfance ?

    b. de la fin du service militaire obligatoire en France ? Pourquoi ?

    c. de la jeunesse aujourd'hui ?

    d. des relations entre les parents et leurs enfants ?

▶ FOCUS LANGUE
▶ p. 207

Les prépositions et les marqueurs temporels pour situer dans le temps (synthèse)

Observez et complétez avec les extraits du témoignage de Joël (activité 8).

Exprimer une durée prévue	Exprimer la limite d'une action	Indiquer une durée complète, une période de temps	Indiquer un point précis, une date	Indiquer l'origine d'une action
On s'engage pour une durée de 6 à 9 mois. Vous terminerez votre service dans combien de temps ?	…	Le service civique permet de s'engager pendant plusieurs mois. …	C'est un projet créé en 2008.	Franchement, ma vie a changé depuis que je participe à ce programme. Dès que les personnes donnent leur accord, on les met en ligne. …

▶ p. 181

document 2

☆   🔍 |

Unis-Cité   Les partenaires   Presse   Contact

à aujourd'hui

Le service militaire

Dès que j'ai eu 20 ans, je suis parti faire mon service militaire, pour une durée de 16 mois. C'était à Couaque, en Charente. Le service militaire permettait de rencontrer des jeunes de milieux différents. À partir de 1997, le service militaire n'a plus été obligatoire. Je trouve ça un petit peu dommage. Quand on n'avait pas fait d'études, on pouvait apprendre un métier.

Mon premier travail

J'ai été géomètre pendant deux ou trois ans puis j'ai passé un concours pour rentrer au ministère de l'Équipement. Je faisais des plans pour construire des routes, des maisons, des ponts…

La jeunesse d'aujourd'hui

Aujourd'hui, les jeunes ont plus de choix que nous. Ils sont plus libres et ils ont plus de loisirs. Avant, les relations avec les parents étaient très différentes de maintenant. Les parents étaient plus autoritaires. Aujourd'hui, je pense que les enfants obéissent moins.

10. Sons du français
▶ p. 200

Les sons [k], [g] et [ʒ]

🎧 ►85　Écoutez ces phrases. Quelle consonne vous entendez en première position ? [k] comme « classe », [g] comme « groupe » ou [ʒ] comme « général » ? Répétez les phrases.

Exemple : *Je voudrais créer un groupe de jeunes.*

    → *On entend le son [ʒ] en 1ʳᵉ position.*

▶ p. 181

À NOUS !

11. Nous recueillons les mémoires d'une personne de notre entourage.

Seul.

a. Demandez à la personne de votre entourage (act. 5) de vous parler de ses souvenirs d'enfance, de son parcours scolaire, son premier travail, etc.

b. Prenez des notes ou enregistrez son témoignage.

c. Rédigez en français les mémoires de cette personne. À la manière de celui de Joël (doc. 2), organisez le témoignage en différentes rubriques.

En groupe.

d. Créez le recueil de la classe.

e. Proposez le recueil aux « Passeurs de mémoire ».

▶ **Expressions utiles p. 183**

LEÇON

4 Moi, j'y crois !

Défendre une cause

DES ONG AUTOUR D'UN CAFÉ

« *Quel rôle pour les ONG et les associations d'ici et de là-bas ?* »

Les organisateurs et les intervenants pendant la présentation de la soirée.

1. Observez cet article du journal *Charente Libre*. Quel est le titre de l'article ? Son thème ? Qui sont les personnes en photo ?

2. En petits groupes. Vrai ou faux ? Échangez.
   a. Le terme ONG signifie « Organisation non gouvernementale ».
   b. C'est le gouvernement qui finance les ONG.
   c. Les ONG défendent des causes, des opinions, des personnes.

document 1 🎧 86 et 87

3. 🎧►86 Par deux. Écoutez la 1ʳᵉ partie de cette conversation, à la sortie du café citoyen (doc. 1).

la santé Greenpeace
le respect des droits de l'homme
la lutte contre les discriminations
l'éducation et la protection de l'enfance
SOS Racisme Médecins du monde
la protection de la nature et de l'environnement
Amnesty **Unicef**
International

a. Observez le nuage de mots.
b. Relevez les domaines et les associations dont ces personnes parlent.

4. 🎧►86 Par deux. Réécoutez la 1ʳᵉ partie (doc. 1). Relevez pour quelle(s) raison(s) ces personnes veulent s'engager dans les domaines suivants : l'écologie, l'éducation, la lutte contre le racisme.

5. 🎧►87 Écoutez la 2ᵉ partie de la conversation (doc. 1) et répondez.
   a. Qui est Lilian Thuram ?
   b. Pour quelle raison a-t-il créé une association ? Dans quel domaine ?

▶ FOCUS LANGUE

La cause et la conséquence pour justifier un engagement (1)

Par deux. Classez vos réponses (activités 4 et 5b) dans la colonne qui correspond. Vérifiez avec la transcription.

J'exprime la cause, la raison, le motif.		J'exprime la conséquence, le résultat.
« Pourquoi ? » → Je trouve que peu de gens se rendent compte parce que … ; ….	« Comment ? » → c'est grâce à l'éducation que le monde peut s'améliorer !	Alors, je vais devenir volontaire pour l'UNICEF ! …

▶ p. 181

6

En petits groupes.
a. Quelles associations/ONG connaissez-vous ? Dans quels domaines elles interviennent ?
b. Pour quelle(s) association(s) et/ou domaine(s) aimeriez-vous vous engager ?

document **2**

`http://www. thuram.org`

Fondation Lilian Thuram   Éducation contre le racisme

Nelson Teresa Martin

Vous êtes ici : Accueil | La fondation | Objectifs

Tous égaux ▶ Nous appartenons toutes et tous à une même famille. Tous les êtres humains ont un nom, une silhouette, une couleur de peau. Nous souhaitons diffuser ce message car la couleur de la peau, le genre, la religion, la sexualité ne déterminent pas l'intelligence d'une personne.

« On ne naît pas raciste, on le devient. » ▶ Chacun de nous est capable de tout apprendre, le pire comme le meilleur. Contre le racisme, il faut donc éduquer. C'est pourquoi nous avons créé la Fondation Lilian Thuram Éducation contre le racisme.

Priorité à la jeunesse ▶ Notre fondation a pour objectif de lutter contre le racisme par l'éducation, grâce à des actions en milieu scolaire et à la publication de livres pour les jeunes et pour les adultes. C'est pour lutter contre le racisme que nous organisons des activités et des événements pour les enfants et leurs parents dans les écoles et dans les clubs sportifs.

Hommage à Gandhi, Nelson Mandela, Martin Luther King, Rosa Parks, Mère Teresa... ▶ La Fondation Lilian Thuram s'inspire de leur combat. Leur histoire et leur comportement inspirent notre fondation. C'est pour cette raison que, sur le logo, il y a leurs prénoms. Nous ne devons pas les oublier. Jamais.

7. Observez cette page Internet (doc. 2). Qui sont Nelson, Martin et Teresa ? Faites des hypothèses.

8. Lisez le paragraphe « Hommage à... » (doc. 2).
a. Vérifiez vos hypothèses (act. 7).
b. Pourquoi trouve-t-on leurs prénoms sur le logo ?

9. Par deux. Lisez la page (doc. 2) et relevez :
a. comment la fondation lutte contre le racisme ;
b. pourquoi elle a choisi cette façon de lutter contre le racisme ;
c. pour quelle raison elle lutte pour l'égalité entre les personnes.

▶ **FOCUS LANGUE**

La cause et la conséquence pour justifier un engagement (2)

Par deux. Observez.

LA CAUSE

Exprimer la cause, c'est donner la raison d'un événement ou d'un comportement.
▶ Pourquoi souhaitons-nous diffuser ce message ? **Car** nos sociétés doivent comprendre que la couleur de la peau, le genre, la religion, la sexualité d'une personne ne déterminent pas son intelligence.

LA CONSÉQUENCE

Exprimer la conséquence, c'est montrer le résultat, les suites d'une action ou d'un événement.
Chacun de nous est capable d'apprendre. Résultat : il faut **donc** éduquer. **C'est pourquoi** nous avons créé la fondation.
▶ Notre fondation a pour objectif de lutter contre le racisme. Résultat : **c'est pour** lutter contre le racisme **que** nous organisons des activités.

▶ p. 181

À NOUS !

10. Nous présentons une association.

En petits groupes.

a. Choisissez un domaine et/ou une association (act. 6).

b. À la manière de la Fondation Lilian Thuram, présentez les objectifs de l'association, les moyens et les actions envisagées.

c. Présentez votre association à la classe et incitez vos camarades à y adhérer.

LEÇON

5 Agir pour la nature

Formuler une critique et proposer des solutions

document **1**

Agir pour la protection de la nature

Árni Finnsson est directeur de l'INCA (*Iceland Nature Conservation Association*).
L'INCA est une ONG (Organisation non gouvernementale) qui compte 2 000 membres.
Objectifs : conserver et protéger les régions sauvages d'Islande.
Mission : participer aux instances et conférences internationales à l'ONU, à la COP21.

Quelle est votre opinion sur le tourisme en Islande et sur la protection de la nature ?
L'Islande est heureuse de recevoir des touristes. Le tourisme est bon pour son économie. Mais pourquoi les touristes viennent-ils ici ? Parce que l'Islande est connue pour la beauté de sa nature. Donc si on veut que le tourisme continue, il faut avant tout protéger la nature.

Quels sont les moyens à mettre en place pour protéger la nature ?
Le gouvernement n'est pas prêt à dépenser assez d'argent pour cette protection. Il faut qu'il investisse davantage dans la protection de la nature. Il faut aussi limiter le tourisme. Le tourisme de masse n'est pas une bonne chose. Il ne faut pas que les touristes viennent en trop grand nombre. Ce n'est pas bon pour l'environnement.

Comment faire pour limiter le tourisme ?
Il faudrait imposer une taxe, dès l'achat du billet d'avion. Ça se fait dans d'autres pays.

Il faudra alors expliquer aux touristes la raison de cette taxe.
Oui. Mais vous savez, heureusement, de nombreux touristes sont conscients de l'importance de la nature ici. Ils nous disent : « Faites attention, vous devez être fiers de votre nature et la protéger ! »

Pourquoi cette taxe sur le billet d'avion n'a pas été mise en place ?
Malheureusement, plusieurs compagnies aériennes refusent de l'appliquer…

1. Observez la page Internet du site « Vivre en Islande » (doc. 1) et répondez.
a. Selon vous, quelle est la fonction de ce site ?
b. Que voit-on de l'Islande sur cette page ?

2. Lisez l'encart sur l'INCA (doc. 1) et répondez.
a. Quels sont les objectifs de l'association INCA ?
b. Quelle est sa mission ?

3. Par deux. Lisez l'interview d'Árni Finnsson (doc. 1). Vrai ou faux ? Pourquoi ?
Selon Àrni Finnsson :
a. le tourisme est une bonne chose pour l'Islande ;
b. le tourisme de masse est dangereux pour la nature ;
c. le nombre de touristes en Islande doit diminuer ;
d. les touristes ne se rendent pas compte de l'importance de la nature en Islande.

4. Par deux. Relisez l'interview (doc. 1) et répondez.

   a. Pourquoi Árni Finnsson critique-t-il son gouvernement ?

   b. Quelle est sa proposition pour limiter le tourisme de masse ?

   c. Quelle difficulté rencontre cette proposition ?

5 💬

En petits groupes.

   a. Quelle est votre opinion sur le tourisme et sur la protection de la nature dans votre pays ? À votre avis, faut-il limiter le tourisme de masse ?

   b. Faites la liste de vos critiques sur la protection de la nature et la gestion du tourisme dans votre pays.

6. Observez ces images. Faites des hypothèses sur « Iceland Academy » et le contenu de ces vidéos.

Aujourd'hui, je vais vous expliquer comment voyager de façon responsable en Islande.

---

document 2   🎧 88 et 89

7. 🎧 88 Par deux. Écoutez la 1ʳᵉ partie de l'interview réalisée par « Vivre en Islande » (doc. 2).

   a. Identifiez le sujet de l'interview et la personne interviewée. Que pense-t-elle du tourisme en Islande ?

   b. Relevez comment elle décrit l'Islande.

8. 🎧 89 Écoutez la 2ᵉ partie de l'interview (doc. 2).

   a. Répondez.

   – Quelle initiative a pris l'office de tourisme islandais ? Pourquoi ?

   – Quels exemples de mauvais comportements donne Ólöf ?

   b. Associez les exemples donnés aux images.

> **FOCUS LANGUE**

Les prépositions (à, de) pour relier un adjectif à son complément

Observez et complétez avec les extraits du document 2 (activité 7).

être + adjectif + *de*		*être*/autre verbe + adjectif + *à* + verbe à l'infinitif
+ un nom	+ un verbe à l'infinitif	
De nombreux touristes sont conscients **de** l'importance de la nature. Vous devez être fiers **de** votre nature. …	L'Islande est heureuse **de** recevoir des touristes. …	Le gouvernement n'est pas prêt **à** dépenser. Nous voulions des vidéos faciles **à** comprendre. …

► p. 182

À NOUS ! 💬

9. Nous réalisons une campagne de protection de la nature.

En petits groupes.

   a. Choisissez trois critiques que vous partagez (act. 5b).

   b. Cherchez des photos ou dessinez pour illustrer votre campagne.

   c. Légendez vos photos ou vos dessins.

   d. Présentez votre « campagne » à la classe.

   e. Proposez votre travail à l'office de tourisme de votre ville pour informer les francophones.

► **Expressions utiles p. 183**

LEÇON

6 Vous en pensez quoi ?

Demander et donner un avis

document 1

http://www.abclatina.com

ABC LATINA

Forum abc-latina Discussions sur l'Amérique latine

| Accueil forums | Liste des membres | Règles | Recherche | S'inscrire | S'identifier |

Forums sur le Brésil > Forum > Parler français au Brésil

Manuele502
Bonjour à tous,
Je suis avocat et j'ai fait mes études en France. C'est très important pour moi de continuer à parler français. Malheureusement, je le pratique de moins en moins depuis mon retour et c'est vraiment dommage ! Est-ce que quelqu'un a des bons plans pour rencontrer des francophones au Brésil ?

Robbi
Salut Manuele,
Tu habites où exactement ? Il y a peut-être une Alliance française près de chez toi ? Il s'en crée de plus en plus, un peu partout au Brésil. Elles organisent souvent des événements où les francophones peuvent se rencontrer.

Manuele502
Merci pour ton message Robbi ! J'habite à Boa Vista et malheureusement il n'y a pas d'Alliance française dans ma ville.

Estella
Bonjour Manuele,
C'est pareil chez moi alors j'ai pris les choses en main ! Avec une copine, on a organisé un apéritif français dans un pub de notre quartier. On pensait être une dizaine et finalement plus de 30 personnes sont venues. Quel succès ! On a décidé de le faire une fois par mois et d'organiser de plus en plus d'activités, des sorties, des cinés… Notre bande de francophones commence à grandir !

Manuele502
Salut Estella !
Comme ça me fait plaisir de lire ça ! C'est génial cette initiative ! Tu as raison, quand une chose n'existe pas, il faut l'inventer ! ☺ Comment vous vous êtes organisées exactement ?

Estella
On a commencé avec un post Facebook… puis un groupe… puis un événement !
Envoie-moi un message privé, je t'expliquerai.

1. Observez cette page de forum (doc. 1).
  a. Identifiez le thème de la discussion.
  b. À votre avis, où peut-on parler français au Brésil ?

2. Par deux. Lisez la discussion (doc. 1) et répondez.
  a. Quelle est la demande de Manuele 502 ? Pourquoi ?
  b. Quel internaute propose la meilleure réponse ? Justifiez.

3. Par deux. Vrai ou faux ? Pourquoi ?
  a. Il y a une Alliance française dans la ville d'Estella.
  b. Estella a utilisé les réseaux sociaux pour rencontrer des francophones.

  c. Son apéritif français a eu beaucoup de succès.
  d. Elle va organiser régulièrement d'autres activités pour les francophones.

4

En petits groupes.
  a. Et dans votre ville ou pays ? Quels sont les bons plans pour rencontrer des francophones ?
  b. Faites la liste des différents lieux et/ou moyens de rencontrer des francophones.
  c. Partagez avec la classe.

document 2 🎧 90

5. 🎧 90 Écoutez (doc. 2). Identifiez la situation. Quel est le lien avec le forum ?

6. 🎧 90 Réécoutez (doc. 2). Légendez les photos avec les propositions des francophones.

a

b

c

d

7. 🎧 90 Par deux. Écoutez encore (doc. 2).

a. Que pensent ces personnes des activités proposées ? Relevez leurs réactions.

b. Pourquoi elles apprécient l'initiative de Manuele ?

 FOCUS LANGUE

L'exclamation pour donner son avis

👍	Quel succès ! Comme ça me fait plaisir de lire ça ! Quelle bonne idée ! C'est une très bonne idée ! Excellente idée ! C'est formidable ! Bravo !
👎	C'est dommage ! C'est vraiment dommage !

▶ p. 182

8. Sons du français

L'intonation expressive dans la phrase exclamative

🎧 91 Écoutez ces phrases exclamatives. Dites si la personne est enthousiaste ou si elle n'est pas enthousiaste. Répétez les phrases.

Exemple : *Quel succès !*
→ La personne est enthousiaste.
Quel dommage !
→ La personne n'est pas enthousiaste.

▶ p. 183

9. Apprenons ensemble !

Message de **Mikuni** posté à 13:17:05

Bonjour à tous !
J'étudie le français depuis trois ans maintenant. J'écris assez bien mais je n'arrive pas à m'exprimer à l'oral, surtout quand il faut donner son avis. Je pense que c'est à cause du manque de pratique. Par exemple, pour exprimer une idée, j'ai besoin de réfléchir longtemps !
Avez-vous des conseils, des activités ou des exercices à me proposer ?
Merci beaucoup.

En petits groupes.

a. Lisez le message de Mikuni publié sur le forum du site francaisfacile.com.

b. Comment aider Mikuni à donner son avis à l'oral ? Échangez vos idées.

c. Partagez vos idées avec la classe.

 FOCUS LANGUE

de plus en plus / de moins en moins pour parler d'une évolution

Observez.

de plus en plus/de moins en moins
Malheureusement, je le pratique **de moins en moins** depuis mon retour.   Il s'en crée **de plus en plus** un peu partout au Brésil.

de plus en plus **de**/de moins en moins **de** + nom
Il y a eu **de moins en moins d'**activités pour les francophones dans notre ville !   Il y a **de plus en plus de** gens qui arrivent.

À NOUS ! 💬

10. Nous proposons des activités pour les francophones de notre ville.

En petits groupes.

a. Que pensez-vous des activités pour les francophones de votre ville ? (act. 4)

b. Proposez d'autres idées d'activités.

c. Choisissez votre idée préférée.

d. Présentez-la à la classe. La classe donne son avis.

e. Votez pour les activités préférées de la classe.

f. Organisez vos activités préférées.

▶ **Expressions utiles p. 183**

1 *Demain* ▶ Vidéo **7**

a. Par deux. Observez cette affiche du film *Demain*. Faites des hypothèses sur le genre du film, son sujet, son objectif et les lieux de tournage.

b. Regardez la bande-annonce du film. Vérifiez vos hypothèses.

c. Regardez à nouveau le début de la bande-annonce (jusqu'à 0'58") et répondez.
1. Pourquoi voit-on des enfants au début ?
2. Quel constat fait Cyril (un des deux réalisateurs) ?

d. En petits groupes. Que pensez-vous des images ? de la musique ? Cette bande-annonce vous donne-t-elle envie de voir le film ? Pourquoi ? Pour vous, quelles sont les qualités d'une bonne bande-annonce ?

e. En petits groupes. Échangez. Que pensez-vous de cette initiative ? Êtes-vous d'accord avec la phrase de Gandhi citée dans le film « Montrer l'exemple, ce n'est pas la meilleure façon de convaincre, c'est la seule. » ? Pourquoi ?

f. Regardez la bande-annonce de 0'58" à la fin. Quels sont les différents domaines abordés ?
Exemple : *l'agriculture.*

g. En petits groupe. Connaissez-vous des hommes et des femmes qui inventent un autre monde dans votre pays ? Qu'est-ce qu'ils font ? Dans quels domaines ? Partagez vos informations avec la classe.

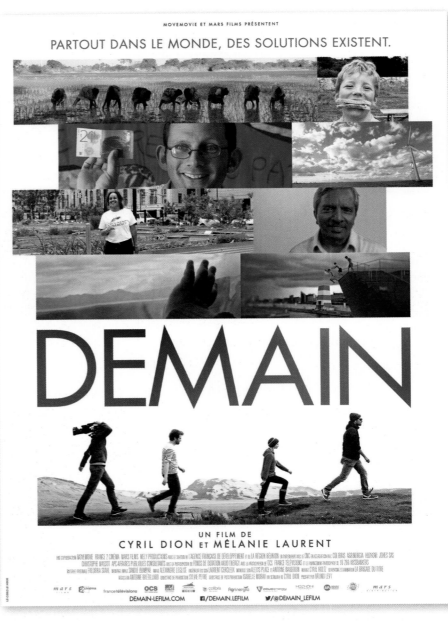

2 S'engager pour quoi faire? Ce que les Français en pensent

L'envie d'être utile	57 %
Donner du sens à sa vie	45 %
Mettre ses idées en accord avec ses actes	36 %
Un événement personnel	31 %
La satisfaction de participer à un projet collectif	28 %
Un événement dramatique au niveau national ou international	25 %
Les convictions politiques	17 %
Une proposition de la part d'un organisme, une association	12 %
Les convictions religieuses	11 %
Une certaine culpabilité	7 %

Être parent	52 %
Donner de son temps	40 %
Se marier	40 %
Agir au quotidien	39 %
Défendre son pays	30 %
Participer aux actions d'une association	28 %
S'investir dans son travail	28 %
Consommer différemment	24 %

39 %
La protection de la nature

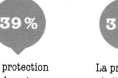
35 %
La protection de l'enfance

32 %
La lutte contre la pauvreté

29 %
La lutte contre les grandes maladies

26 %
L'aide aux personnes âgées, dépendantes et aux handicapés

24 %
Les droits de l'homme

24 %
L'égalité homme/femme

19 %
La promotion du développement durable

19 %
L'action locale, de quartier

a. **Lisez l'infographie. Associez les titres aux parties.**
1. Les causes qui mobilisent les Français.
2. La définition du mot « engagement » selon les Français.
3. Les raisons de l'engagement des Français.

b. **En petits groupes. Lisez les témoignages. Retrouvez pour chaque témoignage la cause qui mobilise et les raisons de l'engagement (infographies). Plusieurs réponses sont possibles.**

c. **En petits groupes. Faites des recherches sur les causes pour lesquelles s'engagent les habitants de votre pays. Comparez avec les Français. Quelles sont les similitudes ? Les différences ?**

1 « J'ai toujours aimé me sentir utile. Au début, je signais des pétitions pour les droits de l'homme. Aujourd'hui, je m'implique de plus en plus, depuis mon écran d'ordinateur, dans plusieurs associations. Je traduis des textes bénévolement plusieurs heures par semaine et je soutiens des causes de défense des droits de l'homme et de protection des enfants. » **David**

2 « Il y a cinq ans, je suis partie en Thaïlande pour nettoyer des plages. Cette expérience m'a fait réfléchir sur la planète que je vais laisser à mes enfants. Depuis, je mène des campagnes de sensibilisation auprès de mon entourage pour enseigner les petits gestes efficaces pour la planète. » **Lydia**

COMPLÉTEZ VOTRE CARNET CULTUREL
1. Les grandes causes communes à la France et à mon pays : …
2. Les moyens d'action identiques en France et dans mon pays : …
3. Les associations représentées en France et dans mon pays : …

Retournez aux pages 118-119. Répondez à nouveau aux questions. Mettez en commun avec le groupe.

PROJETS

Projet de classe

Nous présentons un lieu et son évolution dans le temps.

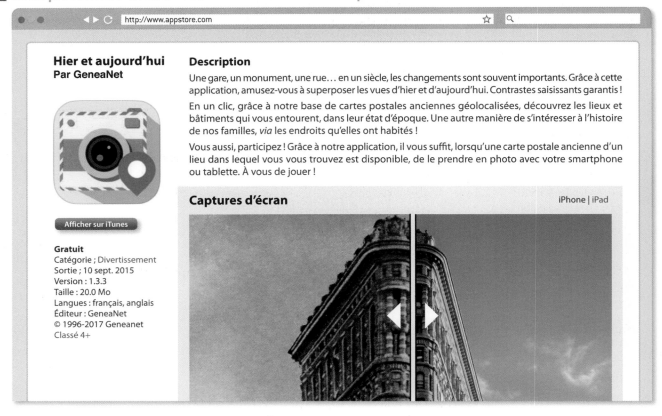

Hier et aujourd'hui
Par GeneaNet

Afficher sur iTunes

Gratuit
Catégorie ; Divertissement
Sortie ; 10 sept. 2015
Version : 1.3.3
Taille : 20.0 Mo
Langues : français, anglais
Éditeur : GeneaNet
© 1996-2017 Geneanet
Classé 4+

Description

Une gare, un monument, une rue… en un siècle, les changements sont souvent importants. Grâce à cette application, amusez-vous à superposer les vues d'hier et d'aujourd'hui. Contrastes saisissants garantis !

En un clic, grâce à notre base de cartes postales anciennes géolocalisées, découvrez les lieux et bâtiments qui vous entourent, dans leur état d'époque. Une autre manière de s'intéresser à l'histoire de nos familles, *via* les endroits qu'elles ont habités !

Vous aussi, participez ! Grâce à notre application, il vous suffit, lorsqu'une carte postale ancienne d'un lieu dans lequel vous vous trouvez est disponible, de le prendre en photo avec votre smartphone ou tablette. À vous de jouer !

Captures d'écran — iPhone | iPad

1. En petits groupes. Observez ce site. De quoi s'agit-il ? Faites des hypothèses.

2. Lisez la présentation et vérifiez vos hypothèses. Que propose cette application ?

3. En petits groupes. Choisissez un lieu que vous connaissez et que vous appréciez. Cherchez une photo ancienne et une photo actuelle de ce lieu.

4. Décrivez votre lieu dans le passé (photo ancienne) et rédigez un récit associé à la photo (les souvenirs que cette photo évoque pour vous, les faits qui se sont passés dans le lieu de la photo, les événements que vous avez vécus dans ce lieu avec d'autres personnes…).

5. Décrivez votre lieu dans le présent (photo actuelle). Expliquez ce qui a changé et rédigez un descriptif de l'évolution du lieu.

6. Donnez votre avis sur l'évolution du lieu. Est-ce qu'il a évolué positivement ou négativement ?

7. Présentez votre travail à la classe, racontez l'histoire de vos lieux.

8. Exposez vos travaux (vos descriptifs et vos photos) sur les murs de la classe.

Projet ouvert sur le monde ▸ 📖 GP

Nous créons et nous diffusons un dépliant pour défendre une cause.

DELF 7

I Compréhension de l'oral

Exercice 1 Comprendre une émission de radio

Vous entendez cette émission à la radio française. Lisez les questions, écoutez deux fois le document, puis répondez aux questions.

1. Le thème de l'émission est…
   a. les grands auteurs de romans français.
   b. les écrivains étrangers célèbres en France.
   c. les auteurs étrangers qui écrivent en français.

2. Quel est, d'après la journaliste, le point commun entre Kundera, Beckett et Casanova ?
   a. Ils ont écrit leurs romans en français.
   b. Tous leurs romans ont été traduits en français.
   c. Ils ont toujours écrit dans leur langue maternelle.

3. À quel moment Atiq Rahimi a-t-il eu envie d'écrire en français ?
   …

4. Atiq Rahimi avait des difficultés à écrire dans sa langue maternelle quand il devait parler de quels sujets ?
   …

5. Qu'est-ce que la langue française a permis à Atiq Rahimi ?
   …

II Production orale

Exercice 1 Pour s'entraîner à la partie 1 de l'épreuve orale : l'entretien dirigé

Vous vous présentez et parlez de vous, de vos études, de vos activités, de ce que vous aimez et n'aimez pas.

Exercice 2 Pour s'entraîner à la partie 2 de l'épreuve orale : le monologue suivi

Vous vous exprimez seul(e) pendant environ 2 minutes sur le sujet suivant :

> **SUJET : S'engager dans une association**
>
> Êtes-vous engagé(e) dans une association ? Si oui, laquelle ? Pensez-vous qu'il est important de s'engager ? Pourquoi ? Dans quel domaine aimeriez-vous vous engager ? Pourquoi ?

Exercice 3 Pour s'entraîner à la partie 3 de l'épreuve orale : l'exercice en interaction

Par deux. Vous étudiez le français en France. Avec un étudiant de votre groupe, vous devez préparer une présentation orale sur le thème de l'écologie.
Vous vous mettez d'accord sur le sujet que vous allez présenter et sur les solutions que vous allez proposer.

Nous nous intéressons à l'actualité

Les Français et l'actualité

En petits groupes.
Répondez et comparez vos réponses avec celles des autres groupes.

1 À votre avis, l'actualité préférée des Français, c'est plutôt :

a. l'information locale.

b. le débat d'opinion.

c. l'actualité littéraire.

Et dans votre pays ?

2 À votre avis, les Français s'informent plutôt :

a. en lisant des journaux.

b. sur les réseaux sociaux.

c. en lisant la presse en ligne.

Et les habitants de votre pays ?

3 À votre avis, les actualités à la radio en France, ce sont plutôt :

a. des interviews.

b. des journaux d'information.

c. des micros-trottoirs.

Et dans votre pays ?

PROJETS

- **Un projet de classe**

  Écrire au *Courrier des lecteurs* d'un journal ou d'un magazine.

- **Et un projet ouvert sur le monde**

  Écrire un article sur un sujet d'actualité pour le publier dans un journal citoyen.

Pour réaliser ces projets, nous allons apprendre à :

▶ parler de faits d'actualité

▶ comprendre des informations dans la presse

▶ réagir et donner des précisions

▶ faire des suggestions

▶ exprimer des souhaits et des espoirs

▶ parler de l'actualité littéraire

LEÇON

1 Original !

Parler de faits d'actualité

---

document **1**

http://www.lecourrieraustralien.com

LE COURRIER AUSTRALIEN

Actu / Australie / France

Home / Actu

□ 22 décembre   👤 Inès Hirigoyen

« Héroïne d'une aventure à l'autre bout du monde », la Twingo entre au Musée national d'Australie

La Twingo française vient d'être adoptée par le Musée national d'Australie, à Canberra ! Cette « petite » voiture a été honorée par la presse dans plusieurs articles pour avoir parcouru plus de 250 000 kilomètres en Australie.

La Twingo a été créée dans les années 1990 par la marque automobile Renault. Au moment de sa sortie, un slogan avait été lancé pour la campagne publicitaire : « Twingo, à vous d'inventer la vie qui va avec ».

Le concept a séduit le journaliste français Jean Dulon. En 1994, il s'est lancé un défi : faire le tour de l'Australie en Twingo. À la fin de son long voyage, la Twingo de Jean Dulon a été entièrement décorée par deux artistes australiens, le designer John Moriarty et le peintre Frank Lee. Ils ont signé la nouvelle peinture de type aborigène de la Twingo.

Désormais, cette Twingo est à la retraite mais elle compte bien profiter encore de l'Australie. Plus de 20 ans après ce pari fou, l'île-continent vient de faire entrer la petite voiture au Musée national d'Australie, à Canberra. Encore une belle aventure entre la France et l'Australie pour le plus grand plaisir des amoureux de l'extrême.

📖 **1.** Observez cette page Internet (doc. 1).
Identifiez le nom du site et le titre de l'article.

💬 **2.** En petits groupes. Échangez.
   a. Quelles voitures françaises connaissez-vous ? (Marques ou modèles.)
   b. Pourquoi cette voiture entre au Musée national d'Australie ? Observez la photo et faites des hypothèses.

📖 **3.** Par deux. Lisez l'article (doc. 1).
   a. Associez chaque paragraphe de l'article à un titre.
      – Une aventure unique à l'autre bout du monde.
      – Entrée au Musée national d'Australie. (×2)
      – Petite histoire de la Twingo.

   b. Vérifiez vos hypothèses. Répondez à la question 2b.

📖 **4.** Par deux. Relisez l'article (doc. 1) et répondez.
   a. Expliquez pourquoi le « défi » de Jean Dulon correspond au slogan publicitaire de la Twingo.
   b. Qui a décoré la Twingo en photo ?

5 💬

En petits groupes.
   a. Cherchez, dans votre pays, des faits d'actualité originaux en relation avec :
      – des Français ou des francophones ;
      – un objet, un produit français ou francophone.
   b. Partagez avec le groupe.

document **2**   🎧 93 et 94

6. 🎧 ▸93 Écoutez la 1ʳᵉ partie de cette émission de radio (doc. 2). Identifiez :

   a. le nom de la radio et le type d'émission ;
   b. le thème de l'émission ;
   c. l'événement mentionné.

7. 🎧 ▸93 Par deux.
Réécoutez la 1ʳᵉ partie (doc. 2).

a. Vrai ou faux ? Pourquoi ?

   1. Des auteurs contemporains australiens et français ont écrit *On n'est pas là pour être ici*.
   2. Le King Street Theatre de Sydney a présenté cette pièce en novembre.
   3. Cette pièce a marqué l'année théâtrale à Sydney.
   4. Les comédiens ont joué en français et en anglais.
   5. On a surtitré la pièce en anglais.
   6. Le public a aimé cette comédie.

b. Vérifiez avec la transcription.

8. 🎧 ▸94 Écoutez la 2ᵉ partie de l'émission (doc. 2).

a. Identifiez le domaine mentionné et l'événement développé.

b. La marque Franck Provost est-elle populaire en Australie ? Justifiez.

▸ FOCUS LANGUE   ▸ p. 212

La forme passive pour mettre en valeur un élément

En petits groupes.

a. Observez les différences entre ces deux formes.

Forme active	Forme passive
1. Le King Street Theatre de Sidney a présenté cette pièce en novembre.	1. Elle a été présentée en novembre au King Street Theatre.
2. Cette pièce a marqué l'année théâtrale à Sydney.	2. L'année théâtrale a été marquée par la nouvelle production du petit théâtre de Sydney.
3. On a surtitré la pièce en anglais.	3. La pièce a été surtitrée en anglais pour la rendre accessible à tous.

b. Choisissez les réponses correctes.

   1. À la forme passive :

     ☐ le sujet fait l'action.
     ☐ le sujet ne fait pas l'action.
     ☐ le sujet de la phrase active devient le COD de la phrase passive.
     ☐ le COD de la phrase active devient le sujet de la phrase passive.

     → On a surtitré la pièce en anglais.
     → La pièce a été surtitrée en anglais.

   2. La forme passive se construit avec :

     ☐ l'auxiliaire *avoir* conjugué + le participe passé du verbe.
     ☐ l'auxiliaire *être* conjugué + le participe passé du verbe.

   3. À la forme passive, le participe passé :

     ☐ s'accorde avec le sujet.
     ☐ ne s'accorde pas avec le sujet.

> **Attention !**
> J'utilise la préposition *par* quand je précise qui ou ce qui fait l'action.
> Exemple : *L'année théâtrale a été marquée **par** la nouvelle production du petit théâtre de Sydney.*

▸ p. 184

À NOUS ! 💬✏️

9. Nous présentons un fait d'actualité.

En petits groupes.

a. Choisissez un fait d'actualité (act. 5).

b. À la manière du site *Le Courrier australien*, rédigez un court article pour le présenter.

c. Donnez un titre et illustrez votre article.

d. Présentez votre article à la classe.

e. Réalisez le recueil de la classe.

▸ **Expressions utiles p. 187**

LEÇON 2

Actu du jour

Comprendre des informations dans la presse

1. Observez cette publicité et répondez.
Identifiez le nom de la radio.
Quelle est sa spécificité ?

document 1 🎧 95

2. 🎧 ▸95 Écoutez cet extrait de journal (doc. 1).
a. Identifiez le pays de la radio L'essentiel.
b. Légendez chaque photo.

3. 🎧 ▸95 Par deux. Réécoutez le journal (doc. 1).
Relevez l' (les) information(s) principale(s)
correspondant à chaque photo.

4 💬

En petits groupes.
Est-ce qu'il existe des émissions de radio en français
dans votre pays ? Si oui, lesquelles ?
Pour vous informer, quel type de média préférez-vous ?
Pourquoi ?

5. En petits groupes. Observez cette page Internet
et les rubriques du journal luxembourgeois
Le Quotidien (doc. 2).
a. Associez les photos à une rubrique du journal.
b. Proposez une définition pour cette rubrique.

6. Par deux. Lisez ces conseils d'écriture.

> Le chapeau ou chapô est une partie très importante
> d'un article. Il résume l'article en quelques lignes et
> doit **donner envie de le lire**. Il donne aussi quelques
> éléments de la conclusion. Idéalement, votre chapeau
> répond à sept questions !
>
> C'est **la méthode QQOQCCP** !
> **Q**ui ? **Q**uoi ? **O**ù ? **Q**uand ? **C**omment ? **C**ombien ?
> **P**ourquoi ?

Lisez le titre et le chapeau des deux articles.
À quelles questions de la méthode QQOQCCP
pouvez-vous répondre ?

Le Quotidien

| LUXEMBOURG ▾ | POLITIQUE ET SOCIÉTÉ ▾ | ÉCONOMIE ▾ | INTERNA... |

**Clervaux : cambriolage d'un appartement
après un incendie**

*Un appartement de Clervaux,
évacué à la suite d'un incendie
dimanche, a été cambriolé
par un voisin pendant que les
occupants étaient à l'hôpital.*

Dans l'après-midi de dimanche, à 15 h 15, un incendie s'est
déclaré dans un appartement de la Grand-Rue. Deux enfants
ont été conduits à l'hôpital pour des contrôles. Quand la famille
a regagné son domicile, vers minuit, elle a constaté que le
logement avait été cambriolé et que la télévision avait disparu.
Au cours de leur enquête de voisinage, les policiers ont
retrouvé l'écran plat chez un résident de l'immeuble. Au
moment de son arrestation, le suspect a pris la fuite, s'est
échappé par la fenêtre et s'est réfugié sur le toit.
Plusieurs agents ont fini par le maîtriser et l'homme a
été arrêté.

7. Par deux. Lisez les articles (doc. 2).
Pour chaque article, répondez.

   a. Quels sont les différents acteurs ?
   Relevez les mots et expressions qui les désignent.
   Exemple : *Drogo → l'animal, le chien, un american staff.*

   b. Quelle est la situation de départ ?
   Quelles sont les circonstances de l'événement ?

   c. Qu'est-il arrivé ?

   d. Comment l'histoire s'est-elle terminé(e) ?

8. Sons du français
▶ p. 201

Les voyelles [ø] et [œ]

🎧 ▸96 **Écoutez et répétez ces phrases. Dites si on entend seulement le son [ø] comme « deux », seulement le son [œ] comme « seul » ou bien les deux.**

Exemple : *Les lect**eu**rs sont j**eu**nes. → On entend seulement le son [œ].*

▶ p. 184

---

document 2

☆ 🔍

🐦 Tweet   📘 Partager 0

RANDE RÉGION ▾   FAITS DIVERS ▾   SPORTS ▾   CULTURE ▾   MAGAZINE ▾

Soulagement à Niederfeulen : Drogo retrouvé sain et sauf

Drogo, un american staff qui avait disparu depuis mercredi, a été retrouvé sain et sauf vendredi matin.

Après de longues recherches qui n'avaient pas permis de retrouver l'animal, la famille Altamuro a lancé un appel pour demander de l'aide. Plusieurs habitants se sont alors portés volontaires pour aider la famille à chercher son american staff qui s'était perdu en forêt dans la journée de mercredi.
Le chien a été retrouvé par une équipe de volontaires vendredi, aux alentours de 10 h 30, dans les bois. Son maître est soulagé. Il a répondu à quelques questions. Drogo va bien et n'est pas blessé. Il est « juste un peu fatigué » par son aventure.
Une disparition qui connaît une heureuse conclusion ! Nous souhaitons à Drogo un bon retour chez lui !

▶ **FOCUS LANGUE**
▶ p. 212

La nominalisation pour mettre en avant une information

En petits groupes.

a. Relevez (docs. 1 et 2) les noms qui correspondent aux informations suivantes.

   1. Les employés *pratiquent des langues étrangères.*
   2. Les Luxembourgeois *partagent leurs voitures.*
   3. Un chauffeur de bus luxembourgeois va (…) *livrer du matériel aux enfants marocains.*
   4. Son maître *est soulagé.*
   5. Un appartement *a été cambriolé.*

b. Observez ces deux phrases. À votre avis, pourquoi utilise-t-on la phrase 2 dans le titre de l'article ?

   1. Un appartement a été cambriolé.
   2. Cambriolage d'un appartement.

▶ p. 184

9. Apprenons ensemble !

En petits groupes.

a. Lisez ce message d'Edwina sur le forum **www.francaisfacile.com**.

Bonjour les amis,
J'ai un examen de français cette semaine mais je n'arrive pas à maîtriser la nominalisation. Est-ce que vous pouvez me donner des astuces pour transformer facilement les verbes en noms?
Edwina

b. Proposez-lui des exemples et des astuces pour transformer les verbes en noms.

c. Partagez vos exemples et vos techniques avec la classe.

À NOUS ! ✏️

10. Nous rédigeons des faits divers.

En petits groupes.

a. Choisissez un fait divers insolite qui s'est produit récemment dans votre pays.

b. Prenez des notes pour préparer la rédaction de votre fait divers en français.

c. Utilisez la nominalisation pour rédiger votre titre.

d. À l'aide de la méthode QQOQCCP, rédigez votre chapeau.

e. Répondez aux questions de l'activité 7 pour rédiger le corps de l'article.

f. Choisissez une photo pour illustrer votre fait divers.

LEÇON

3

Nous réagissons !

Réagir et donner des précisions

document 1

http://www.dna.com

DNA
DERNIÈRES NOUVELLES D'ALSACE

COURRIER · **COURRIER DES LECTEURS** · ACTU RÉGION · FIL INFO DNA · FAITS DIVERS · POLITIQUE · NEWSLETTERS

L'heure d'hiver – Roger Lançon, Eckbolsheim

Ce n'est pas en changeant d'heure en hiver qu'on fait des économies d'énergie. On voit bien que les bureaux, les magasins, les usines, les logements restent éclairés en plein jour ! Tout le monde doit faire un effort. Ce n'est pas en gaspillant l'électricité qu'on fera de vraies économies !

Lettre ouverte pour la protection des animaux de compagnie – Jean-Louis Schmitt, Haguenau

Merci pour votre article sur la protection des animaux de compagnie ! Moi aussi je les défends en faisant des dons à l'association 30 millions d'amis et en signant des pétitions. Mais surtout en étant bénévole pour la Société protectrice des animaux de Haguenau. Comment protéger les animaux de compagnie ? En expliquant aux gens qu'avoir un animal, c'est une responsabilité. Bien sûr, vous ferez une bonne action en adoptant un animal, mais il faut pouvoir s'en occuper.

Les AMAP – Mireille Fischer, Strasbourg

Adhérer à une AMAP bio (Association pour le maintien de l'agriculture paysanne), c'est faire un geste citoyen. Le bio représente 2 % de la production alimentaire en France. En faisant le choix d'une alimentation saine et équilibrée, vous protégez votre santé car la santé passe d'abord par l'alimentation. Et vous aidez les petits producteurs à vivre.

---

1. En petits groupes. Observez ce site Internet (doc. 1).

a. Identifiez le nom du journal et la rubrique sélectionnée.

b. À votre avis, pour quelles raisons les lecteurs écrivent-ils à un journal ou à un magazine ?

2. Lisez les courriers de ces trois lecteurs (doc. 1).

a. Identifiez le thème principal de chaque courrier.

b. Relevez dans la liste suivante pour quelles raisons chaque lecteur a écrit au journal.

☐ formuler une critique
☐ défendre une cause
☐ raconter son histoire
☐ donner des conseils
☐ exprimer un désaccord
☐ donner un avis
☐ réagir et donner des précisions

3. Par deux. Relisez le courrier des lecteurs (doc. 1) et répondez.

a. Que pense Roger Lançon du changement d'heure en hiver ? Pourquoi ?

b. Pourquoi pense-t-il qu'on consomme plus d'électricité avec le changement d'heure ?

c. Comment Jean-Louis Schmitt défend-il les animaux de compagnie ?

d. Quel conseil donne-t-il pour la protection des animaux de compagnie ?

e. Qu'est-ce qu'une AMAP bio ?

f. Selon Mireille Fischer, comment les AMAP bio peuvent-elles nous aider à protéger notre santé ?

4

En petits groupes.
Lisez-vous le courrier des lecteurs ? Avez-vous déjà écrit une lettre à un journal ou à un magazine ? Avez-vous déjà commenté des articles de journaux papier ou en ligne ? Pour parler de quoi ?

5. Observez cette page Internet. Identifiez le nom de la radio et le titre de l'émission.

> document **2**   🎧 97 et 98

6. 🎧 ᴴ97 Écoutez la 1ʳᵉ partie de cette émission (doc. 2). Quel est le thème commun avec *le Courrier des lecteurs* (doc. 1) ?

7. 🎧 ᴴ98 Par deux. Écoutez la 2ᵉ partie de l'émission (doc. 2). Quelle auditrice est d'accord avec Roger Lançon (doc. 1) ? Marie ou Nathalie ? Justifiez.

8. 🎧 ᴴ98 Par deux. Réécoutez la 2ᵉ partie de l'émission (doc. 2).

a. Relevez les trois principaux arguments « pour » le changement d'heure.

b. Avec quel avis êtes-vous d'accord ? Pourquoi ?

⟩ FOCUS LANGUE   ▶ p. 209

Le gérondif pour donner des précisions

En petits groupes.

a. Observez ces extraits des documents 1 et 2.

On fait des économies d'énergie **en** pass**ant** à l'heure d'hiver.
On diminue la production de CO_2 **en** fais**ant** correspondre nos activités avec la lumière du soleil.
On diminue nos factures d'électricité **en** chang**eant** d'heure.

b. Choisissez la réponse correcte.

Dans ces extraits, le gérondif donne des précisions sur :
☐ la manière (comment ?).   ☐ le moment (quand ?).

c. Observez et complétez la règle.

~~Nous~~ fais~~ons~~ → en faisant
~~Nous~~ chang~~eons~~ → en changeant
Pour former le gérondif, j'utilise … + la base de la 1ʳᵉ personne du pluriel du présent puis j'ajoute … .

> **Attention !**
> Trois verbes sont irréguliers : les verbes **être** (**en étant**), **avoir** (**en ayant**) et **savoir** (**en sachant**).
> Exemple : *Mais surtout **en étant** bénévole pour la Société protectrice des animaux de Haguenau.*

▶ p. 185

À NOUS ! 💬

9. Nous réagissons.

a. Faites une liste des thèmes d'actualité qui vous donnent envie de réagir.

Par deux.

b. Choisissez un thème.

c. Préparez vos arguments (une personne « pour », une personne « contre ») et réagissez à la manière de Marie et Nathalie sur France Bleu. Donnez un maximum de précisions pour défendre votre position.

Classe divisée en deux (les « pour » et les « contre »), face à face.

d. Un étudiant « pour » réagit. Un étudiant « contre » lui répond.

▶ **Expressions utiles p. 187**

LEÇON

4 Vous en pensez quoi ?

Faire des suggestions

document 1 🎧 99 et 100

1. 🎧 ▶99 Écoutez la 1ʳᵉ partie de l'enregistrement (doc. 1) et répondez.
   a. De quel problème parle le journaliste ?
   b. Quelles questions ont été posées aux passants ? À quelle occasion ?

2. 🎧 ▶100 Par deux. Écoutez la 2ᵉ partie de l'enregistrement (doc. 1). À partir des témoignages, légendez ces photos.

prendre trop souvent des photos avec son téléphone

regarder tout le temps son téléphone

3. 🎧 ▶100 Réécoutez la 2ᵉ partie de l'enregistrement (doc. 1). Relevez les suggestions pour limiter ces comportements.

4 💬

En petits groupes.
a. Répondez aux questions du journaliste (act. 1b).
b. Regardez les photos de l'activité 2. Que pensez-vous de ces comportements ? De ces habitudes ? Quelle(s) photo(s) vous correspond(ent) ?

5. Observez cette page Internet (doc. 2).
   a. Identifiez le nom du journal et le titre de l'article. Faites des hypothèses sur le sujet de l'article.
   b. Lisez le chapeau et vérifiez vos hypothèses. Quelle idée a eu la RATP ? Pour quoi faire ?

6. En petits groupes. Lisez l'article (doc. 2).
   a. Repérez les suggestions des Parisiens. Classez-les en fonction des critères suivants : insolite, poétique, artistique, pratique.
   b. Quelle idée illustre la dépendance au smartphone ? Pourquoi ?
   c. Que pensez-vous des votes des Parisiens (nombre de likes) ?

7. Relisez l'article (doc. 2).
   a. Votez pour vos trois idées préférées.
   b. Présentez votre « classement » à la classe.

◀ ▶ C http://www.leparisien.fr

≡ **le Parisien** MA VILLE LA PARISIENNE LE PARISIEN ÉCO

Vos idées pour un métro au top

La RATP* vient de recueillir les suggestions des usagers afin d'améliorer leurs transports. À vous de voter pour vos idées préférées parmi les 2 000 propositions publiées sur son site. Les 3 idées les plus populaires seront réalisées. Elles sont insolites, poétiques, artistiques ou très pratiques. Voici notre sélection.

Un métro sans publicité
C'est l'idée qui est la plus populaire (+ de 10 000 likes). Il faudrait supprimer les affiches qui « polluent l'esprit » et les écrans de publicité qui « ont une consommation d'énergie importante ». À la place, cet internaute propose d'exposer des photos réalisées par les passagers.

Une musique plus douce
« La RATP devrait créer une mélodie spécifique pour chaque station ». Une musique calme aux heures de pointe plairait à plus de 1 000 internautes (1 100 likes).

Vivent la connexion et la 4G...
Ils sont plus de 300 à vouloir du réseau dans le métro. Certaines gares en sont déjà équipées.

... Mais pas partout !
Plus de 170 personnes ont voté pour la création d'une rame qui protège des ondes électromagnétiques. Elles pensent que ces ondes sont dangereuses pour la santé.

▶ FOCUS LANGUE

▶ p. 209

Le conditionnel (2) et quelques structures pour faire des suggestions

Par deux.

Observez et complétez à l'aide des extraits relevés dans les activités 3 et 6.

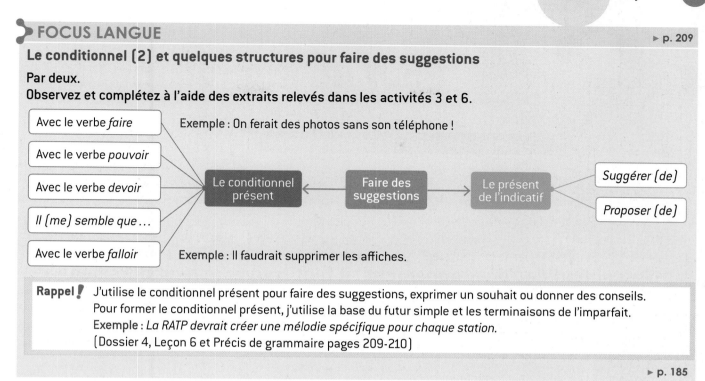

Avec le verbe *faire* — Exemple : On ferait des photos sans son téléphone !

Avec le verbe *pouvoir*

Avec le verbe *devoir*

Il (me) semble que…

Avec le verbe *falloir* — Exemple : Il faudrait supprimer les affiches.

Le conditionnel présent ← Faire des suggestions → Le présent de l'indicatif

Suggérer (de)

Proposer (de)

> **Rappel !** J'utilise le conditionnel présent pour faire des suggestions, exprimer un souhait ou donner des conseils.
> Pour former le conditionnel présent, j'utilise la base du futur simple et les terminaisons de l'imparfait.
> Exemple : *La RATP devrait créer une mélodie spécifique pour chaque station.*
> (Dossier 4, Leçon 6 et Précis de grammaire pages 209-210)

▶ p. 185

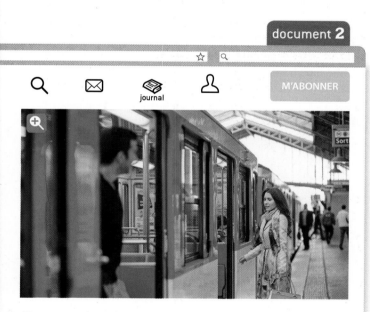

document **2**

☆ 🔍

🔍 ✉ 📰 journal 👤 **M'ABONNER**

S'amuser dans le métro

Les usagers imaginent « un wagon surprise avec différents thèmes : discothèque / bibliothèque / spa avec massages ». Certains suggèrent aussi « un wagon détente et cocktails » (203 likes).

Un métro vert

Il vous semble que la nature devrait être plus présente dans les stations. Certains ont imaginé des jardins souterrains (53 likes).

Des toilettes !

Enfin, la RATP devrait s'engager à installer des toilettes dans chaque station !

* La Régie autonome des transports parisiens (RATP) assure les transports en commun de Paris et de sa banlieue.

---

8. Sons du français

> **Liaison ou enchaînement ?**
>
> 🎧 ▸101 **Écoutez et répétez ces phrases. Dites si on entend une liaison ou un enchaînement.**
> Exemples : *une habitude* → *On entend un enchaînement : la consonne* **prononcée** *du premier mot est enchaînée avec la voyelle du mot suivant.*
> *des habitudes* → *On entend une liaison : la consonne* **muette** *du premier mot est enchaînée avec la voyelle du mot suivant.*

▶ p. 185

À NOUS ! 💬

9. Nous faisons des suggestions.

Classe divisée en deux.

a. Choisissez un sujet :
   Sujet n°1 : limiter la dépendance au téléphone
   Sujet n°2 : améliorer les transports publics

b. Préparez cinq suggestions et rédigez-les sur des post-it.

c. Pour chaque sujet, regroupez l'ensemble des suggestions (post-it).

d. Choisissez vos trois suggestions préférées.
   Exemple : sujet n° 2 → *Il faudrait mettre des bibliothèques dans les stations de métro.*

e. Dessinez vos trois suggestions et présentez-les à la classe.

f. La classe devine et formule vos propositions.

▶ Expressions utiles p. 187

LEÇON 5 Pour un monde meilleur

Exprimer des souhaits et des espoirs

document 1

http://www.lexpress.mu

lexpress.mu

Protection de l'environnement : il faut sauver le récif corallien

Le récif de Blue Bay dans un état inquiétant ■ Les récifs au sud-est de l'île Maurice sont dans un état inquiétant. Avec la pollution et le réchauffement climatique, une partie des coraux est en mauvais état. Pour attirer l'attention sur ce problème, Éco-Sud et d'autres organisations non gouvernementales (ONG) font découvrir au public les fonds marins de Blue Bay.

Yan Coquet, le coordinateur du programme de Lagon Bleu, ONG liée à Éco-Sud, a l'espoir de sauver le lagon si certaines pratiques évoluent. « Il faudrait que les Mauriciens soient mieux informés, qu'on crée une campagne de sensibilisation. Nous voudrions que les gens comprennent que le corail est indispensable à la vie du lagon. »

Pour résoudre ce problème, Yan Coquet souhaite que des programmes d'éducation à la protection des coraux puissent voir le jour dans les écoles en 2017. « Nous espérons que, dès le plus jeune âge, les enfants se rendront compte de l'importance des récifs. »

Le professeur Ranjeet Bhagooli de l'université de Maurice insiste, lui, sur l'économie. « Je voudrais que l'économie bleue devienne plus importante à Maurice. Pour cela, la protection de nos récifs sera déterminante », dit-il.

Souhaitons donc qu'il y ait rapidement une prise de conscience générale sur cette question.

1. Observez cette page Internet (doc. 1).
Identifiez le type de site et le thème de l'article.

2. Lisez le 1er paragraphe de l'article (doc. 1) et répondez.
a. Qu'est-ce qu'Éco-Sud ?
b. Quelle action mène-t-elle ? Pourquoi ?
c. Quelles sont les causes du problème ?

3. Par deux. Lisez la suite de l'article (doc. 1).
a. Qui est Yan Coquet ?
Relevez ses souhaits et ses espoirs.
b. Qui est Ranjeet Bhagooli ? Quel est son souhait ?
c. Que souhaite le journaliste ?

4.
En petits groupes.
a. Choisissez un site naturel à protéger dans votre pays. À votre avis, pourquoi et comment doit-il être protégé ?
b. Faites la liste des sites de la classe.

document 2 🎧 102

5. 🎧102 Écoutez cet extrait d'une émission diffusée à l'île Maurice (doc. 2).
a. Identifiez les questions posées par le journaliste.
b. Retrouvez les thèmes mentionnés par les Mauriciens.

*l'amour • la santé • la famille • les études •
le travail • l'argent • l'environnement • le sport •
les accidents de la route • le bonheur*

6. ∩M102   Par deux. Réécoutez (doc. 2) et retrouvez les souhaits et les espoirs des personnes interrogées. À quel thème (activité 5b) ces souhaits correspondent ?

1. Je souhaite que toute ma famille… •
2. Je voudrais qu'il y … •
3. Personnellement, j'aimerais que ma situation financière… •
4. J'aimerais que ma carrière… •
5. Je souhaite vraiment… •
6. Je voudrais vraiment qu'on… •
7. J'espère qu'on… •
8. Je voudrais que mes enfants… •
9. J'aimerais que mes enfants… •

• a. fassent de bonnes études.
• b. me donnent des petits-enfants…
• c. s'améliore.
• d. soit en bonne santé.
• e. ait moins d'accidents de la route à Maurice.
• f. fera quelque chose pour le lagon de Blue Bay.
• g. continue d'évoluer.
• h. trouver du travail.
• i. fasse plus attention à l'environnement.

> **FOCUS LANGUE**   ► p. 210

Les structures pour exprimer des souhaits et des espoirs

a. Observez et complétez avec les extraits relevés dans les activités 3 et 6.

Exprimer des souhaits	Exprimer des espoirs
Nous voudrions que les gens **comprennent** que le corail est indispensable à la vie du lagon.	Yan Coquet a l'espoir de **sauver** le lagon… J'espère qu'on **fera**…

b. Choisissez les réponses correctes et complétez la règle.

Pour exprimer un souhait :
– J'exprime un souhait avec des verbes comme … .
– Ces verbes sont suivis d'une proposition
  ☐ *à l'indicatif*   ☐ *au subjonctif* introduite par **que**.
– Dans ces phrases, les sujets sont toujours ☐ *identiques*   ☐ *différents*.

Pour exprimer un espoir :
– J'exprime un espoir avec le verbe … ou la structure … .
– Le verbe **espérer** est suivi d'une proposition ☐ *à l'indicatif*   ☐ *au subjonctif* introduite par **que**.
– Dans ces phrases, les sujets sont toujours ☐ *identiques*   ☐ *différents*.

Attention !
Pour exprimer un souhait, je peux aussi utiliser l'infinitif.
Exemple : *Je souhaite trouver du travail.*

c. Associez chaque verbe à sa conjugaison au subjonctif : *pouvoir – être – faire – avoir*.

	Verbes irréguliers
…	que je sois, que tu sois, qu'il/qu'elle soit, que nous soyons, que vous soyez, qu'ils/qu'elles soient
…	que je fasse, que tu fasses, qu'il/qu'elle fasse, que nous fassions, que vous fassiez, qu'ils/qu'elles fassent
…	que j'aie, que tu aies, qu'il/qu'elle ait, que nous ayons, que vous ayez, qu'ils/qu'elles aient
…	que je puisse, que tu puisses, qu'il/elle puisse, que nous puissions, que vous puissiez, qu'ils/qu'elles puissent

► p. 185

7. Sons du français

La prononciation des verbes au subjonctif

∩M103   Écoutez et répétez les phrases. Dites si la prononciation du verbe au subjonctif est identique ou différente dans les deux phrases.
Exemple : *J'aimerais que mon fils **soit** heureux. / J'aimerais que mes enfants **soient** heureux.*
→ *La prononciation du verbe au subjonctif est identique dans les deux phrases.*

► p. 186

À NOUS !

8. Nous évoquons nos souhaits et nos espoirs.
En petits groupes.
a. Faites la liste de vos souhaits, de vos espoirs pour un monde meilleur.
b. Classez-les selon les thèmes évoqués : *l'environnement, la santé, le travail,* etc.
c. Présentez vos souhaits ou espoirs à la classe.

► Expressions utiles p. 187

LEÇON

6 Prix littéraires

Parler de l'actualité littéraire

document 1

http://www.lepetitjournal.com

LEPETITJOURNAL.COM
Le média des Français et francophones à l'étranger

EXPAT

ACCUEIL DUBLIN   COMMUNAUTÉ   ÉCONOMIE   SOCIÉTÉ   À VOIR, À FAIRE   PRATIQUE   CONTACT   PÉKIN   ARCHIVES

Prix Goncourt – Deux anciens élèves des lycées français de l'étranger récompensés : Leïla Slimani et Gaël Faye

On ne s'y attendait pas : une belle récompense, encourageante pour tous les francophones. Ancienne élève du lycée Descartes de Rabat, au Maroc, **Leïla Slimani** est lauréate du prix Goncourt pour sa *Chanson douce*. **Gaël Faye**, ancien élève de l'école française de Bujumbura, au Burundi, a remporté le prix Goncourt des lycéens pour son roman *Petit Pays*.

Pourquoi le jury du Goncourt a-t-il choisi Leïla Slimani ? Sans doute parce qu'elle est plutôt jeune, et qu'on trouve dans son livre un juste équilibre entre le sujet traité (les questions de société) et une belle écriture.

Journaliste diplômée de Sciences Po Paris, elle n'a pas oublié son ancien lycée de Rabat. Elle y est revenue en 2014 à l'occasion de la sortie de son premier roman *Dans le jardin de l'ogre*.

Petit Pays est un roman applaudi par la critique et par le public. Il connaît un formidable succès en France. C'est un très beau livre nostalgique sur l'exil. Gaël Faye, qui est aussi rappeur et slameur, vit aujourd'hui au Rwanda.

Ces prix sont une très bonne nouvelle pour les lycées français, leur personnel et leurs élèves et pour la francophonie en général. Au *Petit Journal*, on est vraiment très heureux de cette double reconnaissance. Elle annonce une grande carrière littéraire pour ces deux jeunes auteurs.

On les félicite et on attend leurs prochains livres avec impatience.

1. Observez cet article du site lepetitjournal.com (doc. 1). Lisez son titre. Qui sont les personnes en photo ? Quels sont leurs points communs ?

2. Lisez l'article (doc. 1).

  a. Pour chaque écrivain, identifiez :
- sa profession ;
- la ville et le pays où il/elle a fait ses études ;
- le titre de son livre ;
- le prix remporté ;
- si l'auteur(e) a publié d'autres livres.

  b. Observez ces nuages de mots. Associez chaque nuage à un livre.

> nostalgie
> témoignage   amitié   premier roman
> exil   enfance **souvenirs**
> littérature française
> 1 Goncourt des lycéens

> famille   faits divers
> société   **prix Goncourt**
> drame   écriture   enfants
> 2 littérature française

3. **Par deux.** Relisez l'article (doc. 1) et répondez.

    a. Selon *Le Petit Journal*, pour quelles raisons *Chanson douce* et *Petit Pays* ont-ils reçu un prix ?

    b. La rédaction du *Petit Journal* est-elle satisfaite de l'attribution de ces prix ?

    c. Quel message adresse-t-elle à ces deux écrivains ?

4

En petits groupes.

Faites la liste des livres qui font l'actualité littéraire francophone. Partagez vos résultats avec la classe.

document **2** 🎧 104

5. 🎧▸104 **Par deux.** Écoutez l'enregistrement (doc. 2) et répondez.

    a. Que signifient les lettres L et D dans LD Radio ? Dans quelle ville est diffusée LD Radio ?

    b. Quel est le thème de l'émission ?

    c. Qui sont les deux personnes interviewées ? Où sont-elles ?

6. 🎧▸104 Réécoutez l'enregistrement (doc. 2). Relevez :

    a. de quoi parlent les personnes interviewées ;

    b. comment elles ont appris cette nouvelle ;

    c. quelle a été leur réaction.

7. 🎧▸104 Écoutez encore (doc. 2) et répondez.

    a. Qu'a aimé Bahia dans le roman de Leïla Slimani ?

    b. Pourquoi le succès de Leïla Slimani est très positif pour le lycée Descartes de Rabat ?

FOCUS LANGUE   ▸ p. 202

Les valeurs du pronom *on*

Par deux.

a. Relisez ces extraits des documents 1 et 2. Classez-les dans la colonne qui correspond.

    On trouve dans son livre un juste équilibre… – **On** les félicite et **on** attend leurs prochains livres avec impatience. – J'étais à la maison quand **on** m'a téléphoné.

On = nous	On = les gens	On = quelqu'un
On est super contents !	On ne s'ennuie jamais.	On nous a annoncé la nouvelle…
…	…	…

> **Attention !** **On** est toujours sujet de la phrase. Il se conjugue à la 3e personne du singulier.

b. Choisissez un roman que vous aimez particulièrement. Imaginez un exemple pour chaque colonne.

    Exemples : *On a lu un extrait de ce livre en classe. On nous a dit qu'il avait gagné un prix. En France, on étudie ce livre à l'école.*

                                                               ▸ p. 186

FOCUS LANGUE

Parler d'un livre qu'on aime

On trouve dans ce livre…

L'auteur(e) a un style très dynamique, une belle écriture. On ne s'ennuie jamais.

C'est un roman applaudi par la critique et par le public.

Il connaît un formidable succès en France. C'est un très beau livre…

L'histoire, c'est un fait divers. Il y a beaucoup de suspense. C'est un roman un peu policier, un peu fantastique, très dramatique.

                           ▸ p. 186

À NOUS !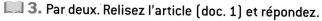

8. Nous présentons un livre.

En petits groupes.

a. Choisissez un livre qui fait l'actualité francophone (act. 4).

b. Dites comment vous l'avez découvert et pourquoi vous avez envie de le lire.

c. Décrivez l'histoire, l'auteur et son style. Précisez ce que les gens en pensent et ce que vous en pensez.

d. Présentez-le à la classe.

e. La classe choisit le livre dont elle étudiera un extrait.

                        ▸ **Expressions utiles p. 187**

1 **L'actualité autrement** Vidéo **8**

a. Observez ces trois images et faites des hypothèses sur le contenu de la vidéo.
Quel est son thème ? Où se passe cette vidéo ? Qui sont ces personnes ?

b. Regardez la première partie de la vidéo (jusqu'à 0'49") et vérifiez vos hypothèses. Relevez :
  1. le type de chaîne de télévision dont on parle ;
  2. le nombre d'heures de diffusion par jour.

c. Regardez à nouveau la première partie. Lisez les informations ci-dessous et répondez.

	J'ai vu cette information.	J'ai entendu cette information.	Les deux.
« La chaîne se veut la plus transparente possible. »			
« Le présentateur anime son journal au milieu d'une rédaction en plein travail. »			
« Les journalistes se déplacent sur le plateau et utilisent un tableau tactile géant. »			

d. Regardez la vidéo de 0'50" à la fin. Légendez les photos.

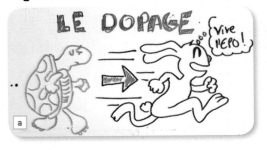 

  1. Des vidéos décalées et humoristiques.
  2. De nouveaux reportages pour les enfants.

e. En petits groupes. Échangez. Que pensez-vous de cette manière de présenter des informations ?
Les chaînes de télévision de votre pays ou d'un pays que vous connaissez proposent-elles des journaux télévisés originaux ? Donnez des exemples.

f. En petits groupes. Que propose le journaliste pour reconquérir le grand public ?
Quelle technique utilise-t-on pour montrer que les journalistes travaillent beaucoup ?

g. En petits groupes. Que pensez-vous de cette nouvelle chaîne ?
Est-ce que la vidéo vous donne envie de la regarder ? Pourquoi ?

2 **Gaël Faye, *Petit Pays***

 En 1992, Gabriel, dix ans, vit au Burundi avec sa famille. Un quotidien paisible, une enfance douce qui vont s'arrêter brutalement quand ce « petit pays » d'Afrique va entrer dans la violence. Ce premier roman raconte la vie de personnages qui tentent de survivre à la tragédie. **"**

Un jour, l'instituteur de Gabriel remet à chaque élève de la classe, la lettre d'un correspondant français...

Extrait n° 1

Vendredi 11 décembre 1992

Cher Gabriel,

Je m'appelle Laure et j'ai 10 ans. Je suis en CM2 comme toi. J'habite à Orléans dans une maison avec un jardin. Je suis grande, j'ai les cheveux blonds jusqu'aux épaules, les yeux verts et des taches de rousseur. Mon petit frère s'appelle Mathieu. Mon père est médecin et ma mère ne travaille pas. J'aime jouer au basket-ball et je sais cuisiner les crêpes et les gâteaux. Et toi ?

J'aime chanter et danser aussi. Et toi ? J'aime regarder la télévision. Et toi ? Je n'aime pas lire. Et toi ? Quand je serai grande, je serai médecin comme mon père. [...]

J'attends ta réponse avec impatience.

Bisou

Laure

PS : As-tu reçu le riz qu'on vous a envoyé ?

Extrait n° 2

Lundi 4 janvier 1993

Chère Laure,

Gaby c'est mon nom. De toute façon tout a un nom. Les routes, les arbres, les insectes... Mon quartier, par exemple, c'est Kinanira. Ma ville c'est Bujumbura. Mon pays c'est le Burundi. Ma sœur, ma mère, mon père, mes copains ils ont chacun un nom. Un nom qu'ils n'ont pas choisi. On naît avec, c'est comme ça. Un jour, j'ai demandé à ceux que j'aime de m'appeler Gaby au lieu de Gabriel, c'était pour choisir à la place de ceux qui avaient choisi à ma place. Alors pourras-tu m'appeler Gaby, s'il te plaît ? J'ai les yeux marron donc je ne vois les autres qu'en marron. [...] Chacun voit le monde à travers la couleur de ses yeux. Comme tu as les yeux verts, pour toi, je serai vert. J'aime beaucoup de choses que je n'aime pas. J'aime le sucre dans la glace mais pas le froid. J'aime la piscine mais pas le chlore. J'aime l'école pour les copains et l'ambiance mais pas les cours. [...] Plus tard, quand je serai grand, je veux être mécanicien pour ne jamais être en panne dans la vie. Il faut savoir réparer les choses quand elles ne fonctionnent plus. [...]

À bientôt

Bisou

Gaby

PS : Je vais me renseigner pour le riz.

a. Lisez la présentation du roman *Petit Pays*. Quand vous étiez enfant, aviez-vous un correspondant étranger ?

b. En petits groupes (groupes *Laure* et groupes *Gabriel*). Lisez les extraits n° 1 (groupes *Laure*) et n° 2 (groupes *Gabriel*). Retrouvez les éléments suivants dans chaque lettre.

   se présenter • parler de ses rêves • parler de ses goûts et de ses activités •
   parler de sa famille • se décrire physiquement

Partagez avec la classe.

c. Que pensez-vous de chaque lettre ?
   Quelles différences remarquez-vous ?
   Qu'est-ce que le style/le ton de chaque lettre vous apprend sur son auteur(e).

d. Quelle lettre vous préférez ? Pourquoi ?

e. En petits groupes. Échangez.
   Vous aimeriez lire ce roman ? Pourquoi ?
   Ce livre est-il traduit dans votre langue ou une autre langue que vous connaissez ?
   Faites des recherches.

> **COMPLÉTEZ VOTRE CARNET CULTUREL**
> 1. À quels journaux ou magazines français avez-vous accès dans votre pays ?
> 2. À quelles radios françaises ou francophones ?
> 3. À quelles chaînes de télévision françaises ou francophones ?
> 4. À quels blogs français ou francophones créés dans votre pays ?

 Retournez aux pages 136-137. Répondez à nouveau aux questions.
Mettez en commun avec le groupe.

Projet de classe

■ Nous écrivons au *Courrier des lecteurs* d'un journal ou d'un magazine.

En groupe.

a. Faites la liste des thèmes qui vous font réagir (Leçons 2, 3 et 6). Constituez des petits groupes en fonction des thèmes.

En petits groupes.

b. Cherchez si les journaux et magazines français qui existent dans votre pays ont une rubrique *Courrier des lecteurs*. Faites la même recherche pour les blogs français ou francophones (zones de commentaires) qui existent dans votre pays (carnet culturel).

c. Choisissez votre rubrique *Courrier des lecteurs* ou « zone de commentaires » préférée.

d. Lisez les objectifs et l'aide-mémoire.

Écrire au *Courrier des lecteurs*.

Objectifs	Aide-mémoire
– Donner son opinion à propos d'un sujet. – Exposer les raisons qui motivent son opinion (les arguments). – Donner des arguments « pour » ou des arguments « contre ». – Convaincre le lecteur.	– J'utilise la nominalisation pour donner un titre court à mon message. – Je dis ce que des personnes pensent du sujet de manière générale. – J'exprime mon accord ou mon désaccord. – Je fais des suggestions. – Je donne des précisions. – Je mets mes arguments en valeur.

e. Rédigez votre message sur le thème choisi pour le courrier des lecteurs sélectionné.

En groupe.

f. Affichez vos messages dans la classe. Lisez les messages des autres groupes et proposez des corrections si nécessaire.

g. Envoyez vos messages.

h. Consultez régulièrement votre *Courrier des lecteurs* pour lire les réponses.

Projet ouvert sur le monde ▶ GP **Parcours digital**

Nous écrivons un article sur un sujet d'actualité pour le publier dans un journal citoyen.

DELF 8

I Compréhension des écrits

Exercice 1 Lire pour s'informer

Vous lisez cet article sur Internet.

> 66 *Petit Pays* est le premier roman de Gaël Faye, auteur franco-rwandais de 34 ans. Le roman est déjà en cours de traduction dans une dizaine de langues. Ce n'est pas une autobiographie mais l'histoire ressemble un peu à la vie de l'auteur : Gaël Faye est né au Burundi et le personnage principal raconte son enfance dans ce même pays. C'est à la fois drôle et mélancolique. Vous pouvez découvrir *Petit Pays*, en lisant les premières pages du roman sur le site de son éditeur.

1. Vrai ou faux ? Dites si l'affirmation est vraie (V) ou fausse (F) et recopiez la phrase qui justifie votre réponse.
   Gaël Faye a écrit d'autres livres avant *Petit Pays*. V ☐   F ☐
   Justification :

2. Quelle est la nationalité de Gaël Faye ?

3. Vrai ou faux ? Dites si l'affirmation est vraie (V) ou fausse (F) et recopiez la phrase qui justifie votre réponse.
   Petit Pays raconte l'histoire de la vie de Gaël Faye. V ☐   F ☐
   Justification :

4. Où se passe l'histoire du roman *Petit Pays* ?
   a. En France. • **b.** Au Rwanda. • **c.** Au Burundi.

5. Comment le journaliste décrit-il le roman *Petit Pays* ? (Deux réponses attendues.)

6. Où est-il est possible de lire les premières pages de *Petit Pays* ?

II Production écrite

Exercice 1 Décrire un événement ou raconter une expérience personnelle

Vous lisez cette annonce sur le site internet d'un magazine français :

> « Je trouve qu'on ne prend pas assez soin des animaux. »
> Solange, 54 ans
>
> *« Et vous ? Qu'en pensez-vous ? Envoyez vos avis à notre magazine, rubrique* Courrier des lecteurs. »

Vous décidez d'écrire au *Courrier des lecteurs*. Vous donnez votre avis sur l'affirmation de Solange et vous racontez un événement ou une expérience personnelle pour illustrer votre opinion. (60 mots minimum)

Exercice 2 Inviter, remercier, s'excuser, demander, informer, féliciter

Vous êtes en France. Vous recevez cet e-mail de votre amie Mila :

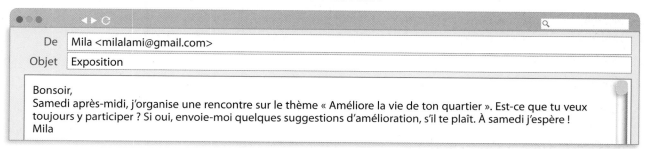

De Mila <milalami@gmail.com>
Objet Exposition

Bonsoir,
Samedi après-midi, j'organise une rencontre sur le thème « Améliore la vie de ton quartier ». Est-ce que tu veux toujours y participer ? Si oui, envoie-moi quelques suggestions d'amélioration, s'il te plaît. À samedi j'espère !
Mila

Vous répondez à Mila. Vous acceptez son invitation. Vous lui demandez quelques précisions sur le lieu et l'horaire de la rencontre. Vous lui donnez 2 suggestions minimum d'amélioration de la vie de votre quartier. (60 mots minimum)

ANNEXES

S'EXERCER

DOSSIER 1

Leçon 1

FOCUS LANGUE ▶ p. 13

Les structures pour comparer (1)

1. Comparez les deux propositions. Indiquez votre préférence. Justifiez.

Exemple : Paysage : mer ou montagne ?
→ Je préfère la montagne parce que c'est *plus calme que* la mer / il y a *moins de* touristes.

> **DESTINATION VACANCES !**
>
> **a.** Pays : l'Argentine ou la France ?
> **b.** Hébergement : l'hôtel ou le camping ?
> **c.** Activités : des vacances culturelles ou des vacances sportives ?
> **d.** Durée : une semaine ou un mois ?
> **e.** Style : en famille ou avec des amis ?

2. Par deux. Vous voulez partir en vacances ensemble. Comparez ces deux propositions de voyage.

CULTURE ET HISTOIRE !

MARSEILLE

DURÉE : 5 jours
HÉBERGEMENT : hôtel 3 étoiles + petit déjeuner
ACTIVITÉS : visite du MUCEM*, atelier de dégustation de la bouillabaisse**, visite de la basilique Notre-Dame-de-la-Garde, promenade guidée sur le vieux port, initiation au parler marseillais (2 heures), croisière dans les calanques
PRIX : 650 euros

*Musée des Civilisations de l'Europe et de la Méditerranée
**Spécialité de Marseille ; soupe de poissons à base de tomates

NATURE ET CALME !

LE MERCANTOUR

TYPE DE SÉJOUR : sportif et relaxant
THÈME(S) : découverte de la nature
DURÉE : 3 jours
HÉBERGEMENT : gîte
ACTIVITÉS : visite du parc des loups Alpha, randonnée pédestre débutant, spa thermal (3 heures), visite d'une fromagerie et dégustation de fromages, parcours de tyrolienne, excursion en canoë
PRIX : 520 euros

Sons du français ▶ p. 13

La prononciation du mot *plus*

3. a. 🎧)105 **Écoutez et répétez le dialogue.**
– Je trouve qu'il y a <u>moins de</u> touristes cette année.
– Non, je trouve qu'il y a <u>plus de</u> touristes !

b. Complétez les dialogues, comme ci-dessus.

1. – C'est <u>moins</u> agréable de dormir à l'hôtel que dans un camping.
   – Non, je trouve que…
2. – Je pense qu'il y a <u>moins de</u> musées à visiter à Toulouse qu'à Mulhouse.
   – Non, je pense que…
3. – Les vacances sportives sont <u>moins</u> amusantes que les vacances culturelles.
   – Non, je trouve que…
4. – La mer est <u>moins</u> belle que la montagne.
   – Non, à mon avis, la mer…

c. Par deux. Créez quatre dialogues. Utilisez *moins* / *plus*.

Leçon 2

FOCUS LANGUE ▸ p. 15

Les pronoms indirects *y* et *en* pour remplacer une chose, un lieu ou une idée

4. Répondez aux questions. Utilisez *y* et *en*.

Exemple : — Vous avez besoin d'un visa pour venir en France ?

— *Oui, j'**en** ai besoin. / Non, je n'**en** ai pas besoin.*

a. Pensez-vous partir habiter dans un pays étranger ?

b. Est-ce que vous vous intéressez aux offres d'emploi à l'étranger ?

c. Avez-vous envie de découvrir une culture différente ?

d. Faut-il avoir de l'argent pour voyager ?

e. Est-ce facile d'immigrer en France ?

5. Complétez les témoignages avec *y* et *en*. Que remplacent-ils ?

> Quand je suis partie en Afrique du Sud pour une mission éducative, je ne pensais pas … rester définitivement. J'… ai appris beaucoup de choses. Puis, je suis tombée amoureuse de la culture africaine. J' … ai rencontré beaucoup de gens qui sont devenus des amis. Ma vie est géniale, ici ! L'Afrique du Sud, je ne veux plus … repartir !
> **a**

> **b** Je prépare un nouveau séjour au Japon. J'… reviens et je veux … retourner. Je suis fasciné par ce pays mais la vie … est chère. J'ai fait des économies. Je vais … avoir besoin pour payer le transport, l'hébergement et la nourriture. J'ai vraiment hâte d'… être !

Sons du français ▸ p. 15

Les voyelles nasales [ɑ̃] et [ɛ̃]

6. a. 🎧))106 Écoutez et classez les mots.

hébergement • s'inscrire • longtemps • quotidien • enseignement • expérience • installation • combien • francophone • européen • sympa • évident

— Groupe des [ɑ̃] : …

— Groupe des [ɛ̃] : …

b. Par deux. Lisez tous les mots de chaque ligne.

Leçon 3

FOCUS LANGUE ▸ p. 17

Les pronoms COD/COI pour ne pas répéter (synthèse)

7. Lisez les phrases. Relevez et corrigez les erreurs.

Exemple : Le covoiturage est la solution la plus simple pour nous. Cela peut ~~lui~~ *nous* permettre de rencontrer des gens sympas !

a. Tu connais cette application qui t'aide à planifier ton séjour ? Non ? Alors il faut me télécharger et m'utiliser !

b. Mes parents prennent l'avion demain. Je dois vous imprimer les billets et vous accompagner à l'aéroport.

c. J'ai proposé cet itinéraire de voyage à Julie. Je ne sais pas s'il te plaît ou si elle souhaite te modifier.

d. Tu n'aimes pas programmer tes vacances trop en avance. Ça lui stresse quand les activités lui imposent des horaires fixes.

8. Lisez les phrases. Identifiez le pronom (COD ou COI ?) et dites s'il remplace quelqu'un ou quelque chose.

Exemple : Ne lui dis rien sur ses prochaines vacances, c'est un voyage surprise !

→ *lui = COI – remplace une personne*

a. N'emporte pas cette veste, tu ne vas pas la mettre, il va faire beau et chaud !

b. Je leur ai expliqué la route à suivre.

c. Paris va la charmer, c'est sûr !

d. Montre-le à la sécurité quand tu passeras le contrôle à l'aéroport.

e. On peut le réserver facilement sur Internet.

Leçon 4

FOCUS LANGUE ▸ p. 19

Structures pour exprimer des règles et des recommandations

9. Lisez les phrases. Dites si elles expriment une recommandation, une obligation, une interdiction ou une possibilité.

a. À l'hôtel, c'est plus cher, mais on peut prendre le petit déjeuner dans la chambre.

b. En résidence universitaire, il faut respecter les horaires d'ouverture de la réception.

c. Dans l'ensemble des hébergements, ne faites jamais de bruit après 22 heures.

d. Pour un séjour linguistique, choisissez la formule chez l'habitant. Pour pratiquer la langue du pays, c'est l'idéal !

10. **Lisez les phrases. Faites une recommandation, exprimez une obligation, une interdiction ou une possibilité.**

Exemple : J'aimerais fumer dans la chambre de la résidence universitaire.

→ *Il n'est pas possible de fumer dans la résidence universitaire.*

a. Je ne sais pas comment faire pour m'inscrire en école de langues.

b. Je souhaite emmener mon chien pendant mon séjour linguistique.

c. Pendant mon séjour, je voudrais rencontrer des étudiants mais je ne sais pas quel logement choisir.

d. J'aimerais utiliser la cuisine de l'habitant pour cuisiner moi-même.

Sons du français ► p. 19

L'intonation pour exprimer l'obligation

11. 🎧▶107 **Par deux. Écoutez et jouez le dialogue en respectant l'accent d'insistance.**

PAUL : Alors, tout est prêt pour ton voyage en France ?

MARY : Oui, j'ai mon billet d'avion. Maintenant, je dois acheter mon billet de train.

PAUL : Oui, il faut le faire rapidement ! Et tu as trouvé un hébergement ?

MARY : Non, pas encore. Je sais, je dois m'en occuper.

PAUL : Oui, tu dois vraiment t'en occuper !

MARY : Je voudrais loger chez une famille française.

PAUL : C'est une très bonne idée !

MARY : Je voudrais surtout découvrir la vie des Français.

Leçon 5

▶FOCUS LANGUE ► p. 21

Les adverbes et locutions adverbiales pour décrire un lieu

12. **Lisez les cinq descriptions. Associez les descriptions aux photos.**

A Située au milieu de la forêt, votre chambre ressemble à un nid d'oiseau suspendu dans les arbres à quelques mètres au-dessus du sol.

B À l'extérieur de votre chambre, vous pouvez profiter d'une petite terrasse qui se trouve juste devant. À l'intérieur, vous pouvez vous coucher et observer le ciel.

C Au milieu d'un lac, ces cabanes sont accessibles par bateau. Elles sont confortables et originales.

D Dormir parmi les poissons, vous en rêvez ? C'est possible ! Venez dans notre hôtel plonger sous l'eau et admirer ces créatures le temps d'une nuit !

E En haut d'une colline, vue sur la mer, notre chambre vous offre tous les charmes de la côte atlantique.

13. **Écrivez le contraire.**

A Cette chambre « grotte » se situe **sur sous** la terre. Elle se trouve à 5 mètres **au-dessus** du sol. **À l'extérieur de** la chambre, il y a un grand lit double et une belle salle de bains.

B Proposer une chambre **près de** la civilisation, au calme, est une excellente idée. Isolé **en bas d'**une montagne, ce petit chalet offre une vue exceptionnelle sur la nature. **Derrière** ce spectacle, vous pourrez vous relaxer et profiter de cette superbe expérience.

C Venez dormir sur les étoiles, **à l'extérieur d'**une grande tente, **loin de** la plage. Vivez **là-bas** un moment incroyable dans un cadre romantique qui vous invite à vous retrouver en toute intimité.

Leçon 6

▶FOCUS LANGUE ► p. 23

Les pronoms relatifs *qui, que, à qui, avec qui* pour donner des précisions

14. **Imaginez la fin des phrases. Utilisez les pronoms relatifs : *qui, que, à qui, avec qui*.**

Exemple : J'ai partagé mon taxi avec un Allemand **qui** *était très gentil/***avec qui** *j'ai beaucoup discuté/***que** *j'ai apprécié/***à qui** *j'ai laissé mes coordonnées.*

a. J'aimerais voyager avec un ami…

b. Tu as envie de découvrir un pays…

c. Elle souhaite visiter un musée…

d. Nous espérons avoir un guide touristique…

e. Vous voulez dîner dans un restaurant…

f. Ils préfèrent rencontrer un Parisien…

EXPRESSIONS UTILES

Leçon 1

• **Comparer deux séjours linguistiques**

Le nombre d'heures de cours

Je préfère le séjour A parce qu'il propose plus d'heures de cours que le séjour B.

La nature des cours

Le centre A a moins d'élèves par classe que le centre B. C'est mieux !

Ce centre propose autant d'heures de cours en laboratoire que d'heures de cours avec un professeur. Je préfère un centre qui propose seulement des cours avec un professeur.

Les locaux

Les locaux du centre A sont aussi grands que les locaux du centre B, mais les salles de classe du centre B ont l'air plus agréables.

La bibliothèque

La bibliothèque du centre A est moins complète que la médiathèque du centre B. Pour moi, une bonne bibliothèque, c'est important pour étudier après les cours.

Les prix

Le centre A est plus intéressant que le centre B, les livres pour les cours sont compris dans le prix.

La cafétéria

Après les cours, j'aime autant étudier à la cafétéria qu'à la bibliothèque. La cafétéria du centre B est vraiment chouette !

Leçon 2

• **Faire des démarches**

– Pour venir à/en/au/aux [nom de pays], il vous faut un visa. Pour en obtenir un, consultez les conditions sur le site Internet du consulat de [nom de pays], à [nom de ville]. N'y allez pas directement, vous devez d'abord…

– Vous venez à/en/au/aux [nom de pays] pour y faire des études. Prévoyez un budget de … / mois. Vous venez à/en/au/aux [nom de pays] pour y travailler ? Vous aurez besoin d'un visa de travail. Pour en demander un, il faut…

– Il n'y a pas beaucoup d'appartements à louer à [nom de ville]. Pour en trouver un, consultez [site Internet]. Il est plus facile de trouver une colocation. Pensez-y !

Leçon 3

• **Présenter un circuit**

Exemple pour une journée :

– Départ de [nom du lieu].

– Visite de [nom du lieu]. Partez à la découverte de ses trois ports. Ils vont beaucoup vous plaire. (3 h)

– Pique-nique : nous vous conseillons de le faire au bord de la mer. (1 h 30)

– [nom du lieu] : charmant village breton. Visitez-le pour ses maisons traditionnelles. (3 h)

– Trajet vers [nom du lieu].

Leçon 4

• **Rédiger le descriptif d'un hébergement**

Les types d'hébergement

une famille d'accueil • un appartement à partager • un studio indépendant • une résidence universitaire…

Les modalités

apporter des draps et des serviettes • se faire à manger / faire la cuisine • partager une chambre…

Les formalités administratives

adresser sa demande • réserver [durée] à l'avance • vérifier les éléments de son dossier • faire des photocopies de ses papiers…

Leçon 5

• **Décrire un lieu insolite**

Pour qualifier le lieu

magnifique • insolite • hors du commun • notre coup de cœur • original • atypique • romantique…

Ce qu'on peut y faire

on peut y passer une nuit ou y dîner • profiter de la piscine… • au programme, détente au milieu de la nature…

Leçon 6

• **Proposer une visite d'une ville**

Le type de visite

des balades originales en petits groupes • en famille, entre amis • les grands classiques • les lieux habituels que les touristes aiment voir • le/la [nom de la ville] des [habitants de la ville] • les bistrots, les cafés, les restos, les crêperies • les musées, les quartiers qui bougent, les quartiers animés, populaires, romantiques…

À voir, à faire

rencontrer des gens à qui parler, avec qui discuter • visiter [nom du quartier], c'est le quartier que nous préférons • aller [préposition + nom du lieu], c'est une adresse que nous adorons

DOSSIER **2**

Leçon 1

FOCUS LANGUE ▸ p. 31

L'accord du participe passé avec *être* au passé composé (rappel)
Quelques participes passés irréguliers (1)

1. Mettez les textes au passé composé.

Je découvre l'univers magique de Disney à l'âge de 8 ans à Disneyland Paris. Quand j'entre dans le parc, je reste immobile d'émotion car je rencontre mes personnages préférés. Cette aventure extraordinaire me plaît beaucoup ! ■

Mon mari et moi, nous partons en Inde du Sud pour faire la randonnée des épices. Nous montons à dos d'éléphant pour admirer les rizières et les cocoteraies. Pendant quatre jours, nous vivons une expérience incroyable à la découverte des épices et nous apprenons beaucoup de choses sur la culture indienne ! ■

2. Complétez les phrases avec les verbes. Utilisez le passé composé.

écrire • être • partager • découvrir • rester • faire • se promener • retourner • vivre (×2) • retrouver • rencontrer • plaire

a. J'… … de nombreux voyages, mais celui à la découverte de la Côte ouest des États-Unis façon road trip … … le meilleur !

b. Ce couple … … un livre sur ses multiples expériences parisiennes. Ils … … toute leur histoire dans la capitale française.

c. Quand Fanny … … en Finlande, elle … … tous ses souvenirs d'enfance.

d. Mes étudiants … … … dans Nice, ils … … un autre aspect de la ville.

e. Au Mali, j'… … des gens exceptionnels. J'… … des moments inoubliables avec eux !

f. Durban est une ville qui … … à ma fille. Elle y … … deux semaines.

3. a. Lisez le programme de l'excursion.

15 h	Entrée dans la grotte + présentation de l'environnement et des activités
15 h 20	Habits adaptés aux activités
15 h 35	Départ pour le parcours sportif (passage à la corde, tyrolienne, saut de 2 mètres)
17 h 45	Fin du parcours sportif
18 h	Changement de vêtements + découverte du campement
18 h 20	Apéritif + dîner fondue savoyarde + dégustation de vins
23 h	Nuit sur lits autogonflants
8 h	Petit déjeuner
9 h	Sortie de la grotte

b. Mettez les phrases dans l'ordre chronologique et conjuguez les verbes au passé composé.

1. À 15 heures, nous (entrer) dans la grotte et le guide nous (présenter) l'environnement et les activités.

2. Après le repas, tout le monde (se coucher) sur des lits autogonflants : quelle aventure !

3. Le matin, une fois réveillés, nous (prendre) le petit déjeuner.

4. Nous (s'habiller) avec des vêtements adaptés pour le parcours sportif.

5. Nous (commencer) le parcours sportif avec la corde puis la tyrolienne.

6. Le petit déjeuner terminé, nous (sortir) de la grotte pour rentrer chez nous.

7. Nous (se changer) et nous (découvrir) le campement.

8. Nous (finir) le parcours par le saut de 2 mètres : quelle peur !

9. Juste après, la soirée (commencer). Nous (prendre) l'apéritif et nous (dîner).

Sons du français ► p. 31

Les voyelles nasales [ɑ̃] et [ɔ̃]

4. a. 🎧 ▸108 **Écoutez et classez les villes.**

Montreux • Nantes • Anvers • Londres • Montpellier • San Francisco • Ankara • Dijon • Perpignan • Toulon • Shanghaï • Angoulême • Hong Kong • Colombo • Rouen • Avignon

– Groupe des [ɑ̃] : *Nantes*, …
– Groupe des [ɔ̃] : *Montreux*, …

b. Écoutez et répétez le nom de ces villes françaises.

Clermont-Ferrand • Besançon • Châlons-en-Champagne • Mont-de-Marsan

Leçon 2

❭FOCUS LANGUE ► p. 33

Le subjonctif présent des verbes réguliers
Exprimer l'obligation, l'interdiction et donner des conseils

5. Mettez les phrases au subjonctif présent.

Exemple : En voyage, tu dois faire attention à tes papiers d'identité. Tu ne dois pas les perdre. → *En voyage, il faut que tu **fasses** attention à tes papiers d'identité. Il ne faut pas que tu les **perdes**.*

a. Pendant vos vacances, reposez-vous et profitez bien du soleil sur la belle île Maurice !

b. Pour certaines destinations, les touristes sont obligés d'être vaccinés avant leur départ.

c. Nous ne devons pas être en retard aux rendez-vous pour partir en excursion, les guides n'attendent pas !

d. Si tu vas au Japon, tu dois aller voir le mont Fuji. Tu ne peux pas manquer ça !

e. Dans ce parc naturel sauvage, vous devez respecter la faune et la flore, vous ne pouvez rien jeter dans la nature.

Leçon 3

❭FOCUS LANGUE ► p. 34

Exprimer des sentiments et des émotions

6. Complétez les phrases avec les adjectifs de sentiment. Faites les transformations nécessaires.

peur • fier • nerveux • surpris • heureux • ému

a. J'ai rencontré un super professeur de français. Grâce à lui, j'ai réussi le DELF A2 ! Je suis vraiment … de moi !

b. Paula est tombée amoureuse de Nigel pendant le cours de français. Ils se sont mariés un an après. Ils sont très … et amoureux.

c. Avant d'arriver en France, Natalia était assez … mais aujourd'hui, elle est rassurée car ses études en France l'aident à s'intégrer.

d. À l'université, Aldo a été … d'entendre autant d'étudiants de nationalités différentes parlant français. C'était incroyable !

e. Au début, Iman avait … de cette nouvelle vie en France. Mais, il a obtenu un diplôme, trouvé du travail, rencontré des gens gentils ! Et il est resté !

f. Le jour où j'ai trouvé un travail, j'ai été …. parce que je commençais une carrière en France grâce à mes études. La chance était là !

❭FOCUS LANGUE ► p. 35

Le passé composé et l'imparfait pour raconter des événements passés, des souvenirs

7. Choisissez la forme correcte : passé composé ou imparfait ?

a. « C'était / Ça a été en 2010, quand j'étudiais / ai étudié à l'université de Nantes. Cette année-là, je rencontrais / j'ai rencontré James à la bibliothèque. Il était / a été américain, moi ukrainien. Comme moi, il étudiait / a étudié l'économie. Avec le temps, nous devenions / sommes devenus très amis. Quand nous réussissions / avons réussi notre examen, nous décidions / avons décidé de créer notre entreprise de consultants pour les bureaux internationaux. Aujourd'hui, nous sommes collaborateurs et nous travaillons avec des sociétés multinationales en France. » Alekseï d'Ukraine

b. « Quand j'étais / ai été en France, je trouvais / j'ai trouvé un appartement en colocation. J'étais / ai été un peu nerveuse au début. Puis, je découvrais / j'ai découvert des colocataires exceptionnels. Nous partagions / avons partagé nos vies pendant deux ans. Ensuite, nous nous quittions / nous nous sommes quittés pour commencer une carrière dans une autre ville ou un autre pays. La séparation était / a été difficile mais, grâce à Internet, nous sommes toujours en contact et nous arrivons à nous retrouver une fois par an en France ! » Ana Cecilia d'Équateur

8. Associez la situation à l'événement. Utilisez l'imparfait et le passé composé.

Situation	Événement
Exemple : Être étudiant *Quand j'étais étudiant …*	Devoir travailler dur pour améliorer mon français *… j'ai dû travailler dur pour améliorer mon français.*

Situation	Événement
a. Faire une mission à Kuala Lumpur	Retrouver des anciens camarades français
b. Étudier le français	Rencontrer des personnes très sympathiques
c. Finir mes études	Décider de rester en France définitivement
d. Être en formation à l'Institut pédagogique de Paris	Croiser des intervenants du monde entier
e. Vivre à Paris pour mes études	Partager mon appartement avec des Français

Sons du français ▸ p. 35

La prononciation au passé composé et à l'imparfait

9. 🎧▸109 Écoutez les verbes. Dites s'ils sont identiques ou différents.

Exemple : J'étais / J'ai été → *Différents*.

Leçon 4

▸FOCUS LANGUE ▸ p. 36

Les caractéristiques du français familier

10. Indiquez si les phrases sont en français familier ou en français standard. Transformez-les en français familier ou en français standard.

a. T'as déjà fait du parachute ascensionnel ? Y paraît que c'est génial !

b. J'pars avec des potes sur un bateau en Indonésie pour aller surfer pendant deux semaines.

c. Ce sont des amis qui m'ont recommandé de faire un stage de pilotage.

d. Descendre à 20 mètres de la surface de l'eau ? Ouais, j'ai adoré et j'ai pas eu peur !

e. Tu n'es jamais parti en randonnée dans le parc du Mercantour ? Il fait froid mais c'est superbe !

f. Je suis allé au Maroc pour faire du kite-surf, il y a des beaux spots pour en faire !

▸FOCUS LANGUE ▸ p. 37

C'est… qui (qu')/C'est… que pour mettre en relief

11. Mettez les phrases en relief. Utilisez : *c'est* ou *ce sont*, *qui* ou *que*.

a. Le tourisme sportif, …la solution … convient à toutes les personnes actives et curieuses.

b. … le pilotage … m'a donné cette sensation de liberté et cette envie d'aventure.

c. Entre le surf et le surf des neiges, … le surf … je préfère.

d. … des excursions … sont proposées et accessibles à tout le monde.

12. Utilisez la mise en relief pour chaque élément.

Exemple : Le ski nautique → *Le ski nautique, c'est le sport qui vous donnera des sensations de vitesse incroyables !*

a. Le saut en parachute

b. Les excursions en montagne

c. La plongée sous-marine

d. Les activités aquatiques

e. Les sports collectifs

Leçon 5

▸FOCUS LANGUE ▸ p. 39

Le genre des noms (2)

13. Indiquez si le nom est féminin ou masculin. Choisissez l'article correct.

a. Pour participer à cet / cette **excursion**, il faut remplir un / une **fiche d'inscription**.

b. Cette semaine propose un / une **initiation** aux sports extrêmes avec, au programme, un / une **activité** pleine de surprises !

c. Le / La **randonnée** d'aujourd'hui va plaire aux grands sportifs du groupe, son / sa **durée** est de 5 heures !

d. Le / La **parachutisme** est une pratique dangereuse, il faut toujours faire attention à le / la **sécurité** des participants.

e. Venez découvrir le / la **nature** ! Nous avons un / une **mission** : vous faire vivre un / une **moment** sportif unique !

f. Faire un de nos séjours thématiques, c'est un / une **voyage** inoubliable !

Leçon 6

▸FOCUS LANGUE ▸ p. 41

Les marqueurs temporels

14. Complétez les phrases.

Exemple : Il y a 5 ans … → *Il y a 5 ans, j'ai décidé de quitter mon travail et de partir faire le tour du monde.*

a. Il y a deux ans…

b. Pendant mes études…

c. Depuis une semaine…

d. Dans 3 mois…

15. Complétez les témoignages avec les marqueurs temporels : *il y a, depuis, quand, pendant, pour, dans.*

… j'avais 10 ans, j'ai commencé à aimer un groupe de musique qui s'appelait les Take That. J'écoutais leurs chansons … des heures et j'essayais d'apprendre l'anglais avec le dictionnaire. Mon intérêt pour ce groupe a développé ma curiosité pour l'Angleterre. Alors, à l'âge de 23 ans, … 12 ans exactement, je suis allée à Manchester. Je suis tombée amoureuse de cette ville et j'y suis restée pour y faire ma vie. J'ai fait mes études à l'université de Manchester et j'y travaille comme professeur … 10 ans. C'est le bonheur !

À la fin de l'université, j'ai pris un billet d'avion à destination de New York. Je partais … 10 jours. … je suis arrivé là-bas, j'ai adoré le rythme de cette ville. J'ai beaucoup appris de mon séjour et cette expérience a changé ma façon de penser et de voir le monde. … ce voyage, je veux découvrir le reste du monde. Je dois partir … trois mois à Tokyo pour plonger dans la culture japonaise si différente ! Je pars … trois semaines, c'est une durée correcte pour me laisser le temps de visiter le pays.

Sons du français ▸ p. 41

La liaison avec les sons [z], [t] et [n]

16. 🎧 ▶110 **Écoutez les phrases. Dites si vous entendez la liaison dans la 1ʳᵉ phrase ou dans la 2ᵉ phrase.**

Exemple : Il**s** ont tout compris ! Ils sont très contents !
→ *Liaison dans la première phrase.*

EXPRESSIONS UTILES

Leçon 1

● **Imaginer une histoire**
Le quartier *[nom, ville]*
Les personnages *[un homme, une femme, un couple…]*
Amorces de phrases
Elle est montée dans… ● Il est parti à la découverte

de… ● Elles se sont assises sur… ● Ils sont arrivés devant… ● Elle s'est régalée au… ● Ils sont revenus dans la rue… ● Ils sont tombés amoureux. ● Elles se sont rencontrées rue… ● Ils se sont promenés… ● Elle s'est installée à…

Leçon 2

● **Décrire une activité touristique originale (découverte de la nature ou d'animaux sauvages)**
L'activité
[nom de l'activité ● heures de début et de fin ● choses à emporter ● condition physique des participants ● nombre et âge des participants…]
Les formules pour préciser les règles et les précautions à prendre
il faut que vous soyez prudents ● il faut que vous respectiez les précautions à prendre… → Il faut, il ne faut pas que… (ne pas se mettre à courir ● attendre calmement ● s'approcher des animaux ● jeter des détritus ● manger ou fumer près des animaux ● rester silencieux ● se déplacer doucement…)

Leçon 5

● **Décrire un voyage insolite**
Des noms
une inspiration ● un voyage ● des paysages ● un hébergement ● un mode de vie ● des traditions ● une expérience ● une expédition ● une activité ● une sensation ● une aventure ● une évasion ● un dépaysement ● une destination ● une diversité ● une découverte ● une idée…
Des verbes
partager ● être ● découvrir ● aimer ● voyager ● proposer ● fasciner ● visiter ● prendre son temps ● s'arrêter ● partir à l'aventure ● souhaiter ● entrer en contact…
Des adjectifs *(Attention ! Pensez à accorder les adjectifs au féminin et au pluriel !)*
sublime ● traditionnel ● nomade ● unique ● intense ● chouette ● classique ● génial ● véritable ● spécialisé ● sportif ● facile ● physique…

Leçon 6

● **Raconter comment vous avez réalisé un rêve d'enfance**
J'étais *[venu(e)]* pour quelques mois… ● Quelques mois après *[mon arrivée]*… ● Quand j'étais petit(e)… ● Je voulais devenir… parce que … ● J'y suis *[allé(e)]* il y a *[deux ans]*… ● J'y suis *[resté(e)]* pendant *[un an]* ● *[J'habite ici]* depuis *[deux ans]*… ● J'espère *[y retourner]* dans *[quelques mois]*…

DOSSIER 3

Leçon 1

> **FOCUS LANGUE** ▶ **p. 49**

Comprendre une offre d'emploi

1. Complétez l'offre d'emploi avec les mots suivants.

net • compétences • CV • période d'essai • recrute • brut • motivation • CDI • H/F

OFFRE D'EMPLOI

L'Alliance française d'Adélaïde (Australie) … un conseiller pédagogique (…) pour son école de français.

Conditions
– … à temps plein + 6 mois de …
– Salaire : 2 500 euros (…) soit 2 241 euros (…)

… et qualités requises
Avoir le sens du contact
Savoir travailler en équipe
Être énergique et efficace

Missions
Coordonner l'équipe enseignante
Planifier des formations
Créer des outils pédagogiques
Organiser les tests

Langues
Français (niveau B2)
Anglais obligatoire

Envoyer … et lettre de … à info@afadelaide.com
Informations sur le poste : paul.watson@afadelaide.com

Sons du français ▶ p. 49

Les sons [s] et [z]

2. 🎧 ▶111 Écoutez et répétez les mots.
a. Dites si vous entendez le son [s] dans le 1er mot ou dans le 2e mot.
b. Indiquez combien de fois vous entendez le son [s] et le son [z].

Exemple : réseaux sociaux
→ *On entend le son [s] dans le 2e mot.*
→ *On entend deux fois le son [s] et une fois le son [z].*

> **FOCUS LANGUE** ▶ **p. 49**

Décrire des compétences et qualités professionnelles

3. Lisez les définitions. Donnez le nom de la qualité/compétence.

être sérieux • être curieux • être positif • avoir l'esprit d'équipe • respecter les délais • faire preuve de logique • être autonome • être réactif • ~~avoir le sens de l'humour~~

Exemple : Je peux rire des choses, je ne suis pas toujours sérieux. → *J'ai le sens de l'humour.*

a. Je m'intéresse à tout. → …
b. Je réponds rapidement aux questions. → …
c. Je fais mon travail avec beaucoup de rigueur. → …
d. Je termine toujours mon travail à l'heure. → …
e. J'aime travailler avec les autres. → …
f. Je fais les choses de façon raisonnée. → …
g. Je sais travailler seul. → …
h. Je suis optimiste. → …

Leçon 2

> **FOCUS LANGUE** ▶ **p. 51**

Les articulateurs pour structurer le discours

4. Complétez les témoignages avec les articulateurs.
a. à la fin de • ensuite • tout d'abord • pour conclure

Bonjour, …, je me présente. Je m'appelle Enrico. Je suis brésilien et j'ai 33 ans. Je suis actuellement à la recherche d'un emploi dans le secteur de l'aérospatial. Je suis diplômé d'un master d'ingénierie spatiale que j'ai obtenu en 2013. …, j'ai été embauché par Thalès en CDD pour un an. J'y ai occupé la fonction de technicien d'essais. … mon contrat, je suis parti au Canada pour développer d'autres compétences chez ThyssenKrupp Aerospace. Je suis hautement motivé, sérieux et réactif. J'ai le sens du détail. …, je cherche un travail en France pour enrichir mon expérience professionnelle.

b. pour conclure • de plus • enfin • tout d'abord

> Je m'appelle Antonia, j'ai 27 ans, et je recherche un emploi. Je viens de finir mes études en gestion et management. Je n'ai pas d'expérience professionnelle mais j'ai d'excellentes qualités et compétences pour vous convaincre. …, j'ai un grand sens du travail en équipe : je sais motiver et encourager les personnes qui travaillent avec moi. …, je suis réactive, je peux gérer les problèmes et trouver une solution rapidement. …, j'ai un bon sens relationnel. …, j'espère pouvoir trouver une première opportunité professionnelle pour montrer mes compétences et les développer.

5. Lisez les textes. Ajoutez des articulateurs.

a. Sam a commencé à travailler à 21 ans. Il a été serveur, chef de rang et manager. Aujourd'hui, il cherche un collaborateur pour ouvrir un restaurant.

b. Sonia a obtenu une licence d'anglais et d'italien. Elle a continué avec un diplôme de traductrice trilingue. Elle souhaite faire un travail qui réunit ces trois langues en France ou en Europe.

Leçon 3

> FOCUS LANGUE ▸ p. 53

Les adverbes pour donner une précision

6. Trouvez les adverbes puis transformez les phrases.

intelligent → intelligemment

a. difficile

b. énergique

c. sérieux

d. attentif

e. patient

f. courant

Exemple : Elle fait son travail avec beaucoup d'intelligence. → *Elle fait son travail intelligemment.*

1. Il a obtenu son diplôme avec difficulté.
2. Nous menons notre mission avec beaucoup d'énergie.
3. Vous cherchez du travail avec sérieux.
4. J'écoute les instructions de mon chef avec attention.
5. Tu attends avec patience ton deuxième entretien d'embauche.
6. Nos employés parlent le français de manière courante.

Leçon 4

> FOCUS LANGUE ▸ p. 55

L'hypothèse avec *si* pour donner des conseils et indiquer une conséquence

7. Transformez les phrases. Proposez une autre structure.

Exemple : Si vous avez besoin de prendre un jour de congé, <u>discutez</u> avec votre directeur. → *Si vous avez besoin de prendre un jour de congé,* **il faut discuter** *avec votre directeur/***vous devez discuter** *avec votre directeur.*

a. Si vos diplômes ont besoin d'être traduits en français, faites appel aux services d'une institution officielle.
b. Si vous souhaitez trouver un emploi dans une entreprise, il faut obtenir un niveau de langue B1.
c. Si votre profil professionnel doit être plus visible et accessible, inscrivez-vous sur le réseau Internet Linkedin.
d. Si tu as envie d'évoluer, il faut développer tes compétences grâce à une formation professionnelle.
e. Si vous voulez obtenir des entretiens d'embauche rapidement, présentez-vous directement aux entreprises.
f. Si tu désires réussir ton entretien d'embauche, tu dois rester modeste.

Leçon 5

>FOCUS LANGUE ▶ p. 57

Parler de ses études et de son parcours professionnel

8. Associez les phrases qui ont le même sens.

a. J'ai obtenu mon diplôme.

b. J'ai suivi un cursus universitaire.

c. J'ai fait une demande d'inscription.

d. J'ai déposé ma candidature pour un emploi.

e. J'ai obtenu un emploi.

f. J'ai obtenu un crédit universitaire.

1. J'ai eu un travail.

2. J'ai eu des points européens pour un cours à l'université.

3. J'ai contacté l'université pour y étudier.

4. J'ai reçu une certification universitaire.

5. J'ai étudié à l'université.

6. J'ai envoyé mon CV et ma lettre de motivation.

Sons du français ▶ p. 57

La dénasalisation

9. 🎧 ₁₁₂ Écoutez et répétez les phrases. Repérez un mot dit au masculin et au féminin. Dites si vous entendez le masculin en 1ʳᵉ ou en 2ᵉ position.

Exemple : Mon <u>voisin</u> et ma <u>voisine</u> sont charmants.
→ *le masculin est en 1ʳᵉ position*

>FOCUS LANGUE ▶ p. 57

Le plus-que-parfait pour raconter des événements passés

10. Conjuguez les verbes au plus-que-parfait.

a. Quand j'ai passé mon entretien d'embauche, j'étais à l'aise car je (se préparer) aux différentes questions.

b. Son profil était intéressant pour les recruteurs car elle (occuper) le même poste pendant deux ans dans une autre entreprise.

c. Avant d'accepter ce travail l'année dernière, je (avoir) une proposition presque aussi intéressante.

d. Elle a préféré téléphoner à l'entreprise pour convenir d'un rendez-vous car elle (envoyer) une dizaine de courriels restés sans réponse.

e. Lorsqu'il est parti en mission à Santiago, il (déjà travailler) au Chili une première fois.

f. Le directeur de l'entreprise m'a engagé car j'étais le seul candidat qui (se renseigner) sur l'entreprise.

11. Repérez les actions (action passée et action antérieure) et conjuguez les verbes au passé composé et au plus-que-parfait.

Exemple : Je (obtenir) cet entretien d'embauche car je (poser) ma candidature. → *J'ai obtenu (action passée) cet entretien d'embauche car j'avais posé (action antérieure) ma candidature.*

a. Le recruteur (téléphoner) à mon ancien employeur car je (présenter) sa lettre de recommandation avec ma candidature.

b. Le directeur me (demander) si je (aller) à l'étranger pour des missions professionnelles.

c. Tu (ne pas avoir) d'entretiens depuis longtemps car tu (rester) dans la même entreprise pendant des années.

d. Je (postuler) dans cette entreprise car mes amis me (recommander) le poste.

Leçon 6

>FOCUS LANGUE ▶ p. 58

Poser des questions en situation formelle

12. Transformez les questions informelles en questions formelles.

a. Vous connaissez quoi de notre entreprise ?

b. Vous pourriez vous présenter, s'il vous plaît ?

c. Vous vous définissez comment ?

d. Vous aimeriez apporter quoi à notre compagnie ?

e. Vous aimez quoi dans votre profession ?

f. Pourquoi vous pourriez être le candidat idéal ?

>FOCUS LANGUE ▶ p. 59

Les adjectifs indéfinis pour exprimer la quantité (1)

13. Complétez les témoignages avec les adjectifs indéfinis.

a. toutes • tout • plusieurs • toute • quelques

« Dans ma famille, réussir est une obligation car … le monde occupe un poste à responsabilités. À l'école, je devais obtenir de bons résultats mais j'étais nul dans … les matières ! … professeurs pensaient que je ne pourrais jamais réussir. Mais je ne les ai pas écoutés. J'ai avancé et j'ai rencontré … personnes qui m'ont inspiré. Il n'y en a pas eu beaucoup mais cela a suffi pour me faire devenir l'homme que je suis aujourd'hui : un entrepreneur en télécommunications admiré par … sa famille. »

b. tout • toute • plusieurs

« J'ai toujours pensé qu'on ne pouvait pas faire le même métier … sa vie. Il y a trop de choses intéressantes à découvrir dans ce monde ! Moi, par exemple, j'aimerais être boulanger et avocat. J'essaie d'apprendre et de faire … choses en même temps. Actuellement, je travaille dans une banque comme conseiller et je suis une formation pour devenir plombier. … me passionne ! Mes amis pensent que je ne suis pas assez responsable mais la vie est trop courte ! »

Sons du français ▸ p. 59

La prononciation de *tout* et *tous*

14. a. Lisez ces groupes de mots.
Exemple : *Tous les jours.* → *On prononce [tu].*
1. Tout va bien. – 2. Tout est parfait.
3. Tous m'écoutent. – 4. Tous vos rêves.
5. Tout le monde. – 6. Tout à fait.
7. Tous mes amis. – 8. Tous sont partis.
🎧▸113 **b. Écoutez pour vérifier.**

c. À deux, trouvez d'autres exemples et prononcez-les.

EXPRESSIONS UTILES

Leçon 1

● **Rédiger une offre d'emploi**
Le lieu de travail
un pays • une ville • une institution…
Le sexe de la personne recherchée
homme (H) • femme (F)
Le type de contrat
un CDD *[durée]* renouvelable ou non • un CDI • une période d'essai *[durée]*
Les missions à effectuer
accueillir un public • gérer un budget • vendre des cours et des examens…
Les qualités requises
avoir le sens des responsabilités • avoir l'esprit d'équipe • faire preuve de rigueur • respecter les délais • être dynamique…
Les pièces à joindre à la candidature
CV • lettre de motivation…
Les langues parlées
La personne à contacter
par courrier • par mél • par téléphone…

Leçon 3

● **Proposer des services**
– Je suis actuellement étudiant(e) à l'université. Je suis d'origine …, je parle donc cette langue couramment. Je propose des cours de *[nom de la langue]*. Pour me contacter : …
– Je suis en France pour étudier le français. Je prends des cours à *[école de langue]*, mais j'ai aussi envie d'apprendre autrement. Alors, je propose gratuitement mes services pour garder vos enfants. Pour me contacter : …
– Je suis informaticien(ne) et j'aime vraiment rendre service. Je propose des petites réparations. Je peux me déplacer facilement. Mon tarif : 15 €/heure.

Leçon 4

● **Donner des conseils à un francophone qui cherche du travail dans votre pays**
– Si vous voulez trouver un emploi dans notre pays, on vous conseille de…
– Si vous voulez qu'on vous remarque, n'hésitez pas à…
– Si vous voulez trouver le job de vos rêves, il faudra…

Leçon 5

● **Parler de son parcours**
En *[mois/année]*, j'ai obtenu… Puis j'ai étudié… Un an auparavant, j'avais fait… Je n'étais jamais allé(e)… J'avais travaillé… Je n'avais jamais organisé… Mon français s'était beaucoup amélioré… Ensuite, j'ai posé ma candidature… Cette expérience m'a beaucoup appris… En *[mois/année]*, je suis devenu(e)…

Leçon 6

● **Passer un entretien pour un stage**
Bien préparer sa présentation
Je fais des études de…
Je voudrais me spécialiser…
Je parle […] langues, …
Ce stage me permettra de …
Je suis motivé(e), dynamique…
Se renseigner sur l'entreprise
Je connais bien votre entreprise parce que…
Justifier le choix du stage
Faire un stage, c'est très…, parce que…

S'EXERCER

DOSSIER 4

Leçon 1

> **FOCUS LANGUE** ▸ p. 66

Parler d'une série

1. Complétez le texte avec les mots suivants :
scénario, série, réalisateur, acteur, épisodes, tournés, personnages.

SCOOP !

Le grand … français, **Gérard Depardieu**, est l'un des … principaux de la … *Marseille*, diffusée sur Netflix. Le producteur **Pascal Breton** s'est entouré de **Dan Franck** pour l'écriture du … et du … **Florent Emilio-Siri** pour la réalisation de la série.
La saison 1 compte huit …, tous … dans la célèbre ville du sud de la France.

> **FOCUS LANGUE** ▸ p. 67

La place de l'adverbe

2. Mettez l'adverbe à la bonne place.

a. Avec le temps, la télévision et tous les autres médias de diffusion audiovisuelle <u>ont évolué</u>. (grandement)

b. La série *Scènes de ménage* a beaucoup de succès ! Les acteurs jouent <u>bien</u>. (extrêmement)

c. Le tournage du film *Intouchables* a été <u>enrichissant</u> pour les acteurs et les réalisateurs. (profondément)

d. La promotion du film *La Môme* était <u>très</u> intense ! Beaucoup d'interviews et de déplacements ! (vraiment)

e. Le scénario de la série *Marseille* m'<u>a intéressé</u>. J'ai regardé toute la série en une fois ! (immédiatement)

f. Le réalisateur-producteur Luc Besson est <u>talentueux</u>. Le cinéma à l'international le demande. (particulièrement)

3. a. Lisez les phrases et relevez l'adverbe.

b. Indiquez si l'adverbe caractérise un verbe, un adjectif ou un autre adverbe.

Exemple : Le public est vraiment sensible à la psychologie des personnages. → *L'adverbe « vraiment » caractérise l'adjectif « sensible ».*

a. Tout le monde a beaucoup apprécié les effets spéciaux.

b. Le cinéma adaptera bientôt cette série sur le grand écran.

c. Ce succès est totalement incroyable ! C'est fou !

d. L'acteur principal est réellement très drôle, je suis fan !

e. Le sujet de la série est vraiment très original.

Leçon 2

> **FOCUS LANGUE** ▸ p. 69

Ce qui/Ce que… c'est/ce sont… pour mettre en relief

4. Choisissez la forme correcte.

a. Ce qui / que est formidable pendant la fête de la Musique, c'est / ce sont le partage entre les gens.

b. Ce qui / que les Français aiment le 21 juin, c'est / ce sont toute la variété musicale dans la rue en une seule soirée.

c. Ce qui / que fait le succès d'un bar le 21 juin, c'est / ce sont les groupes de musique.

d. Ce qui / que les Parisiens attendent avec impatience, c'est / ce sont le grand concert organisé devant la tour Eiffel.

e. Moi, ce qui / que je préfère le 21 juin, c'est / ce sont tous ces moments de fête avec mes amis.

5. Transformez les phrases.

Exemple : J'adore la fête des Voisins. → *Ce que j'adore, c'est la fête des Voisins.*

La fête des Voisins

La fête des Voisins est l'occasion de rencontrer ses voisins pour développer la convivialité. Elle permet de renforcer au quotidien les petits services entre voisins. La dernière réunion a été un formidable succès. 8,5 millions de Français y ont participé.

a. Les petits services que je rends à ma voisine me plaisent beaucoup.

b. J'apprécie particulièrement la convivialité avec mes voisins.

c. Le concept de la fête des Voisins est intéressant.

d. Le partage caractérise très bien la fête des Voisins.

e. Les rencontres entre toutes les générations sont enrichissantes.

Sons du français ▸ p. 69

Le son [r]

6. 🎧114 **a. Écoutez et répétez les phrases le plus vite possible.**

1. Les acteurs de cette série sont incroyablement drôles !

2. J'apprécie le rire de Marie qui partage mon appartement depuis mars.

3. La prochaine réunion pour organiser la fête, ce sera mercredi soir !

4. Faire du bruit dans la rue, c'est rarement autorisé ! Seulement le 21 juin !

5. Paris restera toujours Paris, avec ou sans son métro !

6. C'est trop tard ! Vraiment trop tard ! C'est vraiment trop tard !

b. Enregistrez-vous. Écoutez-vous et auto-évaluez-vous.

Dans ma production, je prononce bien le son [r] :
oui / non / parfois.

Leçon 3

⟩ FOCUS LANGUE ▸ p. 70

Les pronoms interrogatifs (*lequel, laquelle, lesquels, lesquelles*) pour demander une information ou une précision

7. Lisez les questions et associez-les avec le pronom interrogatif correct.

1. Si oui, lequel ?   3. Si oui, lesquels ?

2. Si oui, laquelle ?   4. Si oui, lesquelles ?

Les Français et les loisirs

a Pratiquez-vous un sport pendant votre temps libre ?

b Avez-vous des préférences musicales ?

c Avez-vous des loisirs ?

d Avez-vous une activité préférée ?

e Avez-vous vu un film au cinéma récemment ?

f Aimez-vous la gastronomie ?

8. Précisez votre demande avec un pronom interrogatif.

Exemple : Lecture papier ou lecture numérique ?
→ *Laquelle vous préférez ?*

a. Musique internationale ou variété française ?

b. Film de science-fiction ou policier ?

c. Théâtre classique ou comique ?

d. Littérature biographique ou historique ?

e. Ballet ou opéra ?

f. Sport collectif ou individuel ?

⟩ FOCUS LANGUE ▸ p. 71

**Présenter les résultats d'une enquête
Exprimer un pourcentage
Décrire une classe d'âge, une tranche d'âge.**

9. Lisez les statistiques et présentez l'enquête. Utilisez les expressions nécessaires.

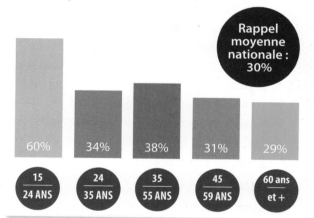

Le sport : une résolution essentielle pour les hommes en 2017

Rappel moyenne nationale : 30%

15–24 ANS	24–35 ANS	35–55 ANS	45–59 ANS	60 ans et +
60%	34%	38%	31%	29%

Leçon 4

⟩ FOCUS LANGUE ▸ p. 73

Le superlatif pour exprimer la supériorité ou l'infériorité

10. Complétez les témoignages avec les expressions du superlatif.

a. les plus (2 fois) • le plus d' • le moins • le plus

b. le meilleur • la plus (2 fois) • le mieux

Je suis russe et ce que j'aime … dans la musique française, ce sont les mélodies … simples et douces. Elles charment notre oreille parce que c'est ce style de musique qui donne … émotions, en particulier avec les paroles qui sont … belles au monde. Bien sûr, j'écoute différents chanteurs et chanteuses français, je m'intéresse au rock, mais c'est le style de musique que j'apprécie … .

La culture française est riche ! Je pense à la chanson française qui occupe ... *plus* grande place sur nos radios belges. Stromae est considéré comme ... *meilleur* chanteur mais il y en d'autres qui ont aussi beaucoup de talent. On aime la chanson française en Belgique parce que c'est celle qui est ... *plus* semblable à notre propre culture. C'est celle qui nous ressemble ... *mieux* ✗

11. Lisez les phrases et dites le contraire.

a. Édith Piaf et Jacques Brel sont les chanteurs français les plus célèbres pour représenter la chanson française.

b. C'est la culture gastronomique française que les étrangers apprécient le plus.

c. La mode française est considérée comme celle qui est la moins élégante.

d. C'est le film français *The Artist* qui a été le plus médiatisé dans le monde.

e. Victor Hugo est l'écrivain que les amoureux de littérature connaissent le moins.

f. C'est le football qui est le moins pratiqué dans le monde.

12. Répondez aux questions. Utilisez le superlatif.

a. Quel style de musique aimez-vous ?

b. Quel média utilisez-vous pour écouter de la musique ?

c. Quel chanteur/Quelle chanteuse est populaire actuellement ?

d. Quelle chanson chantez-vous souvent ?

e. Quel musique/artiste permet de découvrir la culture de votre pays ?

f. Quel artiste français connaissez-vous très bien ?

Sons du français ► p. 72

Les sons [y], [ø] et [u]

13. a. 🎧 �)115 **Écoutez les mots. Dites si vous entendez le son [y] dans le 1ᵉʳ, le 2ᵉ ou le 3ᵉ mot. Répétez.**

Exemple : deuxième – littérat**u**re – courir → *Le son [y] est dans le 2ᵉ mot.*

b. 🎧 ▶116 **Écoutez les mots. Dites si vous entendez le son [y] dans la 1ʳᵉ, la 2ᵉ ou la 3ᵉ syllabe. Répétez.**

Exemple : m**u**/si/cien → *Le son [y] est dans la 1ʳᵉ syllabe.*

Leçon 5

> **FOCUS LANGUE** ► p. 75

Les formes de l'interrogation pour poser des questions à l'écrit et à l'oral

14. Lisez les questions et classez-les.

a. Y a-t-il des personnages de BD française que vous connaissez ?

b. Vous avez déjà lu *Astérix et Obélix* ?

c. Les planches d'illustration ont-elles plu aux éditeurs ?

d. Les étrangers aiment l'humour français dans les BD ?

e. La BD française a-t-elle autant de succès que la littérature française dans le monde ?

f. Dans votre pays, vous achetez des BD françaises où ?
   – Registre familier : …
   – Registre soutenu : …

15. Transformez les questions orales en questions écrites et les questions écrites en questions orales.

a. Questions orales
   1. L'histoire de la BD est intéressante ?
   2. Les BD françaises sont diffusées où dans le monde ?
   3. L'idée de cette BD est née comment ?

b. Questions écrites
   1. Pourquoi cette BD a-t-elle autant de succès ?
   2. De quels sujets cette BD traite-t-elle ?
   3. Diffuse-t-on facilement les BD françaises dans votre pays ?

Leçon 6

> **FOCUS LANGUE** ► p. 77

Le conditionnel présent pour exprimer un souhait et donner un conseil

16. Conjuguez les verbes au conditionnel.

a. Je (rêver) de pouvoir assister à une représentation du cirque de Monte Carlo.

b. Tu ne (devoir) pas réserver tes billets trop tard.

c. Il (falloir) voir ce spectacle une fois dans sa vie, il est absolument merveilleux !

d. Nous (souhaiter) obtenir des places au premier rang pour être près des acrobates et des clowns.

e. Vous (aimer) rencontrer les artistes de la troupe après le spectacle pour mieux découvrir leur univers.

f. Elles (devoir) arriver plus tôt le jour de la représentation pour pouvoir voir les répétitions.

17. Complétez les phrases avec les verbes.
Utilisez le conditionnel présent.

falloir (2 fois) • devoir • souhaiter • désirer • vouloir

a. Mon enfant … s'inscrire dans un club de cirque pour apprendre à faire des figures comme les acrobates professionnels.

b. Il … représenter toutes les inspirations et les influences du monde dans nos spectacles.

c. Je … offrir des places de spectacle à ma fille comme cadeau d'anniversaire.

d. Vous … vérifier s'il y a des tarifs réduits pour les étudiants et les enfants.

e. Les acrobates … créer de la magie dans le regard de leur public.

f. Il … que les artistes de la troupe demandent au public de participer au spectacle en direct.

18. Proposez une phrase au conditionnel.
Donnez un conseil ou exprimez un souhait.

Exemple : Se produire sur les plus grandes scènes (souhait)
→ Ils **aimeraient** se produire sur les plus grandes scènes.
(conseil) → Il **faudrait** se produire sur les plus grandes scènes.

a. Regarder la programmation sur Internet.
b. Gagner des places gratuites pour leur spectacle.
c. Rencontrer la troupe du Cirque du Soleil.
d. Présenter son nouveau spectacle au public.
e. Aller voir le spectacle en famille.
f. Avoir une belle dédicace sur l'affiche du spectacle.
g. Travailler dur pour arriver à cette créativité.

Sons du français ► p. 77

La prononciation à l'imparfait et au conditionnel

19. 🎧 117 Écoutez les phrases à l'imparfait.
Transformez-les au conditionnel.

Exemple : Je **rêvais** de devenir une artiste. → Je **rêverais** de devenir une artiste.

EXPRESSIONS UTILES

Leçon 1

● **Présenter une série**

Cette série s'appelle… C'est une série policière / fantastique… C'est une fiction historique…

C'est une comédie… en … épisodes réalisée en…
Elle parle de… Elle raconte…
Le réalisateur est… Les comédiens sont…
Elle est réaliste / comique…
Pour nuancer
évidemment • beaucoup • également • immédiatement • vraiment • déjà • largement…
Elle est diffusée dans … pays…

Leçon 2

● **Décrire un événement culturel**

Nous allons vous parler de…
C'est un événement [adjectif]…
Ce que nous apprécions beaucoup dans cet événement, c'est…
Ce qui est vraiment [adjectif], c'est…
Ce que le public va aimer, c'est/ce sont [activités, choses à faire, à voir]…
Ce qui nous a marqué, c'est…

Leçon 5

● **S'informer sur un auteur de BD francophone**

Comment êtes-vous devenu auteur de BD ?
Qu'est-ce qui vous plaît dans votre métier ?
Quelle est la BD que vous rêvez de réaliser ?
Avez-vous un conseil pour un jeune qui rêve de faire de la BD ?
Quel est l'album qui vous a le plus marqué ?

Leçon 6

● **Exprimer des souhaits**

Notre pays, c'est :
– des images : …   – des musiques : …
– des odeurs : …   – des goûts : …
– des sons : …   – des objets : …
Nous aimerions… • Nous voudrions… •
Vous devriez… • Vous pourriez… • Il faudrait…

DOSSIER 5

Leçon 1

> **FOCUS LANGUE** ▸ p. 85

Caractériser quelqu'un

1. Associez les différents éléments pour faire des phrases.

a. Les Français, • La Française, • Le français, • La population française,

b. c'est • ce sont

c. une femme • une population • un homme • des gens

d. qui aiment avoir une certaine qualité de vie. • qui est réputée pour sa culture, son mode de vie et son éducation. • qui se montre élégante et délicate avec du caractère. • qui a de bonnes manières et qui a la réputation d'être romantique. • qui sont profondément attachés à leurs traditions et à leur pays. • qui bénéficie d'un système public critiqué mais véritablement bon par rapport aux autres.

2. Lisez les informations. Caractérisez les personnalités françaises en une phrase.

a. Zaz
chanteuse – sincère dans ses textes – fragile –appréciée par toutes les générations

b. Victor Hugo
écrivain – connu pour son livre *Les Misérables* –défenseur de l'Homme – sensible

c. Gad Elmaleh
humoriste – célèbre pour ses sketchs sur le quotidien – simple – accessible

d. Antoine Griezmann
footballeur – buteur talentueux – équipier de cœur

e. Nicole Ferroni
comédienne – chroniqueuse radio – humaine – intéressante – connue pour ses idées franches

Sons du français ▸ p. 85

Les sons [f], [v] et [b]

3. a. 🎧▸118 Écoutez les mots. Dites dans quel ordre vous entendez les consonnes [f] et [v].
Exemple : la fête – très vite → *On entend [f] puis [v].*

b. 🎧▸119 Écoutez les mots. Dites dans quel ordre vous entendez les consonnes [v] et [b].
Exemple : la vie – c'est bien → *On entend [v] puis [b].*

Leçon 2

> **FOCUS LANGUE** ▸ p. 87

Le discours indirect au présent pour rapporter des propos

4. Lisez les phrases.

a. Associez.

1. Le professeur demande à ses étudiants si…
2. L'accueil de l'école demande où…
3. L'examinateur explique que…
4. Les formateurs DELF conseillent de…
5. Les autres étudiants disent que…
6. Le professeur nous demande ce que…

a. …Leonardo habite pour remplir son inscription au DELF.
b. …certains sont inscrits pour passer le DELF.
c. …les dictionnaires sont interdits durant l'examen.
d. …nous avons pensé de l'examen DELF après l'épreuve.
e. …le DELF n'est pas trop difficile.
f. …se préparer au DELF avec un livre d'entraînement.

b. Identifiez la structure.

– Question avec mot interrogatif : …
– Question fermée (Oui/Non) : 1, …
– Question avec *Qu'est-ce que* … ? : …
– Affirmation : …
– Demande, reproche, invitation : …

5. Mettez les phrases au discours indirect présent. Faites les transformations nécessaires.

a. L'examinateur me demande : « Est-ce que vous avez compris la consigne ? »

b. Les surveillants nous disent : « Préparez vos stylos et une feuille de brouillon avant l'examen. »

c. Notre professeur nous prévient : « Il y a quatre épreuves dans le DELF et il faut 50 points sur 100 pour le réussir. »

d. L'enseignant demande à la classe : « Qu'est-ce que vous ne comprenez pas dans cet exercice de préparation DELF ? »

e. Mon camarade de classe me demande : « Comment s'est passé ton examen ? »

f. La responsable des examens annonce : « Les résultats des derniers examens DELF sont arrivés ! »

6. Mettez les phrases au discours direct.

a. L'ambassade confirme que le DELF est indispensable pour trouver un travail en France.

b. Les étudiants demandent à leur professeur s'il peut leur donner des conseils pour réussir le DELF.

c. Anna confie qu'elle était très impressionnée pendant l'examen oral du DELF.

d. Je demande au bureau des inscriptions DELF quand le prochain examen aura lieu.

e. L'examinateur demande aux candidats DELF de présenter une carte d'identité.

f. Le professeur nous demande ce que nous souhaitons pratiquer en classe pour nous préparer à notre examen DELF.

Leçon 3

Exprimer son désaccord

7. Associez les phrases qui ont le même sens.

a. Nous ne sommes pas du même avis.

b. Ils sont en désaccord.

c. Je ne partage pas le même avis.

d. Je suis en partie d'accord.

e. Je ne suis pas du tout d'accord.

f. Je ne partage pas du tout le même avis.

1. Je suis totalement opposé(e) à ça !

2. Je n'ai pas la même opinion.

3. Je suis partiellement d'accord.

4. Ils ne sont pas d'accord.

5. Nous avons une opinion différente.

6. J'ai un avis complètement différent.

FOCUS LANGUE ▸ p. 89

Les pronoms relatifs *où* et *dont* pour donner des précisions

8. Complétez les phrases avec *où* ou *dont*.

a. Le conseiller de quartier qui représente les habitants à la mairie est vraiment celui … nous avons tous besoin.

b. Dans le quartier … j'habite, les rues sont animées.

c. Il faut que les habitants précisent à leur conseiller de quartier les aménagements … ils ont envie.

d. Il y a un parc dans le centre-ville … les familles aiment se promener.

e. Notre maire a un nouveau projet de transports … les médias locaux parlent beaucoup.

f. Nous aimerions un quartier … les gens circulent en toute sécurité.

9. Liez les deux phrases. Utilisez *dont* et *où*.

Exemple : J'aime beaucoup aller dans ce coin de la ville. On peut facilement se divertir <u>dans ce coin de la ville</u>.

→ *J'aime beaucoup aller dans ce coin de la ville **où** on peut facilement se divertir.*

a. Le maire a l'intention d'implanter des espaces verts. Les habitants ont besoin <u>de ces espaces verts</u>.

b. Il y a des zones dans la ville. <u>Dans ces zones</u>, il est nécessaire de développer les commerces de proximité.

c. Les conseillers de quartier vont dans la rue. Ils interrogent les passants <u>dans la rue</u> pour avoir leurs impressions.

d. Les habitants assistent à des réunions municipales. Il est possible de rencontrer le maire <u>dans ces réunions</u>.

Leçon 4

FOCUS LANGUE ▸ p. 91

Demander et donner un avis sur des relations entre des personnes

10. a. Demandez un avis sur :

1. la colocation avec des étrangers ;

2. la bise française ;

3. la culture française / les habitudes françaises.

b. Donnez votre avis sur :

4. la langue française ;

5. la vie / l'expérience dans un pays étranger ;

6. la politesse en France.

Sons du français ▸ p. 91

L'enchaînement consonantique

11. 🎧120 Écoutez les phrases. Observez comment on prononce la/les consonne(s) <u>soulignée(s)</u>.

1. La cultu<u>r</u>e danoise. / La cultu<u>r</u>e irlandaise.

2. Vo<u>tr</u>e séjour est important. / Vo<u>tr</u>e avis est important.

3. On parta<u>g</u>e notre maison. / On parta<u>g</u>e un appartement.

4. On doit fai<u>r</u>e des courses. / On doit fai<u>r</u>e un planning.

Leçon 5

FOCUS LANGUE ► p. 93

Les pronoms démonstratifs pour désigner et donner des précisions

12. Lisez les témoignages. Identifiez les pronoms démonstratifs et les éléments qu'ils remplacent.

> À l'étranger, l'amour de la France, c'est celui de sa gastronomie. Quand on voit les longues files d'attente dans les boulangeries françaises ou les commerces qui proposent des produits typiquement français, on peut mesurer l'attachement au savoir-faire gastronomique français. C'est celui du plaisir, celui des saveurs et surtout celui de la qualité. Je n'ai qu'un mot : vive la France et vive les croissants !

a

b

> J'aime aller dans l'association francophone de ma ville car c'est celle qui propose le plus d'activités. Ces activités sont assez variées : touristiques, professionnelles, culturelles. Moi, j'aime plus particulièrement celles où on peut discuter de la culture, c'est plus intéressant au niveau des échanges, car ce sont ceux qui sont les plus authentiques.

13. Reformulez les phrases. Utilisez un pronom démonstratif pour éviter les répétitions.

a. L'association où je vais propose des cafés ciné. Je vais aller au café ciné du vendredi soir.

b. Grâce au speed-dating, je rencontre beaucoup de natifs. J'aime beaucoup l'accent des natifs qui viennent du Sud.

c. La médiathèque possède une grande collection de films français. On adore les films avec Guillaume Canet.

d. Les associations francophones sont nombreuses. Je préfère les associations qui sont dirigées par des locuteurs natifs.

e. Le français, c'est une langue connue pour sa complexité. C'est aussi une langue que les gens aiment pour sa musicalité.

f. On prépare des dîners à la française dans l'association. Je suis chargé du dîner de la semaine prochaine.

FOCUS LANGUE ► p. 93

Convaincre

14. Lisez les phrases. Proposez un argument pour convaincre. Utilisez les expressions données.

a. Venez au petit déjeuner français de notre association samedi matin. Il y a du café et il y a même…

b. Dans notre association, on pratique le français. Et en plus…

c. Le français est une langue internationale, on l'utilise pour voyager, pour les vacances en France. Et ce n'est pas tout…

d. Il y a un super film français diffusé à la cinémathèque de la ville et … à ne pas manquer !

e. Découvrez la francophonie à travers des journées dédiées à un pays francophone et … . Vous ne le regretterez pas !

f. Le français, ce sont 274 millions de francophones et … . Vous vous rendez compte ?

Sons du français ► p. 93

L'intonation expressive pour convaincre

15. ▶121 Écoutez et répétez les phrases. Prononcez-les avec enthousiasme pour convaincre.

1. Notre association est formidable !
2. Venez nous rejoindre !
3. Vous êtes les bienvenus quand vous le voulez !
4. Nos équipes sont très motivées et toujours sérieuses !
5. Nous sommes prêts à agir ensemble !
6. Vous ne le regretterez pas !

Leçon 6

FOCUS LANGUE ► p. 94

Le futur proche et le passé récent (rappel)

16. Futur proche ou passé récent ? Lisez les phrases et choisissez la bonne option.

a. Je viens de / vais poser une candidature pour l'association Sauvons le reste ! Normalement, je viens de / vais recevoir une réponse à la fin du mois.

b. Eugenia vient de / va participer à un stage sur la logistique et le transport des produits alimentaires au Cambodge.

c. Nous ne savons pas encore quand nous venons de / allons créer notre association. Nous attendons la réponse de l'administration.

d. Je suis un peu sous le choc car ma meilleure amie vient de / va m'annoncer son départ pour le Venezuela.

e. Nous venons de / allons terminer notre séjour au Népal : c'était une très belle expérience humaine.

f. Leny et Jasmine viennent de / vont rentrer de leurs vacances en Tanzanie. Ils viennent de / vont y retourner pour une mission humanitaire.

▶ **FOCUS LANGUE** ▶ **p. 95**

Le présent continu pour parler d'une action en cours

17. Complétez les phrases avec le présent continu.

a. Grâce à ce programme de volontariat, je … de vivre des moments inoubliables !

b. Écoute la radio RFI ! Ils … de diffuser une publicité sur le bénévolat en Inde.

c. Nous … d'écrire un livre qui retranscrit toutes nos années de bénévolat.

d. Vous … de réfléchir à votre prochain voyage humanitaire ?

e. Tu … de te renseigner pour choisir la mission la plus intéressante pour toi.

f. Elle … de préparer tous les papiers avant son grand départ.

EXPRESSIONS UTILES

Leçon 1

- **Caractériser des personnes**

  Quelques clichés

	râleur • pessimiste • arrogant • malpoli • sale…
	éduqué • cultivé • romantique • intellectuel…

  Pour nous, les Français, ce sont les Européens qui… / ce sont des personnes que…

  Pour nous, le Français, c'est une personne qui… / c'est quelqu'un qui…

Leçon 3

- **Débattre**

  Exemples de thématiques

  les espaces publics • les lieux de rencontres • l'environnement • vivre ensemble • vie de quartier • modes de déplacement…

  D'accord, pas d'accord

  + : je suis d'accord • je suis tout à fait d'accord…

  + ou – : je suis en partie d'accord…

  – : je ne suis pas du tout d'accord • je ne partage pas ton avis • je ne suis pas de ton avis…

- **Donner des précisions**

  [une chose] dont nous avons tous besoin.

  [un lieu] où il ne se passe jamais rien.

  [des choses] dont les habitants du quartier ont envie.

  [un endroit] où il n'y a pas de transports.

Leçon 4

- **Parler des différences culturelles**

  prendre les repas en famille • faire la bise • être à l'heure • faire du sport…

- **Demander un avis**

  Que penses-tu de / que pensez-vous de… ?

  Qu'est-ce que tu penses / qu'est-ce que vous pensez de… ?

  À ton avis / À votre avis… ?

  Je peux avoir ton / votre avis sur… ?

  Quelle est ton opinion / quelle est votre opinion sur… ?

  Il y a des différences entre … et… ?

- **Donner un avis**

  Je trouve que / Nous trouvons que…

  Pour moi / Pour nous…

  À mon avis / À notre avis…

  Je crois que / Nous croyons que…

  Il me semble que / Il nous semble que…

Leçon 6

- **Rassurer**

  Je vous rassure. Il n'y a pas de problème.

  Vous êtes en sécurité.

  Je n'ai plus du tout peur. Je ne suis pas inquiet(ète).

  Ne t'inquiète pas, on va trouver une solution. Ça va s'arranger !

S'EXERCER

DOSSIER 6

Leçon 1

> FOCUS LANGUE ▸ p. 103

Les verbes pour cuisiner

1. Associez chaque verbe à sa définition.

a. mélanger
b. faire bouillir
c. rincer
d. faire cuire
e. placer
f. couper

1. transformer un aliment par le feu ou la chaleur pour le manger ;
2. utiliser l'eau pour nettoyer quelque chose ;
3. mettre à un endroit ;
4. mettre ensemble ;
5. faire monter la température à 100 °C ;
6. diviser en plusieurs morceaux.

2. Complétez les phrases avec les verbes proposés au présent.

essuyer • mélanger • nettoyer • plonger • balayer • placer • rincer

a. Nous … toujours la vaisselle à l'eau chaude.
b. Les assiettes ont été lavées avec du savon : vous pouvez les … dans l'eau pour retirer le produit et les … pour les ranger.
c. Une cuisine doit toujours être propre. Je … ma cuisine trois fois par jour.
d. Les chefs cuisinent ; les apprentis observent et … le sol.
e. Si tu … régulièrement tes ingrédients, ta préparation ne brûlera pas et ton plat sera réussi.
f. Ce sont généralement les apprentis qui … chaque produit dans les assiettes. Les chefs donnent les instructions.

Sons du français ▸ p. 103

Les sons [y], [ɥ] et [u]

3. a. 🎧▸122 **Écoutez. Dites combien de fois vous entendez**
le son [ɥ] dans ces phrases : 0, 1, 2 ou 3 fois ?

b. Lisez ces phrases.

1. On cuisine tous les produits du terroir ici.
2. Tu dois essuyer les aubergines selon mes instructions.

3. Il faut éplucher tous les légumes avant leur cuisson.
4. Tu coupes et découpes les courgettes régulièrement.
5. Tu cuis et recuis les tomates en suivant mes conseils.
6. Je préfère cuisiner avec lui pour apprendre des techniques.

Leçon 2

> FOCUS LANGUE ▸ p. 105

Les verbes prépositionnels pour donner des instructions

4. Complétez les verbes avec la préposition *à* ou *de/d'*.

a. « Quand je cuisine, j'évite … mettre trop de sel car ce n'est pas bon pour la santé. Je fais attention … tous les produits que j'utilise pour être sûr(e) de la bonne qualité des repas. C'est important de penser … garder une alimentation saine et bonne ! »

b. « J'adore cuisiner et manger. Déguster un bon petit plat, c'est un vrai plaisir ! Mais j'essaye … ne pas manger trop gras et je cherche toujours … surprendre ma femme et mes enfants avec de nouvelles saveurs. Je réussis souvent … leur faire aimer des choses qu'ils n'aiment pas d'habitude. »

c. « Je suis une vraie catastrophe culinaire ! Mes plats n'ont pas beaucoup de goût car j'oublie régulièrement … ajouter du sel et du poivre. Je viens … acheter une nouvelle machine qui sert … préparer des plats à ma place. C'est incroyable ça, non ? »

> FOCUS LANGUE ▸ p. 105

Les verbes d'action pour cuisiner

5. Complétez les recettes avec les verbes proposés.

a. couper (2 fois) • faire dorer • éplucher • ajouter • mélanger

La daube niçoise

1. … les carottes et les oignons. Bien enlever la peau.
2. Les … finement.
3. Mettre les oignons dans la poêle bien chaude, puis … les carottes, du sel, du poivre et des herbes de Provence.
4. … la viande de bœuf et … la viande avec les carottes et les oignons. … la préparation.
5. Baissez le feu et laisser cuire doucement quelques heures. Un vrai délice !

b. faire chauffer • couper (2 fois) • faire cuire • rincer • ajouter • mélanger

Les farcis niçois

1. … les légumes ; ils doivent être propres.
2. … les légumes en deux.
3. … la viande et … la viande avec un œuf et des herbes aromatiques. … du sel et du poivre, essentiels pour le goût. Ne pas oublier les oignons et l'ail !
4. … la préparation de viande puis la mettre dans chaque moitié de légume.
5. … 30 minutes.

Leçon 3

❭ FOCUS LANGUE ▸ p. 107

Si + imparfait pour faire une proposition ou inciter à agir

6. Faites une proposition pour chaque situation. Utilisez *si* + imparfait.

Exemple : J'ai un vieux fauteuil tout abîmé.
→ *Et si tu achetais un nouveau fauteuil ?*
a. J'aimerais bien savoir réparer les meubles.
b. Gilles s'intéresse au bricolage.
c. J'adore rencontrer des gens et apprendre des nouvelles choses.
d. Je veux trouver quelqu'un pour recoudre mes vêtements.
e. J'ai envie de recycler ma table et la rendre plus moderne.

❭ FOCUS LANGUE ▸ p. 107

Les pronoms indéfinis pour désigner une personne, une chose ou un lieu

7. Complétez les phrases avec : *quelque part, rien* (2 fois), *personne, partout, quelque chose*.

a. Dans les Repair Cafés, tous les objets ont une seconde vie, … n'est jeté à la poubelle.
b. … ne vient les mains vides dans un Repair Café, tout le monde apporte … à réparer.
c. Je dois apporter ma lampe … pour la remettre à neuf mais j'ai oublié l'adresse.
d. Tony ne connaît … au bricolage, c'est pour ça qu'il va dans un Repair Café !
e. Si tu veux trouver un Repair Café, ce n'est pas un problème, il y en a … dans la ville !

Sons du français ▸ p. 107

Le rythme et l'intonation de la question hypothétique (*si* + imparfait… ?) pour inciter à agir

8. 🎧 ◀123 Écoutez. Dites si vous entendez une phrase interrogative ou exclamative. Observez la différence d'intonation et répétez les phrases.

Exemple : Et si on faisait quelque chose demain ?
→ *On entend une phrase interrogative.*
Si on faisait quelque chose, ce serait super !
→ *On entend une phrase exclamative.*
1. Et si tu prenais plus de temps pour toi ?
2. Si tu venais demain, je serais ravie !
3. Si tu allais sur mon blog pour voir mes infos ?
4. Et si tu participais à une action bénévole ?
5. Si tu voulais vraiment, tu viendrais avec moi !
6. Si tu faisais réparer tes vieux objets, ce serait utile !

Leçon 4

❭ FOCUS LANGUE ▸ p. 109

L'accord du participe passé avec le verbe *avoir*

9. Accordez les participes passés si nécessaire.

❝ Je ne pensais pas qu'il était possible [a] de trouver le jouet Sophie la girafe dans un autre pays que la France. C'est amusant d'imaginer que des Américains l'ont **acheté**, que des Italiens l'ont déjà **vu** dans les rayons de leurs magasins ou que leurs enfants l'ont **eu** comme cadeau et l'ont **gardé**. Moi, j'en avais deux et je les ai **conservé** en souvenir. ❞

❝ Pour moi, l'objet made in France [b] le plus vendu, c'est le stylo BIC. Chaque fois que j'ai **voyagé** à l'étranger, je l'ai **trouvé**. C'est l'indispensable des bureaux et des écoles ! Du bleu au rouge, on les a tous **utilisé** ! Ces stylos, on les a tous **connu** et on les a tous **acheté** au moins une fois. La marque a **diversifié** ses modèles. Elle les a **proposé** dans le monde entier mais le meilleur, c'est le BIC bleu basique ! ❞

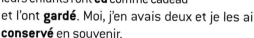

10. Transformez les phrases. Faites attention à l'accord du participe passé avec le verbe *avoir*.

Exemple : Seb est une marque française d'électroménager qui a séduit les étrangers. Ils ont adopté cette marque dans leur foyer. → *Ils l'ont adoptée dans leur foyer.*

a. La marque française Michel et Augustin a proposé ses cookies à New York : tout le monde a adoré leurs cookies.

b. Airbus a annoncé deux nouveaux modèles d'avion. Beaucoup de pays ont déjà commandé ces nouveaux modèles.

c. Le nouveau parfum Chanel est arrivé ! De nombreuses femmes ont acheté ce nouveau parfum.

d. Sophie la girafe, objet préféré des bébés français, a conquis les pays étrangers. Sophie a charmé ces pays.

e. Les automobiles Peugeot sont bien présentes en Europe. Les Européens ont élu ces autos comme les meilleures.

Leçon 5

FOCUS LANGUE ▸ p. 111

Les pronoms possessifs pour exprimer la possession

11. Relevez l'élément remplacé par le pronom possessif.

a. Ma meilleure amie a eu un nouveau parfum pour son anniversaire. J'aimerais bien acheter le même que le sien.

b. Je préfère ma crème hydratante à la tienne parce que je la trouve plus douce.

c. Nolan et Camilla utilisent le même savon que le nôtre, il n'y a pas de différence entre les enfants et les parents.

d. Rogé Gallet propose des produits cosmétiques fantastiques. J'aime acheter les leurs.

e. Ma fille adore mes soins du visage. Elle utilise toujours les miens, jamais les siens.

f. Mon huile de massage est super mais la vôtre est exceptionnelle. Quel est son nom déjà ?

12. Répondez à ces questions. Utilisez un pronom possessif pour éviter la répétition.

Exemple : Mon lait hydratant sent très bon. Et le tien ?
→ *Le mien a aussi un parfum très agréable.*

a. Ma meilleure amie a une excellente huile pour le corps ? Et toi ?

b. Les enfants utilisent un gel douche très hydratant et 100 % naturel. Et vous ?

c. Tous mes cosmétiques viennent de chez Sephora. Et les vôtres ?

d. J'utilise un gommage qui est à base de fruits. Et toi ?

e. Notre savon est sans paraben. Et le vôtre ?

Sons du français ▸ p. 111

Les sons [ʃ] et [ʒ]

13. a. 🎧♫124 Écoutez. Dites si vous entendez deux fois le son [ʃ], deux fois le son [ʒ] ou les deux sons.

Exemple : un message urgent → on entend deux fois le son [ʒ]

b. Répétez les mots.

Leçon 6

FOCUS LANGUE ▸ p. 113

Indiquer la chronologie dans une suite de faits et d'actions

14. Lisez les phrases. Inversez l'évocation des actions. Utilisez *avant de* et *après*.

Exemple : Avant de commencer à acheter des meubles vintage, j'achetais des vêtements vintage.
→ *Après avoir acheté des vêtements vintage, j'ai commencé à acheter des meubles vintage.*

a. Avant d'être un tabouret, j'étais une chaise.

b. Après avoir fait le tour du marché aux puces, il a trouvé l'objet rare qu'il cherchait.

c. Avant de proposer ce fauteuil à la vente, on doit le nettoyer.

d. J'ai développé ma passion du vintage après avoir été dans un vide-grenier.

e. Je me suis renseigné sur la valeur de chaque objet avant de les vendre.

FOCUS LANGUE ▸ p. 113

Les marqueurs temporels (2) pour situer des événements dans le temps

15. Complétez les phrases avec les marqueurs temporels proposés. Respectez la chronologie.

a. après • en • depuis • c'est en 1981 que

Bonjour, je suis né … 1978. J'ai d'abord été le fauteuil d'une petite fille et de sa maman pour lire des histoires le soir. … j'ai déménagé dans une autre maison avec de nouveaux meubles. … le déménagement, tout a changé. Il n'y avait plus de place pour moi alors ils m'ont laissé dans une brocante. J'y suis resté quelques années. Je suis devenu le fauteuil sur lequel un vieux monsieur s'assoit tous les jours … 30 ans aujourd'hui.

b. dans les années 1980 •
à l'âge de • un an plus tard •
puis • en

… 3 mois, je suis partie avec d'autres chaises pour accompagner une table de salon. … , j'ai été blessée : mon pied avant gauche était cassé ! Heureusement, j'ai été soignée ! … le temps a passé. … , j'étais à la mode mais … 2017, je suis vintage !

EXPRESSIONS UTILES

Leçon 1

- **Comprendre des tâches et des instructions**
  Exemples pour préparer un plat :
  Les verbes d'action : nettoyer • laver • éplucher • découper les légumes • mélanger • faire cuire • faire bouillir • plonger • rincer • cuire • essuyer • placer
  Les ingrédients : les aubergines • les courgettes • les poivrons • les tomates
  Les ustensiles : un saladier • une casserole • un plat • un couteau
  Les instructions : vous nettoyez et vous épluchez les …, vous les mélangez dans un saladier. Vous les

faites cuire dans une grande casserole d'eau…
Autres thèmes : faire la vaisselle • nettoyer la cuisine • ranger la maison…

Leçon 2

- **Rédiger une recette de cuisine**
  – Pour combien de personnes
  Les ingrédients
  viande • poisson • légume • matières grasses • assaisonnement
  Le mode de cuisson
  wok • tajine • plancha
  Les ustensiles
  une cuillère (à soupe, à café) • une poêle • une spatule en bois
  Les conseils pour réussir le plat
  faire attention à • éviter de • penser à • chercher à • commencer par • recommencer à • ne pas oublier de…
  Les verbes d'action
  faire chauffer • couper en morceaux • faire revenir • saler • poivrer • ajouter (à) • mettre / remettre • faire dorer • remuer • faire réchauffer • servir

Leçon 4

- **Évoquer une réussite (un succès)**
  Il/Elle les a commandé(e)s chez…
  C'est le/la [nom du produit] que [nom de l'institution] a choisi(e)
  Ils l'ont immédiatement adopté(e)
  Ils l'ont adoré(e) / Ils les ont adoré(e)s
  Le/la [nom du produit] a cartonné
  Ils l'ont bien compris !
  Les produits qui ont bien marché…
  Ils l'ont énormément acheté(e)

Leçon 6

- **Raconter une suite d'actions**
  – Date de naissance
  – Récit de l'enfance
  – Début de l'âge adulte
  – Pendant l'âge adulte [description de ce qui se passait, changements dans la vie de l'objet]
  – En fin de vie
  je suis né en • dans les années • en • la même année • à l'âge de • deux ans plus tard • après • puis • 20 ans ont passé • depuis • désormais

S'EXERCER

DOSSIER 7

Leçon 1

FOCUS LANGUE ▶ p. 121

Le passé composé, l'imparfait, le plus-que-parfait pour construire un récit au passé

1. Conjuguez les verbes aux temps indiqués : **passé composé, imparfait, plus-que-parfait.**

> « La France (inspirer) ma vie : mes études, ma famille, ma carrière ! Je (habiter) à Paris quand je (être) étudiante. J' (donner naissance) à mes enfants en France. J' (présider) le festival de Cannes en 2010. Je suis bien plus française qu'anglaise, cela (devenir) une certitude que je (sentir) depuis le début de mon aventure en France. Je (ne jamais imaginer) l'affection qu'un pays et une langue (pouvoir) offrir ! »
> **Kristin Scott Thomas, actrice**
>
> a

> « Parler français, ça (changer) ma vie. Je (aller) au lycée français de Los Angeles. Ma famille (être) francophile et (chercher) le prestige de l'éducation française. Avant de doubler mes films en français, je (chanter) aux côtés de Serge Gainsbourg. Je (ne jamais avoir) une expérience comme celle-là auparavant. Je (apprendre) le français mais je (ne jamais l'utiliser) de cette façon. Ce (être) incroyable ! »
> **Jodie Foster, actrice**
>
> b

2. Conjuguez les verbes. Choisissez le passé composé, l'imparfait ou le plus-que-parfait.

a. Je (être) surprise d'apprendre que Nancy Huston (être) canadienne et non pas française.

b. Miguel (acheter) le livre de Tahar Ben Jelloun que je lui (recommander). Il le (adorer).

c. Dans ses livres, Léopold Sédar Senghor (savoir) utiliser la poésie pour exprimer les émotions qu'il (ressentir).

d. Ce nouvel écrivain francophone (trouver) dans la langue française des nuances lexicales qu'il (ne jamais connaître) dans d'autres langues.

e. Je (ne jamais s'intéresser) à la littérature francophone avant de lire Aimé Césaire. Ça (être) une belle révélation !

Leçon 2

FOCUS LANGUE ▶ p. 123

Quelques structures pour indiquer un moment précis et une durée dans le temps

4. Complétez les phrases avec : *à partir du moment où, pendant, jusqu'au moment où, le jour où, à l'époque, jusqu'à présent.*

a. … j'ai su que je partais travailler à Bruxelles, j'ai décidé d'apprendre le français.

b. Je trouvais la langue française particulièrement difficile … j'ai rencontré un professeur qui a rendu son apprentissage beaucoup plus facile.

c. … , le français était surtout une langue littéraire. Elle est devenue plus pratique avec la création de l'Europe.

d. … vous travaillez à l'international, le français est une langue très demandée parallèlement à l'anglais.

e. J'avais un correspondant français à Toulouse qui m'a aidé à pratiquer le français … ma scolarité.

f. … , je ne pouvais pas dire un mot en français mais avec les cours particuliers que j'ai pris, ça va mieux !

5. Associez les phrases.

a. Avant, je ne connaissais pas un mot de français.

b. J'ai voulu apprendre le français

c. Pendant mon entretien d'embauche,

d. Le jour où je suis entré au lycée français de ma ville,

e. Au début de ma carrière professionnelle, l'anglais suffisait

f. Jusqu'à présent, je n'utilisais jamais le français

1. j'étais complètement perdu, le système éducatif était très différent.

2. Désormais, je suis quasiment bilingue.

3. mais ma mission en Afrique m'a obligé à le pratiquer.

4. à partir du moment où j'ai compris son utilité.

5. j'ai appris que le français est une des exigences de l'entreprise.

6. mais le français est vite devenu indispensable avec certains clients.

Sons du français ▶ p. 123

Les voyelles [u] et /O/

3. 🎧 125 Écoutez. Dites si vous entendez la voyelle [ɔ] en 1ʳᵉ ou en 2ᵉ position. Répétez les mots.

Exemple : *une info / il informe* → Le son [ɔ] est en 2ᵉ position.

180 cent quatre-vingt

Leçon 3

> FOCUS LANGUE ▸ p. 125

Les prépositions et les marqueurs temporels pour situer dans le temps (synthèse)

6. **Choisissez l'expression de temps correcte.**

a. Adolescent, je devais travailler avec mon père pendant / dans les vacances.

b. Jusqu'à présent / Depuis que j'ai quitté mon pays pour la France, j'ai eu de la chance.

c. J'ai goûté à la liberté en / pour 1964 quand j'ai eu 18 ans.

d. Dès que / Pendant je suis sorti de l'université, j'ai trouvé un travail.

e. J'avais prévu de partir en / pour une semaine mais le voyage s'est transformé en tour du monde.

f. Beaucoup de choses ont changé en / à partir des années 1960.

7. **Lisez les phrases et trouvez une suite logique. Utilisez :** *jusqu'à, jusqu'au moment où, en, depuis que, pendant, désormais, à l'époque, pour, à partir de, le jour où.*

Exemple : La télévision était en noir et blanc…
→ *jusqu'en 1967.* → *de sa création à 1967.*

a. Enfant, je croyais au Père Noël…

b. J'achetais des gâteaux à la boulangerie du coin…

c. J'adorais aller au cinéma…

d. Internet n'existait pas…

e. J'ai travaillé à l'usine…

f. J'avais oublié ma maison d'enfance…

Sons du français ▸ p. 125

Les sons [k], [g] et [z]

8. 🎧 N126 **Écoutez la prononciation des lettres surlignées. Notez le son que vous n'entendez pas. Répétez les phrases.**

Exemple : Le sujet du jour concerne les accords d'entreprise. → *on n'entend pas le son [g]*

a. Il est urgent de s'engager dans un projet.

b. On espère recueillir beaucoup de candidatures pour ce programme.

c. Mon entourage proche a organisé une superbe fête intergénérationnelle.

d. Un groupe de parole a été créé pour expliquer le vécu des anciens.

e. À l'époque de mes parents, les jeunes commençaient à travailler tôt.

f. En général, le sujet de discussion préféré de Coline est l'école d'aujourd'hui.

Leçon 4

> FOCUS LANGUE ▸ p. 126

La cause et la conséquence pour justifier un engagement (1)

9. **Relevez l'expression de la cause et de la conséquence dans chaque phrase.**

a. Avec un petit geste de tous, le monde pourra aller mieux. C'est pour ça que je suis inscrite dans une association.

b. Les Restos du Cœur est une association française très populaire qui existe grâce à l'initiative de Coluche.

c. Comme la faim est le problème planétaire prioritaire pour moi, je donne de l'argent à Action contre la faim.

d. Je suis sensible aux difficultés des enfants, alors je m'intéresse aux associations dédiées aux enfants.

e. À cause du racisme, les gens n'ont pas les mêmes opportunités que les autres.

f. Les associations lancent un appel aux gens parce qu'elles manquent de bénévoles.

> FOCUS LANGUE ▸ p. 127

La cause et la conséquence pour justifier un engagement (2)

10. **Complétez les textes avec les expressions proposées.**

a. donc • c'est pour… que • grâce à

 FONDATION NICOLAS HULOT

… apprendre aux gens le respect de la nature et de l'homme … la fondation a été créée en 1990. … son engagement international, elle aide à améliorer les comportements de l'homme dans son environnement. Le bien-être de l'homme dépend de son environnement, il est … important de faire attention à la nature.

b. comme • c'est pourquoi • alors

 PETITS PRINCES

Les enfants malades n'ont pas toujours la chance de réaliser leurs rêves, … l'association Les Petits Princes les aide à oser les rêves les plus fous ! … la maladie est un moment difficile pour un enfant, Les Petits Princes sont là pour lui donner des moments de bonheur ! Nos bénévoles suivent les enfants régulièrement, … ils créent une relation très forte.

11. Complétez librement les phrases avec : *comme, c'est pour cette raison que*, *grâce à*, *donc*, *car*, *alors*.

a. Les problèmes environnementaux sont ceux qui me touchent le plus…

b. L'animal n'est pas assez protégé, on devrait y faire beaucoup plus attention…

c. La protection de l'enfance est une priorité absolue…

d. Tout le monde a droit aux soins médicaux, la médecine est un droit naturel…

e. Manger et boire, ce sont les premières nécessités…

f. L'éducation est essentielle à tout enfant dans le monde…

Leçon 5

Quelques expressions pour formuler une critique et proposer des solutions

12. Indiquez si les phrases sont des critiques ou des solutions.

a. Malheureusement, la conscience écologique des hommes semble difficile à faire évoluer.

b. Il faudrait que chacun de nous prenne ses responsabilités pour vraiment faire une différence.

c. Chaque pays n'est pas prêt à engager les budgets nécessaires pour lutter contre la pollution.

d. Il ne faut pas qu'on reste sans rien faire face à la situation environnementale de notre planète.

e. Il faut imposer différents systèmes de taxes pour forcer les gens à comprendre l'enjeu écologique.

f. Il faut que les constructions écologiques soient encouragées pour favoriser un habitat durable et sain.

13. Formulez une critique ou proposez une solution pour chaque situation. Utilisez une expression différente à chaque fois.

Exemple : La pollution des sols
→ *Les gouvernements ne sont pas prêts à prendre des mesures plus strictes.*
→ *Il faut que les gens soient conscients et responsables. / Il faudrait créer une taxe pour les déchets.*

a. Les espèces animales en danger

b. La disparition des forêts

c. La pollution de l'eau

d. La toxicité de l'air

e. L'épuisement des ressources naturelles

f. Le changement climatique

> FOCUS LANGUE ▸ p. 129

Les prépositions (à, *de*) pour relier un adjectif à son complément

14. Choisissez la bonne préposition.

a. L'homme doit être conscient à / de la richesse de la nature et doit la préserver.

b. Se ressourcer au milieu de la nature est une chose agréable à / de faire.

c. Il faut être content à / d' avoir ce que nous avons, il faut savoir épargner la nature.

d. Tes principes écologiques sont différents à / de ceux de tes parents car tu as appris beaucoup de choses sur le changement climatique.

e. Ce n'est pas toujours facile à / de comprendre clairement les dangers et les risques écologiques.

f. Il est urgent à / de voir un changement se produire dans les consciences humaines.

Leçon 6

> FOCUS LANGUE ▸ p. 131

L'exclamation pour donner son avis

15. Associez une exclamation correcte à chaque phrase.

a. Je pense créer un groupe Facebook pour réunir tous les francophones et les francophiles.

b. Je ne trouve personne pour voir des films en français au cinéma.

c. J'ai rencontré un Français natif de Nantes, on pratique la langue ensemble.

d. Aucune communauté francophone ou francophile n'existe autour de moi.

e. J'ai réussi à rassembler plus de 500 francophones sur mon groupe Facebook.

f. Je suis parvenu à m'exprimer clairement en français !

1. C'est dommage !   4. C'est vraiment dommage !
2. Quel succès !   5. C'est formidable !
3. Excellente idée !   6. Bravo !

Les locutions adverbiales pour justifier son avis

16. Lisez les phrases. Complétez l'avis positif et négatif. Utilisez les locutions adverbiales pour justifier votre avis.

a. On aimerait créer un partenariat avec les écoles de français pour organiser des événements sociaux.
– C'est dommage ! … / – C'est formidable ! …

b. Je suis en train de négocier la diffusion d'un film français une fois par semaine à la cinémathèque de la ville.
   – Bravo ! … / – Bof ! …

c. On va peut-être organiser un voyage en France !
   – Génial ! / – Ce n'est pas possible ! …

d. J'ai l'intention de créer un club de lecture en français.
   – Mauvaise idée ! … / – Super ! …

Sons du français ▸ p. 131

L'intonation expressive dans la phrase exclamative

17. 🎧))127 Observez la transformation des phrases (affirmatives • exclamatives). Écoutez et répétez.

1. C'est une idée intéressante. → Quelle bonne idée !
2. C'est une belle initiative. → Quelle belle initiative !
3. Pas d'Alliance française, c'est dommage. → C'est vraiment dommage !
4. C'est un beau succès. → Quel beau succès !
5. Je trouve cela bizarre. → C'est vraiment bizarre !
6. J'adore les réseaux sociaux. → Les réseaux sociaux, c'est génial !

EXPRESSIONS UTILES

Leçon 1

● **Présenter un écrivain francophone**
   – Nom, prénom et nationalité de l'auteur.
   – Début de sa carrière d'écrivain : Il/Elle a commencé sa carrière d'écrivain…
   – Raisons pour lesquelles il/elle a décidé d'écrire en français : Il/Elle n'avait pas imaginé d'écrire en français, mais…
   – Il/Elle avait beaucoup… avant de…
   – Rapport à la langue française (pendant l'enfance) : Quand il/elle était enfant, il/elle avait une passion pour la langue française…
   – Études en français : ce n'était pas la seule langue qu'il/elle avait apprise, mais c'était…
   – Émotions liées à la langue française : Il était plus facile pour lui/elle d'écrire en français car il/elle…

Leçon 3

● **Recueillir un témoignage**
   – Jusqu'à quand avez-vous vécu chez vos parents ? / Pendant combien d'années avez-vous vécu chez vos parents ? Jusqu'à quel âge avez-vous été

à l'école ? / De quel âge à quel âge avez-vous été à l'école ?
   – Avez-vous fait votre service militaire ? / Un service civique ? Pour quelle durée ? / Pendant combien de temps ?
   – En quelle année avez-vous commencé à travailler ? Avez-vous commencé à travailler dès que vous avez quitté l'école ?
   – Déjà retraité : que pensez-vous de la jeunesse d'aujourd'hui ? Les choses ont beaucoup changé depuis que vous avez pris votre retraite ?
   – Pas encore retraité : dans combien de temps allez-vous prendre votre retraite ?

Leçon 5

● **Réaliser une campagne de protection de la nature**
Pour critiquer
   – Les habitants de mon pays / touristes / autorités ne sont pas prêt(e)s à …
   – … n'est pas une bonne chose
   – Il ne faut pas que …
   – Malheureusement, les gens ne font pas assez attention à…

Pour encourager à protéger la nature
   – Je suis conscient de l'importance de la nature.
   – Je suis fier de la beauté de mon pays, je protège la nature.
   – Nous sommes très contents d'accueillir beaucoup de touristes, mais ils doivent être respectueux de l'environnement.
   – Mon pays est connu pour la beauté de ses paysages, respectez-les !

Leçon 6

● **Proposer des activités pour les francophones**
Pour constater
   – Nous pratiquons de moins en moins notre français parce que…
   – Il y a de moins en moins d'activités francophones dans notre ville ces dernières années, c'est vraiment dommage !
   – Il y a de plus en plus de francophones qui aimeraient se retrouver…

Pour proposer
   – Un festival de cinéma français ! Il y en a un à … . Quel succès !
   – Un cours de cuisine ! C'est une excellente idée !
   – Un apéro français deux fois par mois ! Ce serait formidable !

S'EXERCER

DOSSIER 8

Leçon 1

FOCUS LANGUE ▶ p. 139

La forme passive pour mettre en valeur un élément

1. **a.** **Indiquez si les phrases sont à la forme active ou passive.**

1. Les matchs de rugby entre la France et l'Australie sont souvent commentés.
2. Frank Provost a exporté sa marque en Australie avec succès.
3. Beaucoup de Français sont attirés par l'aventure australienne.
4. La communauté française en Australie est de 80 000 personnes environ.
5. Melbourne a de nombreuses épiceries françaises.
6. L'hôtelier français Accor mène le marché touristique en Australie.

b. **Mettez les phrases actives de l'activité a. à la forme passive et les phrases passives à la forme active.**

Exemple : Les matchs de rugby entre la France et l'Australie sont souvent commentés. (forme passive)
→ *On commente souvent les matchs de rugby entre la France et l'Australie. (forme active)*

2. **Mettez les phrases à la forme passive.**

a. Laurent Boillon a importé le pain français en Australie en 1991.
b. Les autorités demandent un VVT (Visa Vacances Travail) aux Français pour entrer en Australie.
c. L'Australie embauche des chefs français pour garantir la qualité culinaire.
d. L'Australie favorise l'entreprenariat. C'est une vraie chance pour les Français.
e. Thalès (entreprise française d'aérospatial) et le ministère de la Défense australien signeront un contrat de conception d'armement militaire aujourd'hui.
f. L'Australie a adopté l'industrie Renault.

Leçon 2

FOCUS LANGUE ▶ p. 141

La nominalisation pour mettre en avant une information

3. **a.** **Associez les verbes aux noms.**

1. acheter • 2. partir • 3. découvrir • 4. voter • 5. représenter • 6. vendre • 7. changer

a. changement • b. vote • c. représentation • d. départ • e. vente • f. découverte • g. achat

b. **Proposez un titre de journal à partir des noms.**

Exemple : *Découverte d'un nouveau pays !*

4. **Transformez les phrases verbales en phrases nominales.**

Exemple : Le gouvernement luxembourgeois a proposé un nouveau programme sur la diversité linguistique.
→ *Proposition d'un nouveau programme sur la diversité linguistique par le gouvernement luxembourgeois.*

a. Les enfants luxembourgeois apprendront le français dès l'école maternelle.
b. Le Tour de France arrive au Luxembourg en 2017.
c. L'Institut français de Luxembourg présente la pièce de théâtre *Où on va papa ?*
d. Le Luxembourg célèbre la francophonie dès la semaine prochaine avec la Semaine de la francophonie !
e. La gastronomie luxembourgeoise protège ses origines paysannes.

5. **Transformez les phrases nominales en phrases verbales.**

Exemple : Rencontre entre francophones du pays autour d'un festival de poésie. → *Les francophones du pays se rencontrent/vont se rencontrer/se sont rencontrés autour d'un festival de poésie.*

a. Élection de Miss Luxembourg le week-end prochain.
b. Diffusion du match de football entre le Luxembourg et l'Espagne ce soir.
c. Venue du président français sur le sol luxembourgeois hier.
d. Ouverture gratuite des monuments et des musées au Luxembourg à l'occasion du Museum Smile.
e. Aide de l'organisme Film Fund Luxembourg pour développer l'industrie du cinéma luxembourgeois.

Sons du français ▶ p. 141

Les sons [ø] et [œ]

6. **a.** 🎧 ▶128 **Écoutez. Dites combien de fois vous entendez le son [œ] dans ces phrases : 0, 1, 2 ou 3 fois ?**
b. **Lisez ces phrases.**

1. Seules deux langues étrangères sont pratiquées ici.
2. Samedi, il y aura très peu de chauffeurs, j'en ai peur.
3. Le facteur arrive toujours à l'heure.
4. Tous les deux ans, on peut participer à un grand jeu.
5. Les jeunes peuvent rêver d'un meilleur avenir.
6. Les lecteurs et les auditeurs participent à leur manière à l'info.

Leçon 3

▶ FOCUS LANGUE ▶ p. 143

Le gérondif pour donner des précisions

7. Conjuguez les verbes au gérondif.

a. Le gouvernement redynamisera l'économie (limiter) les taxes salariales et (favoriser) l'entreprenariat.

b. Les gens seront plus responsables (être) mieux informés et (avoir) plus conscience des enjeux écologiques de notre planète.

c. Les Français parleraient mieux les langues étrangères (apprendre) ces langues dès l'école maternelle et (pratiquer) plus avec des natifs.

d. La sécurité routière sensibilise la population (diffuser) des campagnes publicitaires « choc » dans les médias et (montrer) les images réelles des accidents les plus graves à la télévision.

e. Nous essayons d'agir pour l'environnement (économiser) l'eau et (éteindre) le matériel électrique et électronique de la maison quand nous ne l'utilisons pas.

f. Je fais attention au gaspillage (finir) mon assiette et (acheter) la nourriture au fur et à mesure.

8. Imaginez les réponses. Utilisez le gérondif.

Comment ?
a. Comment limiter la disparition de certaines espèces animales ?
b. Comment réduire la pollution de l'air ?
c. Comment motiver les jeunes générations à apprendre une langue étrangère ?
d. Comment encourager les gens à avoir une vie plus saine ?
e. Comment limiter le chômage et dynamiser l'emploi ?

Leçon 4

▶ FOCUS LANGUE ▶ p. 145

Le conditionnel (2) et quelques structures pour faire des suggestions

9. Donnez un conseil, faites une suggestion ou exprimez un souhait pour chaque sujet proposé. Utilisez le conditionnel.

Exemple : Travailler sans Internet. → *On devrait obliger les employés à ne pas utiliser Internet plus de 2 heures par jour.*

a. Encourager l'ouverture des magasins le dimanche.

b. Éviter le téléphone au volant.

c. Améliorer le service client.

d. Motiver les étrangers à apprendre le français.

e. Se protéger des ondes électromagnétiques.

Sons du français ▶ p. 145

Liaison ou enchaînement ?

10. 🎧))129 Écoutez ces phrases prononcées avec la liaison ou sans liaison. Répétez.

1. C'est une idée intéressante. C'est une idée intéressante.

2. Des personnes interrogées. Des personnes interrogées.

3. Ils ont imaginé des wagons surprise. Ils ont imaginé des wagons surprises.

4. C'est un jour comme les autres. C'est un jour comme les autres.

Leçon 5

▶ FOCUS LANGUE ▶ p. 147

Les structures pour exprimer des souhaits et des espoirs

11. Complétez les témoignages avec les formes proposées.

a. il faudrait • j'ai l'espoir de • je veux • j'aimerais

> Pour un monde meilleur, … que l'homme puisse changer car ce sont nos attitudes, nos mentalités et nos actions qui contribuent aux différents problèmes. … qu'on prenne conscience de tous les trésors que nous avons sur cette planète et que nous sommes en train de les détruire. … qu'on soit capables d'avancer dans la bonne direction pour les futures générations. … voir un monde meilleur car je sais que l'homme est capable d'accomplir de belles choses.

b. je souhaiterais • je voudrais • j'espère • il faudrait

> … que les gens soient plus responsables et mieux éduqués. … qu'ils fassent plus attention à leurs comportements dans leur environnement personnel, professionnel et public. Cela améliorerait notre citoyenneté. … que nous évoluerons ensemble. Plus personnellement, … aussi mieux m'informer pour mieux comprendre ce qui se passe dans notre monde, c'est capital pour bien agir.

12. Formulez un souhait et un espoir pour chaque sujet.

a. L'humanité

d. La technologie

b. La médecine

e. Le commerce

c. L'éducation

f. La qualité de vie

Sons du français ▸ p. 147

La prononciation des verbes au subjonctif

13. a. 🎧 ◀ 130 Écoutez ces débuts de phrases au subjonctif et répétez-les.

b. Par deux. Complétez les phrases.

1. a. J'aimerais que tu **sois**… • b. J'aimerais qu'elle **soit**… • c. J'aimerais qu'ils **soient**…
2. a. Il faudrait que j'**aie**… • b. Il faudrait que tu **aies**… • c. Il faudrait qu'elle **ait**…
3. a. Tu voudrais que je **comprenne**… • b. Je voudrais que tu **comprennes**… • c. Il voudrait qu'il **comprenne**……
4. a. J'aimerais qu'on **fasse**… • b. J'aimerais que tu **fasses**… • c. J'aimerais qu'elles **fassent**…

Leçon 6

▸ FOCUS LANGUE ▸ p. 149

Les valeurs du pronom *on*

14. Indiquez la valeur du pronom *on* (nous, les gens, quelqu'un).

a. En France, on lit Victor Hugo ou Gustave Flaubert au collège.

b. On trouve des trésors littéraires dans la littérature marocaine d'expression française.

c. Dans mon lycée, on lit les romans qu'on choisit ! Nos professeurs n'imposent rien.

d. On m'a recommandé l'écrivain marocain Edmond Amran El Maleh.

e. Avec mon mari, on a commencé deux livres de Tahar Ben Jelloun. On est enchantés !

f. On m'a donné un roman de Mohamed Choukri. C'est un superbe livre !

15. Transformez les phrases. Utilisez *on*.

a. Selon moi, les gens ne lisent pas assez. Ils préfèrent se divertir avec le numérique, c'est dommage.

b. Nous suivons la remise des prix littéraires comme le prix Goncourt ou le prix Renaudot car nous pensons que ces prix récompensent des livres de qualité.

c. Généralement, les gens choisissent un livre par rapport à sa couverture et au prix qu'il a eu. Les gens s'arrêtent à l'apparence.

d. Chez nous, nous lisons beaucoup de romans étrangers car nous adorons ça.

e. Quelqu'un m'a suggéré de lire en français. Tout le monde m'a dit aussi que c'était bien pour comprendre la culture de la langue.

f. Dans les rayons de la Fnac, une personne m'a conseillé la littérature canadienne pour changer un peu. Cette personne m'a précisé que c'était une littérature très sympa.

▸ FOCUS LANGUE ▸ p. 149

Parler d'un livre qu'on aime

16. Complétez le résumé avec les expressions proposées.

c'est un roman applaudi par la critique et le public… • l'histoire, c'est… • on trouve dans ce livre… • l'auteur a un style, une écriture… • il connaît un formidable succès…

> ### *La Liste de mes envies* de Grégoire Delacourt
>
> … celle d'une femme nommée Jocelyne. Elle n'avait rien d'extraordinaire, elle vivait simplement avec les modestes atouts que la nature lui avait donnés. Mais un ticket de Loto gagnant et tout bascule ! … un vrai sentiment d'humanité car … très authentique et simple. Aujourd'hui, … en librairie mais aussi au cinéma ! … que je recommande à tous ! Une belle idée de cadeau !

EXPRESSIONS UTILES

Leçon 1

● **Présenter un fait d'actualité**

Choisir un bon titre

Par exemple : Héroïne d'une aventure à l'autre bout du monde, la Twingo entre au Musée national d'Australie.

Sélectionner un bon sujet pour un article

Par exemple : Une belle aventure entre la France et l'Australie pour le plus grand plaisir des amoureux de l'extrême.

Préciser qui, quand, comment, où, quoi, pourquoi

Par exemple : La Twingo française / vient d'être adoptée / par le Musée national / à Canberra / parce qu'elle est l'héroïne d'une aventure à l'autre bout du monde. / Elle a été décorée par deux artistes australiens.

Apporter des informations précises

Par exemple : La Twingo a parcouru 250 000 km en Australie. • Jean Dulon s'est lancé un défi : faire le tour de l'Australie en Twingo.

Mettre l'information au début de l'article

Par exemple : La Twingo française vient d'être adoptée par le Musée national d'Australie, à Canberra.

Donner du rythme à l'article, utiliser des phrases courtes

Par exemple : La Twingo a été créée dans les années 1990 par la marque automobile Renault.

Penser à mettre en valeur les éléments avec la forme passive

Par exemple : Elle a été créée… • Un slogan avait été lancé. • Elle a été entièrement décorée.

Leçon 3

● **Réagir**

Pour

– Alors moi, je suis pour. En *[gérondif + complément]*, …

– C'est très important pour…

– Et puis en *[gérondif + complément]*, on…

– Il suffit de…

– Il faut penser à…

Contre

– Alors moi, je crois qu'on ne…

– Il faudrait déjà commencer à… en *[gérondif + complément]*

– Et puis…

– Je ne suis pas d'accord…

– Ce n'est pas en *[gérondif + complément]*, qu'on…

Leçon 4

● **Faire des suggestions**

On ferait des photos sans son téléphone !

Je suis sûre que **je pourrais** le laisser à la maison de temps en temps…

La RATP devrait créer une mélodie spécifique pour chaque station.

Il faudrait supprimer les affiches.

Certains suggèrent aussi un wagon détente et cocktails.

Cet internaute propose d'exposer des photos réalisées par les passagers.

Leçon 5

● **Exprimer des souhaits**

– Il faudrait qu'on crée …

– Nous souhaitons que des … puissent voir le jour.

– Nous voudrions que … devienne plus important(e).

– Je souhaite que … soit en bonne santé.

– Je voudrais vraiment qu'on fasse plus attention à …

– J'aimerais que … s'améliore.

– Nous voudrions que les gens comprennent …

– Je voudrais qu'il y ait moins de/plus de …

– Nous souhaitons …

● **Exprimer des espoirs**

– Nous espérons que … se rendront compte de …

– J'espère qu'on fera quelque chose pour …

– Nous avons l'espoir de …

Leçon 6

● **Présenter un livre**

– Montrer le livre en indiquant : le titre, le nom de l'auteur, le genre (BD, roman [humoristique, aventure, science-fiction, fantastique, policier]), le style (dynamique, une belle écriture…).

– Expliquer qui sont les personnages principaux, leur rôle, leurs liens. L'époque, le lieu de l'histoire. Le début de l'histoire.

– Choisir un court extrait du livre ou le résumé (4e de couverture) et le lire pour donner envie.

– Expliquer comment vous avez découvert le livre et pourquoi vous avez envie de le lire.

– Préciser ce que les gens en pensent et ce que vous en pensez.

Compréhension de l'oral 25 points

Vous allez entendre 4 enregistrements, correspondant à 4 documents différents.

Pour chaque document, vous aurez :

– 30 secondes pour lire les questions ;

– une première écoute, puis 30 secondes de pause pour commencer à répondre aux questions ;

– une seconde écoute, puis 30 secondes de pause pour compléter vos réponses.

Répondez aux questions en cochant ⊠ la bonne réponse ou en écrivant l'information demandée.

Exercice 1   5 points

🎧⏵131 **Lisez les questions. Écoutez le document puis répondez.**

Vous entendez cette annonce à la radio française.

1. Cette annonce concerne…   1 point

a   b   c

2. L'annonce parle d'un site Internet qui aide à trouver…   1 point

   a. un métier.

   b. un voyage.

   c. une association.

3. On peut regarder quel type de document sur le site internet cité dans l'annonce ?

   (Plusieurs réponses possibles, une seule attendue.)   1 point

4. Quelle est l'adresse du site Internet cité dans l'annonce ?   1 point

5. Une fois sur le site Internet cité dans l'annonce, que faut-il faire ?   1 point

a   b   c

Exercice 2   6 points

🎧⏵132 **Lisez les questions. Écoutez le document puis répondez.**

Vous écoutez ce message sur votre répondeur.

1. Qui est Mme Gelleni ?   1 point

2. Mme Gelleni vous conseille de venir avec…   1 point

a   b   c

3. Mme Gelleni vous propose la formule…　　　　　　　　　　　　1 point
　　a. petits déjeuners seulement.
　　b. petits déjeuners et déjeuners.
　　c. petits déjeuners et dîners.

4. Les petits déjeuners sont servis…　　　　　　　　　　　　　1 point
　　a. dans votre chambre.
　　b. dans un espace collectif.
　　c. à l'extérieur de votre logement.

5. Quel est le prix d'une chambre individuelle par nuit ?　　　1 point

　　.................................... euros.

6. Vous pouvez contacter Mme Gelleni au…　　　　　　　　　　1 point

　　01 ....

Exercice 3
　　　　　　　　　　　　　　　　　　　　　　　　　　　　6 points

🎧▶133　**Lisez les questions. Écoutez le document puis répondez.**
Vous écoutez cette émission à la radio française.

1. Pour se laver, ... % des Français utilisent le gel douche.　　1 point

2. En plus de laver, que fait le gel douche d'après les publicités ?
　　(Plusieurs réponses possibles, une seule attendue.)　　　　1 point

3. D'après l'émission, beaucoup de gels douche sont…　　　　　1 point
　　a. très mauvais pour la santé.
　　b. peu utilisés par les Français.
　　c. assez efficaces pour la peau.

4. D'après le journaliste, il faut faire attention…　　　　　　　1 point

5. Quel type de savon, le journaliste conseille-t-il d'utiliser ?
　　(Plusieurs réponses possibles, une seule attendue.)　　　　1 point

6. Pour obtenir plus d'informations sur les gels douche, le journaliste conseille…　　1 point
　　a. d'en parler à son médecin.
　　b. de prendre contact avec la radio.
　　c. de lire un site Internet sur la santé.

Exercice 4
　　　　　　　　　　　　　　　　　　　　　　　　　　　　8 points

🎧▶134　**Vous allez entendre 2 fois 4 dialogues, correspondant à 4 situations différentes.**
Lisez les situations. Écoutez le document puis reliez chaque dialogue à la situation correspondante.
Vous êtes en France, dans un café. Vous entendez ces conversations.

Dialogue 1 •　　　　　　　　• **a.** Donner des conseils.
Dialogue 2 •　　　　　　　　• **b.** Raconter un souvenir.
Dialogue 3 •　　　　　　　　• **c.** Parler de ses émotions.
Dialogue 4 •　　　　　　　　• **d.** Comprendre des consignes.

Compréhension des écrits 25 points

Répondez aux questions en cochant ⊠ la bonne réponse ou en écrivant l'information demandée.

Exercice 1 5 points

Vos amis sont à la recherche d'une association pour faire du bénévolat.
Voici les annonces que vous avez trouvées sur www.tousbenevoles.org.

1 Aider, à domicile, des jeunes à faire leurs devoirs pour l'école, le collège ou le lycée, quelques heures par semaine.

4 Venez tenir compagnie à des personnes âgées quelques heures par semaine. Les visites se font à domicile ou en maison de retraite.

2 De novembre à mars, aidez-nous à remplir les banques alimentaires pour distribuer ensuite la nourriture aux personnes qui en ont besoin.

5 Beaucoup de personnes ont besoin d'aide et de conseils pour remplir des papiers administratifs. Rencontrez-les deux fois par semaine.

3 Foot, basket-ball, boxe… Certains quartiers en ville ont besoin d'animateurs sportifs. Vous êtes sportif ? Rejoignez-nous !

Associez l'association qui correspond à chaque personne.

Situation n°

a. Marius est professeur d'éducation physique et sportive. …
b. Stephen est professeur de mathématiques. …
c. Luisa travaille à la mairie de son quartier. …
d. Yohann gère les réserves de produits dans un supermarché. …
e. Marinella aime beaucoup discuter avec des personnes qui ont l'âge de ses grands-parents. …

Exercice 2 6 points

Vous avez reçu cet e-mail d'une amie française.

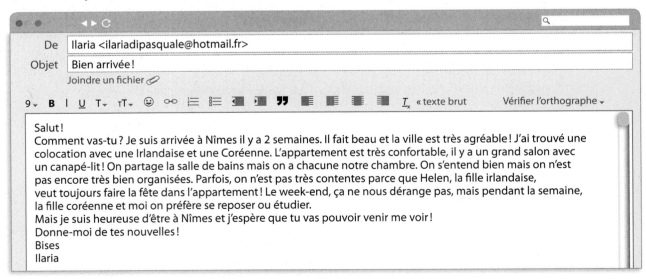

De: Ilaria <ilariadipasquale@hotmail.fr>
Objet: Bien arrivée !
Joindre un fichier

Salut !
Comment vas-tu ? Je suis arrivée à Nîmes il y a 2 semaines. Il fait beau et la ville est très agréable ! J'ai trouvé une colocation avec une Irlandaise et une Coréenne. L'appartement est très confortable, il y a un grand salon avec un canapé-lit ! On partage la salle de bains mais on a chacune notre chambre. On s'entend bien mais on n'est pas encore très bien organisées. Parfois, on n'est pas très contentes parce que Helen, la fille irlandaise, veut toujours faire la fête dans l'appartement ! Le week-end, ça ne nous dérange pas, mais pendant la semaine, la fille coréenne et moi on préfère se reposer ou étudier.
Mais je suis heureuse d'être à Nîmes et j'espère que tu vas pouvoir venir me voir !
Donne-moi de tes nouvelles !
Bises
Ilaria

1. Depuis quand Ilaria est-elle à Nîmes ? 1,5 point
2. Que pense Ilaria de son appartement ? 1,5 point

3. Dans la colocation, Ilaria…　　　　　　　　　　　　　　　　　　　　1 point
　　a. a une chambre individuelle.
　　b. dort sur le canapé-lit du salon.
　　c. partage sa chambre avec une autre fille.

4. Ilaria et ses colocataires…　　　　　　　　　　　　　　　　　　　　1 point
　　a. sont mal organisées.
　　b. ont des problèmes d'argent.
　　c. ne s'entendent pas très bien.

5. La fille irlandaise…　　　　　　　　　　　　　　　　　　　　　　　1 point
　　a. veut toujours étudier le week-end.
　　b. a besoin de se reposer pendant la semaine.
　　c. organise des fêtes dans l'appartement en semaine.

Exercice 3　　　　　　　　　　　　　　　　　　　　　　　　　　**6 points**

Vous êtes à la recherche d'un emploi en France. Vous regardez le site <u>www.pole-emploi.fr</u>.

Qui peut s'inscrire à Pôle Emploi ?

Pour s'inscrire à Pôle Emploi, il est nécessaire :
– d'être à la recherche d'un emploi ;
– d'avoir plus de 18 ans ;
– d'avoir des papiers d'identité.

Comment s'inscrire à Pôle Emploi ?

Vous pouvez vous inscrire depuis www.pole-emploi.fr. Ce service est disponible 7 J/7, 24 heures/24 et vous permet d'effectuer votre démarche d'inscription en ligne rapidement et en toute sécurité.

Pour créer votre espace professionnel :
– Allez dans la rubrique « candidat » puis répondez aux questions (cochez OUI ou NON) concernant votre situation personnelle.
– Complétez le formulaire en ligne.
– Indiquez une ou plusieurs catégorie(s) professionnelle(s) selon le métier que vous voulez faire.
– Confirmer votre inscription en cliquant sur le bouton « valider ».

Vous n'avez pas accès à Internet ?
Contacter le 39 49, un conseiller Pôle Emploi constituera votre dossier par téléphone.

1. Pour vous inscrire en ligne à Pôle Emploi vous devez présenter…　　　　1 point

a

b

c

2. À quel endroit du site devez-vous aller pour vous inscrire ? **1,5 point**

3. Pour vous inscrire, vous devez répondre à des questions sur… **1 point**
   a. votre parcours scolaire.
   b. votre vie professionnelle.
   c. votre situation personnelle.

4. Après avoir répondu aux questions en ligne, vous devez… **1 point**
   a. remplir un questionnaire.
   b. confirmer votre inscription.
   c. indiquer le métier que vous voulez faire.

5. Quel numéro de téléphone devez-vous faire pour avoir un conseiller Pôle Emploi ? **1,5 point**

Exercice 4   **8 points**

Vous lisez cet article sur un site Internet français.

http://www.lyon-visite.info

Visiter Lyon – La ville des lumières

Lyon est une ville très ancienne qui a su conserver un important patrimoine architectural tout au long de son histoire.

Commencez votre promenade le long du fleuve, le Rhône. Vous pouvez louer un vélo (le Vélo'V). Le ticket pour 24 heures est de 1,50 €. La première demi-heure est gratuite, puis ça passe à 1 € la seconde demi-heure, puis à 2 € les autres demi-heures.

Sur le côté est du fleuve, il y a une petite forêt. Vous pouvez ensuite aller au parc de la Tête d'or et faire du pédalo sur le grand lac ou aller voir des lions, des pandas roux, des singes ou des léopards, au zoo !

Du côté de l'autre fleuve, la Saône, visitez la vieille ville. Vous pouvez visiter le théâtre antique romain et le soir, assister à des concerts, pendant les Nuits de Fourvière.

Prenez la très jolie rue Saint-Jean et allez manger dans ces restaurants typiques appelés les bouchons lyonnais.

Enfin, tous les ans, au mois de décembre, Lyon fête les lumières. C'est vraiment magnifique…

1. Où est-il conseillé de commencer notre balade à Lyon ? **1,5 point**

2. Pour se promener, combien coûte la location d'un vélo la seconde demi-heure ? **1 point**
   a. 1€.
   b. 1,50€.
   c. 2€.

3. Où se trouve la petite forêt dont l'article parle ?

1,5 point

4. Vrai ou faux ? Dites si l'affirmation est vraie (V) ou fausse (F) et recopiez la phrase qui justifie votre réponse.

Il y a un zoo dans le parc de la Tête d'or. V ☐   F ☐

1,5 point

Justification : ....

5. Vrai ou faux ? Dites si l'affirmation est vraie (V) ou fausse (F) et recopiez la phrase qui justifie votre réponse.

On peut assister à des concerts dans le théâtre antique. V ☐   F ☐

1,5 point

Justification : ....

6. Dans la rue Saint-Jean on peut…
a. assister à des concerts.
b. visiter le théâtre antique.
c. manger dans des restaurants typiques.

1 point

Production écrite
25 points

Exercice 1
13 points

Vous venez de participer à un Salon des métiers. Vous écrivez à un de vos amis francophones pour lui raconter cette journée. Vous lui parlez des personnes que vous avez rencontrées, ce que vous avez découvert et vos impressions sur cette journée. (60 mots minimum)

Exercice 2
12 points

Vous avez reçu cet e-mail.

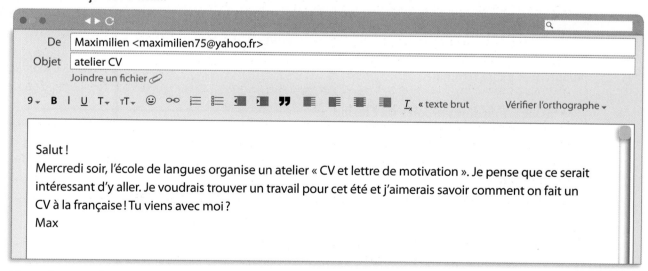

De   Maximilien <maximilien75@yahoo.fr>
Objet   atelier CV
Joindre un fichier

9 ▾ B I U T▾ ᴛT▾ ☺ ∞ ☰ ☷ ▤ ▦ ❞ ▤ ▤ ▤ ▤ *I*ₓ « texte brut   Vérifier l'orthographe ▾

Salut !
Mercredi soir, l'école de langues organise un atelier « CV et lettre de motivation ». Je pense que ce serait intéressant d'y aller. Je voudrais trouver un travail pour cet été et j'aimerais savoir comment on fait un CV à la française ! Tu viens avec moi ?
Max

Vous répondez à Maximilien. Vous refusez sa proposition. Vous lui expliquez pourquoi vous ne pouvez pas venir. Vous lui dites aussi que vous savez comment faire un CV et lui donnez quelques conseils. Vous lui proposez enfin de le rencontrer un autre jour pour lui expliquer. (60 mots minimum)

DELF A2

Cette épreuve de production orale comporte 3 parties.
Elle dure de 6 à 8 minutes. La première partie se déroule sans préparation.
Vous avez 10 minutes pour préparer les parties 2 et 3 (monologue suivi et exercice en interaction).
Les 3 parties s'enchaînent.

Exercice 1 Entretien dirigé sans préparation (1 minute 30 environ)

Après avoir salué votre examinateur, vous vous présentez (vous parlez de vous, de votre famille, de vos amis, de vos études, de vos goûts, des animaux que vous aimez, etc.). L'examinateur vous posera des questions complémentaires.

EXERCICE 2 Monologue suivi avec préparation (2 minutes environ)

Vous tirez au sort 2 sujets et vous en choisissez 1. Vous vous exprimez sur le sujet.
L'examinateur peut ensuite vous poser des questions pour vous aider.

> **SUJET 1 : Lire**
>
> Qu'est-ce que vous aimez lire (romans, magazines, BD…) ? Pourquoi ? Quelle est votre dernière lecture et de quoi s'agissait-il ?

> **SUJET 2 : Personnalité célèbre**
>
> Quelle est la personnalité que vous préférez ? Décrivez-la et expliquez pourquoi vous l'appréciez.

EXERCICE 3 Exercice en interaction avec préparation (3 ou 4 minutes environ)

Vous tirez au sort 2 sujets et vous en choisissez 1.
Vous devez simuler un dialogue avec l'examinateur afin de résoudre une situation de la vie quotidienne.
Vous montrez que vous êtes capable de saluer et d'utiliser des règles de politesse. Dans certains sujets, le genre masculin est utilisé pour alléger le texte. Vous pouvez naturellement adapter la situation en adoptant le genre féminin.

> **SUJET 1 : L'anniversaire de Florian**
>
> Vous voulez organiser l'anniversaire de Florian avec un de vos amis francophones. Vous discutez avec votre ami pour vous mettre d'accord sur le lieu, l'heure, le type de fête, le nombre de personnes à inviter, la nourriture et les boissons.

L' examinateur joue le rôle de l'ami francophone.

> **SUJET 2 : Pratiquer un nouveau sport**
>
> Vous proposez à un de vos amis francophones de pratiquer un nouveau sport. Vous vous mettez d'accord sur le type de sport, la fréquence et les jours. Vous vous organisez aussi pour votre inscription à un club de sport.

L' examinateur joue le rôle de l'ami francophone.

PRÉCIS

PRÉCIS

de phonétique – phonie-graphie

(Tableau sur *les voyelles du français*, *les principales consonnes du français* et *les semi-consonnes du français* dans le guide pédagogique)

DOSSIER 1

La prononciation du mot *plus*

🎧⏵135 **Écoutez et observez ces cinq phrases. Complétez le tableau de la règle de prononciation du mot *plus*. Répétez les phrases.**

1. Paris est la plus belle ville du monde !
2. Mais l'air de Paris est plus pollué que l'air de Royan.
3. Moi, je trouve que des vacances à Royan, c'est plus agréable que des vacances à Paris, parce qu'il y a la mer.
4. Oui, mais il y a plus de musées à Paris qu'à Royan.
5. Finalement, je préfère aller plus souvent à Paris, mais c'est mieux de vivre à Royan.

Rappel. Il y a trois possibilités pour prononcer le mot *plus* : [ply], [plys] ou [plyz].

Plus de + nom	Plus + adjectif ou adverbe qui commence par une consonne	Plus + adjectif ou adverbe qui commence par une voyelle
Le mot **plus** se prononce […] Exemple(s) : …	Le mot **plus** se prononce […] Exemple(s) : …	Le mot **plus** se prononce […] Exemple(s) : …

Les voyelles nasales [ɑ̃] et [ɛ̃]

🎧⏵136 **1. Écoutez et répétez ces mots. Recopiez les mots dans la colonne correspondante.**

~~hébergement~~ • ~~inscription~~ • campus • quotidien • longtemps • simple • vacances • sympa • européen • plein • ensemble • imprimer • remplacer • timbre • ambassade

Les graphies du son [ɑ̃]	Les graphies du son [ɛ̃]
hébergement – …	inscription – …
en – … – … – …	in – … – … – … – … – … – …

2. Que remarquez-vous après les graphies *am*, *em*, *im*, *ym* ?

🎧⏵137 **3. Écoutez ces phrases et écrivez les lettres manquantes. Répétez les phrases.**

C'est très s…ple de venir étudier … Fr…ce pour les étudi…ts europé…s parce qu'ils n'ont pas beso… de visa. Les étudi…ts d'autres pays peuvent être aidés par l'ag…ce C…pus Fr…ce ou par leur …bassade. …suite, ils pourront choisir d'…tégrer un programme universitaire ou une école d'…génieurs, par ex…ple.

DOSSIER 2

Les voyelles nasales [ɑ̃] et [ɔ̃]

🎧⏵138 **1. Observez les mots suivants. Écoutez et retrouvez les graphies des deux voyelles nasales [ɑ̃] et [ɔ̃]. Répétez les mots.**

[ɑ̃] ens**em**ble – restaur**ant** – c**am**pagne – **am**bassade
[ɔ̃] patr**on** – c**om**prendre – n**om**breux

→ Les principales graphies du son [ɑ̃] sont : **en** − ... (+ p, b) − ... − ... (+ p, b)

→ Les principales graphies du son [ɔ̃] sont : ... et ... (+ p, b)

🎧 ▶139 **2.** Écoutez ces phrases et écrivez les lettres manquantes. Répétez les phrases.

P...d...t mes prochaines vac...ces, je p...se que nous all...s voyager d...s le c...t... de Vaud ... Suisse et ... suite, nous ir...s ... Autriche. Nous voul...s vivre une expéri...ce nouvelle, r...c...trer des g...s et déguster les n...breuses spécialités de ces régi...s d'Europe que nous ne connaiss...s pas ...core bien.

La liaison avec les sons [z], [t], [n]

🎧 ▶140 **1.** Observez le phénomène de la liaison avec ces groupes de mots. Écoutez et répétez-les.

Pas de liaison	Liaison
Me**s** copains Deu**x** jours → « s » et « x » ne se prononcent pas	Me**s** amis Deu**x** ans → « s » et « x » se prononcent [z]
C'es**t** mon pays → « t » ne se prononce pas	C'es**t** un pays → « t » se prononce [t]
E**n** France U**n** mois → « n » ne se prononce pas	E**n** Estonie U**n** an → « n » se prononce [n]

🎧 ▶141 **2.** Écoutez et répétez ces phrases. Dites si on fait la liaison après le mot souligné. Répétez les phrases.

1. Il y a <u>un</u> an, j'ai voyagé <u>en</u> Écosse pendant <u>un</u> mois avec <u>des</u> copains.

2. <u>Nous</u> avons rencontré <u>des</u> Écossais <u>très</u> agréables et <u>très</u> sympas.

3. <u>Nous</u> sommes allés dans <u>des</u> villages où <u>des</u> habitants <u>nous</u> ont <u>bien</u> accueillis.

4. L'Écosse, <u>c'est un</u> pays magnifique et <u>c'est</u> vraiment comme je le pensais.

3. Choisissez une réponse pour retrouver la règle.

Quand un mot se termine par une consonne non prononcée :

→ ☐ on fait la liaison / ☐ on ne fait pas la liaison si le mot suivant commence par une consonne.

→ ☐ on fait la liaison / ☐ on ne fait pas la liaison si le mot suivant commence par une voyelle.

   (Attention ! La liaison n'est pas toujours possible.)

DOSSIER **3**

Les sons [s] et [z]

🎧 ▶142 Écoutez et répétez ces mots. Observez comment on prononce les lettres *s*, *x* et *c*.

po<u>s</u>te – <u>s</u>alaire – in<u>s</u>titut profe<u>ss</u>ion	La lettre *s* se situe au début du mot / entre une voyelle et une consonne Les lettres *ss* se situent entre deux voyelles → *s* et *ss* se prononcent [s]
ré<u>s</u>eau – organi<u>s</u>é	La lettre *s* se situe entre deux voyelles → *s* se prononce [z]

e<u>x</u>trait	Les lettres *ex* sont suivies d'une consonne → *x* se prononce [ks]

ex<u>a</u>men – leçon	Les lettres *ex* sont suivies d'une voyelle → *x* se prononce [gz]
recette – capa<u>ci</u>té français – reçu	La lettre *c* est suivie des voyelles *e* ou *i* On ajoute une cédille pour la lettre *c* suivi des voyelles *a*, *o* et *u* → *c* et *ç* se prononcent [s]
candidat – contrat curriculum – créatif	La lettre *c* est suivi des voyelles *a*, *o*, *u* ou suivi d'une consonne → *c* se prononce [k]

La dénasalisation

🎧 ▶143 **1. Observez** la prononciation de la voyelle finale et complétez la règle. Répétez les phrases.

1. Il est canad**ien**. / Elle est canad**ienne**.
2. Il est b**on**. / Elle est b**onne**.
3. mon cous**in** / ma cous**ine**
4. **un** Améric**ain** / **une** Améric**aine**

→ *ien + ne* / *on + ne* / *(a)in + e* sont des voyelles ☐ orales / ☐ nasales
→ Au masculin, la voyelle finale est ☐ nasale / ☐ pas nasale
→ Au féminin, la voyelle finale est ☐ nasale / ☐ pas nasale

🎧 ▶144 **2. Écoutez ces phrases et écrivez les lettres manquantes. Utilisez les graphies proposées. Répétez les phrases.**

1. Sim… (on / onne) est … (un / une) vois… (in / ine) améric… (ain / aine).
2. Ma cous… (in / ine) Lili… (an / ane) est canad…. (ien / ienne).
3. Le Japon est … (un / une) pays loint… (ain / aine).
4. C'est … (un / une) b… (on / onne) idée de venir la sem… (ain / aine) proch… (ain / aine).

DOSSIER 4

Le son [r]

🎧 ▶145 **1. Écoutez ces mots. Observez la prononciation de la consonne [r]. Répétez ces mots.**

1. jouer – jour – amateur – pouvoir – cœur – finir – premier
2. partout – important – autre – prochain – partager – célébrité
3. rue – rapide – récit – radio – réveil – roman – réunion

2. Choisissez la réponse pour retrouver la règle.

Quand la consonne *r* est la dernière lettre du mot,
☐ on prononce toujours [r]. / ☐ on ne prononce pas toujours [r].

Quand la consonne *r* est située à l'intérieur du mot,
☐ on prononce toujours [r]. / ☐ on ne prononce pas toujours [r].

Quand la consonne *r* est la première lettre du mot,
☐ on prononce toujours [r]. / ☐ on ne prononce pas toujours [r].

Les sons [y], [ø] et [u]

🎧 ▶146 **1. Écoutez et écrivez ces mots dans le tableau. Complétez ensuite la deuxième partie du tableau avec les différentes graphies possibles pour ces trois voyelles.**

population • peuplé • partout • culturel • mieux • zoom • vœux • groupe • concours • j'ai eu

Mots avec la voyelle [y]	Mots avec la voyelle [ø]	Mots avec la voyelle [u]
…	…	…
Graphies du son [y] : … / …	Graphies du son [ø] : … / …	Graphies du son [u] : … / …

🎧▸147 **2. Écoutez et écrivez les lettres manquantes. Utilisez les graphies trouvées dans le tableau. Répétez ce texte.**

Bienven…e s…r le t…rnage d… prochain film de L…c T…sson. Ce film raconte l'histoire fab…l…se d'…ne jeune j…rnaliste am…r…se d'un f…tballeur d… t…t petit club de Périgu…x. Ce club a … l'incroyable destin d'aller j…squ'en finale de la C…pe de France. L'équipe a perd…, mais t…t le monde a déc…vert un n…veau talent ! N…s souhaitons t…s nos v…x de ré…ssite à l'équipe d… t…rnage p…r ce film qui n…s rend h…r…x.

DOSSIER 5

Les sons [f], [v] et [b]

🎧▸148 **Écoutez ces mots et écrivez la consonne v, b, f ou les deux consonnes ph. Répétez les mots.**

1. …aire …ouloir …i…re …éné…icier …éri…ier
2. …idéo …ocus …otogra…ie portrait-ro…ot …ien…enue
3. …acile célè…re con…orta…le …oot…alleur …ormida…le

DOSSIER 6

Les sons [y], [ɥ] et [u]

🎧▸149 **Écoutez et classez les mots dans le tableau, selon le son que vous entendez. Répétez les mots.**

~~cuisiner~~ • cuisson • couper • éplucher • instructions • traduction • traduire • couteau • appuyer • produits • bouillir • régulièrement • courgette • essuyer

Le son [y]	Le son [ɥ]	Le son [u]
…	Exemple : cuisiner …	…

Le son [y] s'écrit généralement *u*.
Le son [ɥ] s'écrit généralement *ui / uy*.
Le son [u] s'écrit généralement *ou*.

Les sons [ʃ] et [ʒ]

🎧▸150 **1. Écoutez ces phrases et écrivez les lettres *ch* pour le son [ʃ] et les lettres *j* ou *g* pour le son [ʒ]. Répétez les phrases.**

1. …e vais faire un é…an…e car cette …upe et ce …emisier sont trop …ers.
2. …'ai un messa…e très ur…ent pour …eor…es, mon …entil voisin. Son …ien a man…é toutes les fleurs du …ardin de la résidence.
3. À …aque fois que …'a…ète un ob…et à offrir à …ulie, …'essaie de faire un …oix ori…inal et …ic.
4. Ma …ère sœur …er…e tou…ours les nouveaux produits de beauté à la mode et bon mar…é. L'autre …our, elle a déni…é un sè…e-…eveux …énial et un …el dou…e à la mangue.

2. Voici les graphies des sons [ʃ] et [ʒ]. Complétez le tableau avec des exemples. Complétez la phrase sous le tableau.

→ Le son [ʃ] s'écrit avec les lettres *ch*	Exemples : é**ch**ange – ...
→ Le son [ʒ] s'écrit avec les lettres *j* ou *g* suivies des voyelles *e*, *i*	Exemples : ...

Attention ! Si la lettre *g* est suivie de la voyelle ... , on prononce [g]. Exemple : ...

DOSSIER 7

Les sons [o] et [ɔ]

🎧 ▶151 **1.** Écoutez les mots et dites si vous entendez le son [o] ou le son [ɔ].

	[o]	[ɔ]
1. B**o**nne idée		✓
2. Une belle déc**o**		
3. Une cons**o**nne		
4. C'est b**eau**coup		
5. Les imp**ô**ts		
6. Elle est pr**o**che		
7. Un styl**o**		
8. Les rés**eau**x soci**au**x		
9. À l'éc**o**le		
10. Journ**au**x		

2. Choisissez une réponse pour retrouver la règle de prononciation en français standard.

• La lettre *o* suivie d'une consonne prononcée dans la même syllabe ☐ se prononce [o] / ☐ se prononce [ɔ].
• La lettre *o* située à la fin d'une syllabe ☐ se prononce [o] / ☐ se prononce [ɔ].
• Les lettres *ô*, *eau* et *au* ☐ se prononcent [o] / ☐ se prononcent [ɔ].

Les deux prononciations de la lettre g : [g] et [ʒ]

🎧 ▶152 **1.** Écoutez les mots qui contiennent la lettre *g* et dites si vous entendez le son [g] ou le son [ʒ].

	[g]	[ʒ]
1. Un beau **g**âteau	✓	
2. C'est domma**g**e		
3. Un pro**g**ramme		
4. Encoura**g**ement		
5. L'écolo**g**ie		
6. C'est ur**g**ent		
7. C'est **g**lacé		
8. Un **g**oûter		

2. Choisissez une réponse pour retrouver la règle de prononciation en français standard.

- La lettre **g** + **a, o** se prononce toujours   ☐ [g]   ☐ [ʒ]
- La lettre **g** + **une consonne** se prononce toujours   ☐ [g]   ☐ [ʒ]
- La lettre **g** + **e, i** se prononce toujours   ☐ [g]   ☐ [ʒ]

DOSSIER 8

Les sons [ø] et [œ]

🎧 ▶153 **1.** Écoutez, observez et dites si les lettres **eu** se prononcent [ø] ou [œ].

~~peu~~ • ~~peur~~ • veulent • veux • chaleur • chaleureux • chaleureuse • mieux • meilleur • peut • peuvent • heure • heureux • heureuse • ceux • seul

[ø]	[œ]
peu – …	peur – …
Les lettres **eu** situées à la fin d'une syllabe se prononcent en général [ø]	Les lettres **eu** suivies d'une consonne prononcée dans la même syllabe se prononcent en général [œ]

Attention ! Si les lettres **eu** sont suivies de la consonne **s**, on prononce [øz].

🎧 ▶154 **2.** Répétez les phrases et les mots.

1. J'en ai très **peu**. / J'en ai très **peur**.
2. Ils le **veulent**. / Il le **veut**.
3. C'est chaleu**reux**. / la chal**eur** / Elle est heu**reuse**.
4. C'est bien **mieux**. / C'est bien mei**lleur**.
5. Elle le **peut**. / Elles le **peuvent**.
6. C'est l'**heure**. / Il est heu**reux**.
7. Je pense à tous **ceux** qui sont **seuls**.

PRÉCIS
de grammaire

Les noms

1. Le genre des noms

▶ D2 L5 p. 39

Parfois, la terminaison des noms indique le genre.

	Terminaisons	Exemples
Noms masculins	-ment	un dépaysement, un hébergement
	-age	un voyage, un tournage, un personnage
	-isme	le réalisme, le tourisme
Noms féminins	-té	la liberté, une activité
	-tion	une destination, une traduction
	-sion	une évasion, une immersion
	-ée	une traversée, une idée
	-ure	une aventure, la culture
	-ette	une mobylette, une fourchette

Attention ! Il existe quelques exceptions :

-age : **une** plage, **une** page, **une** cage, **une** image

-té : **un** côté, **un** été

-ée : **un** musée, **un** lycée

2. La nominalisation

Voir page 212.

Les pronoms

1. Le pronom sujet *on*

▶ D8 L6 p. 149

Le pronom on est toujours **sujet** de la phrase. Il se conjugue à la 3ᵉ personne du singulier.

On peut avoir trois valeurs différentes :

On = nous	*On a lu un extrait de ce livre en classe.*
On = quelqu'un	*J'étais à la maison quand on a sonné.*
On = les gens	*En France, on étudie ce livre à l'école.*

2. Les pronoms personnels compléments

▶ D1 L3 p. 17

On utilise les pronoms personnels compléments pour éviter une répétition.

Ils remplacent un complément d'objet direct (COD) ou indirect (COI).

	1ʳᵉ personne	2ᵉ personne	3ᵉ personne	
	COD/COI	COD/COI	COD	COI
Singulier	me (m')	te (t')	le, la, (l')	lui
Pluriel	nous	vous	les	leur
Les pronoms COD et COI se placent en général avant le verbe*.				

Attention ! À l'impératif affirmatif, le pronom se place après le verbe. *Regarde-le. Donne-lui.*

Emplois

On utilise **le pronom COD** pour remplacer une personne ou un objet.
- Il est le complément d'un verbe à construction directe :
  Regarder quelqu'un / Compléter quelque chose
- Il répond à la question « qui ? » ou « quoi ? ».
  *Tu **le** regardes. (Tu regardes qui ?)*
  *Tu **les** complètes. (Tu complètes quoi ?)*

On utilise le **pronom COI** pour remplacer une ou des personnes.
- Il est le complément d'un verbe à construction indirecte :
  *Donner à quelqu'un / Expliquer à quelqu'un : Le site **t'**explique tout.*
- Il répond à la question « à qui ? ».
  *Tu **lui** donnes ta ville de départ. (Tu donnes ta ville à qui ?)*

3. Les pronoms relatifs

▶ D1 L6 p. 23 / D5 L3 p. 89

On utilise les pronoms relatifs pour relier deux phrases entre elles, éviter la répétition d'un nom et donner des précisions.

	Fonction dans la seconde phrase	Exemples
QUI	remplace le sujet	*Ce sont souvent des gens. **Ces gens** aiment bien discuter.* → *Ce sont souvent des gens **qui** aiment bien discuter.*
QUE*	remplace le COD	*Je fais visiter des lieux. Les touristes aiment **ces lieux**.* → *Je fais visiter des lieux **que** les touristes aiment.*
À QUI	remplace le COI introduit par à	*Ce sont des gens. On peut parler **à ces gens**.* → *Ce sont des gens **à qui** on peut parler.* *Je suis un guide. Vous pouvez **me** poser des questions.* → *Je suis un guide **à qui** vous pouvez poser des questions.*
AVEC QUI	remplace le complément d'objet indirect introduit par avec	*Il y a des gens. On peut discuter **avec ces gens**.* → *Il y a des gens **avec qui** on peut discuter.*
DONT	remplace un complément introduit par de	*Le conseiller est un intermédiaire. Les habitants ont besoin **de cet intermédiaire**.* → *Le conseiller est un intermédiaire **dont** les habitants ont besoin.*
OÙ	remplace un complément de lieu	*Dans le quartier, il y a des zones. Les habitants ont de gros problèmes **dans ces zones**.* → *Dans le quartier, il y a des zones **où** les habitants ont de gros problèmes.*

Attention ! *Que* devient *qu'* devant une voyelle ou un h muet.

4. La mise en relief

▶ D2 L4 p. 37 / D4 L2 p. 69

Il est possible de souligner et mettre en relief un élément de la phrase.
C'est ... qui pour mettre en relief le sujet :
*L'escalade, **c'est** une expérience unique **qui** vous fera découvrir des sites magnifiques.*

C'est ... que pour mettre en relief le complément d'objet direct (COD) :
*Le canyoning, **c'est** la découverte de lieux magiques **que** vous n'oublierez jamais !*

Ce qui / ce que ... c'est / ce sont pour mettre en relief un élément de la phrase :
*Ce qui a été fantastique, **c'est** ma rencontre avec Ira Losco !*
*Ce que j'aime particulièrement, **ce sont** les vacances !*

Attention ! Dans *ce qui / ce que*, « ce » signifie « la chose qui », « la chose que ».

5. Les pronoms interrogatifs

▶ D4 L3 p. 70

On utilise un pronom interrogatif pour demander une information ou une précision.

	Singulier	Pluriel
Masculin	lequel	lesquels
Féminin	laquelle	lesquelles

J'ai regardé un film hier. → **Lequel** ? *(Quel film ?)*
Visite cette ville. → **Laquelle** ? *(Quelle ville ?)*
Il a appris plusieurs poèmes. → **Lesquels** ? *(Quels poèmes ?)*
Vous allez adorer ces photos ! → **Lesquelles** ? *(Quelles photos ?)*

6. Les pronoms démonstratifs

▶ D5 L5 p. 93

On utilise un pronom démonstratif pour donner des précisions.

	Masculin	Féminin
Singulier	celui	celle
Pluriel	ceux	celles

Attention ! Pour désigner une chose ou une personne,
le pronom démonstratif est suivi de *–ci* ou *–là*.
Je voudrais une robe noire. → **Celle-ci** ou **celle-là** ?

Les pronoms démonstratifs sont obligatoirement suivis par la préposition **de** ou par un pronom relatif.
*Nous voyageons dans les pays francophones, comme **celui d'**Amar, le Maroc.*
*Il y a beaucoup de francophiles, pas seulement **ceux qui** ont fait des études en France.*
*Les associations sont nombreuses. **Celles que** je connais sont excellentes.*

7. Les pronoms possessifs

▶ D6 L5 p. 111

On utilise un pronom possessif pour remplacer un nom précédé d'un adjectif possessif et éviter une répétition.

Possesseur	Objet possédé			
	Singulier		Pluriel	
	Masculin	Féminin	Masculin	Féminin
(je)	le mien	la mienne	les miens	les miennes
(tu)	le tien	la tienne	les tiens	les tiennes
(il/elle)	le sien	la sienne	les siens	les siennes
(nous)	le nôtre	la nôtre	les nôtres	
(vous)	le vôtre	la vôtre	les vôtres	
(ils/elles)	le leur	la leur	les leurs	

*Un parfum ? Je viens de finir **le mien** et ma coloc m'a proposé **le sien**.*
*Où achetez-vous vos crèmes ? J'achète **les miennes** en parapharmacie.*

8. Les pronoms *en* et *y*

▶ D1 L2 p. 15

EN

– remplace un COI introduit par de : *Ils n'ont pas besoin **de** visa.* → *Ils n'**en** ont pas besoin.*
– remplace un COD introduit par **un, une, des** ou **du, de la, des** (quantité déterminée ou indéterminée) :
  *Ce n'est pas toujours évident de trouver **du** travail.* → *Ce n'est pas toujours évident d'**en** trouver.*

Attention ! Si la quantité est déterminée, il faut la préciser après le verbe.
  *Je voudrais recevoir **un** cadeau.* → *Je voudrais **en** recevoir **un**.*

Y

– remplace un COI introduit par à :
  *Vous vous êtes déjà inscrit **à** l'université ?* → *Vous vous **y** êtes déjà inscrit ?*
– remplace un complément de lieu introduit par *chez, dans, en*, etc. :
  *Ce soir, je vais **chez** Mathilde.* → *Ce soir, j'**y** vais.*

Attention ! En général, les pronoms *y* et *en* se placent devant le verbe (avec un temps simple) ou devant l'auxiliaire (avec un temps composé).
*Vous vous **y** êtes déjà inscrit ? Vous **en** avez rêvé ?*

9. Les pronoms indéfinis

▶ D6 L3 p. 107

	Sens positif	Sens négatif	Fonction
Humains	quelqu'un	ne … personne ne … aucun(e)	sujet (personne / aucun / rien … ne)
Choses	quelque chose	ne … rien ne … aucun	ou complément (ne … personne / aucun / rien)
Lieux	quelque part partout	ne … nulle part	complément

*J'attends **quelqu'un**. ≠ Je n'attends **personne**. Je n'attends **aucun** de mes amis.*
***Quelqu'un** arrive. ≠ **Personne** n'arrive. **Aucun** de mes amis n'arrive.*

*Je lis **quelque chose**. ≠ Je **ne** lis **rien**. Je **ne** lis **aucun** journal français.*
***Quelque chose** est réparé. ≠ **Rien** n'est réparé. **Aucun** objet n'est réparé.*

*La rencontre est **quelque part**. Je vais **partout**. ≠ La rencontre n'est **nulle part**.*

Les adjectifs

Les adjectifs indéfinis

▶ D3 L6 p. 59

On utilise un adjectif indéfini pour exprimer ou préciser la quantité :
– **tout/tous/toutes/tout** pour exprimer la totalité.
  *Je peux travailler dans **tous** les pays du monde.*
  *Je conseille de saisir **toutes** les occasions qui se présentent.*

– **quelques** pour exprimer un nombre indéterminé mais peu élevé. *Comment gagner sa vie et passer **quelques** mois au soleil ? Voici **quelques** solutions !*

– **plusieurs** pour exprimer un nombre indéterminé supérieur à **quelques**. *Je présente aussi **plusieurs** études scientifiques.*

La comparaison

1. Les comparatifs

▶ D1 L1 p. 13

La comparaison peut porter sur une quantité (avec un nom ou un verbe) ou sur une qualité (avec un adjectif ou un adverbe).

	Avec un nom	Avec un verbe	Avec un adjectif	Avec un adverbe
+	**plus de** + nom *Il y a **plus de** soleil.*	verbe + **plus** *J'étudie **plus**.*	**plus** + adjectif* *C'est **plus** sympa.*	**plus** + adverbe** *Il va **plus** loin.*
=	**autant de** + nom *J'ai **autant de** travail.*	verbe + **autant** *Il travaille **autant**.*	**aussi** + adjectif *Il est **aussi** timide.*	**aussi** + adverbe *Je parle **aussi** bien.*
−	**moins de** + nom *Il y a **moins de** pluie.*	verbe + **moins** *Je dors **moins**.*	**moins** + adjectif *C'est **moins** sympa.*	**moins** + adverbe *J'y vais **moins** souvent.*

* L'adjectif *bon(ne)* ne s'utilise pas avec le comparatif *plus*.
  On utilise *meilleur(e)* qui s'accorde en genre et en nombre avec le nom :
  *J'ai une **meilleure** idée ! Il a de **meilleurs** résultats que moi.*

** L'adverbe *bien* ne s'utilise pas avec le comparatif *plus*. On utilise *mieux*.
  *Elle parle **mieux** polonais que français.*

Si le comparant est précisé, il est précédé de *que*.
Gabriel court aussi vite **que** *Suzanne.*
Attention ! *Il y a* **plus de** *soleil* **que de** *pluie.*

2. Les superlatifs

▶ D4 L4 p. 73

	+	−
Avec un nom	**le plus de** + nom *La Chine offre* **le plus de** *festivals.*	**le moins de** + nom *Ce film a* **le moins de** *succès.*
Avec un verbe	verbe + **le plus** *Le romantisme plaît* **le plus.**	verbe + **le moins** *C'est le film qu'il aime* **le moins.**
Avec un adjectif	**le/la/les plus** + adjectif *Ce sont* **les plus** *connus.*	**le/la/les moins** + adjectif *C'est* **la moins** *célèbre.*
Avec un adverbe	**le plus** + adverbe *Ils sortent* **le plus** *souvent pour voir de la danse.*	**le moins** + adverbe *L'exposition dure* **le moins** *longtemps.*

Attention ! Le superlatif de **bon(ne)(s)** est **le/la/les meilleur(e)(s)**.
On pensait être **les meilleurs** *musiciens.*
Le superlatif de *bien* est *le mieux* : *De tous les étudiants, il écrit* **le mieux.**

Les adverbes

1. Les types d'adverbes

▶ D1 L5 p. 21 / D3 L3 p. 53 / D4 L1 p. 67

On utilise un adverbe pour donner une information supplémentaire : l'adverbe nuance ou précise.
C'est un mot invariable. Il peut caractériser un verbe, un adjectif ou un autre adverbe.

Adverbes de manière	Adverbes de temps, de fréquence	Adverbes de quantité, d'intensité	Adverbes de lieu
bien, mal, mieux, vite Les adverbes en −ment : gratuitement, facilement…	jamais, rarement, parfois, souvent, toujours	peu, assez, plutôt, très, beaucoup, trop	ici, là, derrière, devant, sur, sous, partout, nulle part…

2. La formation des adverbes en −ment

▶ D3 L3 p. 53

Formation de l'adverbe	Exemples
En général : adjectif au féminin singulier + −*ment*	actuelle**ment**, douce**ment**, lente**ment**
Si l'adjectif au masculin se termine par une voyelle : adjectif au masculin singulier + −*ment*	absolu**ment**, vrai**ment**, poli**ment**
Si l'adjectif au masculin se termine par −*ent* ou −*ant* : −*emment* ou −*amment*	évid**emment**, suffis**amment**

3. La place de l'adverbe

▶ D4 L1 p. 67

Les adverbes se placent :

— **après le verbe** avec une forme verbale simple :
C'était **vraiment** *fantastique ! Je suis* **réellement** *très heureuse !*

— **entre l'auxiliaire et le participe passé** avec une forme verbale composée :
Je me suis **immédiatement** *imaginée jouer ce rôle. Le scénario m'a* **beaucoup** *plu.*

– **devant un adjectif** : *Ce restaurant est **plutôt** agréable.*

– **devant un autre adverbe** : *Cette personne parle **trop** vite !*

Les marqueurs temporels

▶ D2 L6 p. 41 / D6 L6 p. 113 / D7 L2 p. 123 / D7 L3 p. 125

Pour indiquer une heure	**à**	*La classe commence **à** 9 heures.*
Pour indiquer un mois, une année	**en**	*Mon fils est né **en** mars, **en** 2015.*
Pour indiquer l'origine d'un événement qui continue au moment où l'on parle	**depuis**	*J'habite à Paris **depuis** deux ans.*
Pour indiquer une durée complète	**pendant**	*J'y suis restée **pendant** un an.*
Pour situer un événement passé par rapport au moment présent	**il y a**	*Je suis rentré en France **il y a** un an.*
Pour exprimer un événement futur	**dans**	*Je vais ouvrir mon agence **dans** 1 an.*
Pour indiquer une période	**dans les années**	*Je suis né **dans les années** 1900.*
Pour indiquer l'âge	**à l'âge de**	*À l'âge de 10 ans, j'allais à l'école.*
Pour préciser la chronologie d'une série d'événements	**… jours/mois/ ans plus tard** **la même année** **après** **puis** **… ans ont passé**	***Deux mois plus tard**, je travaillais.* ***La même année**, j'ai étudié l'anglais.* ***Après** mes études, je suis allé à Nice.* ***Puis** j'ai déménagé.* ***10 ans ont passé** et j'habite depuis à Londres.*

Les verbes

1. Le présent de l'indicatif (voir tableau de conjugaison p. 214)

▶ D6 L1 p. 103

On utilise le présent de l'indicatif pour parler de faits actuels et d'habitudes.

Pour conjuguer les verbes au présent de l'indicatif, il faut :

– identifier la base du verbe (un verbe peut avoir une ou plusieurs bases) ;

– ajouter les terminaisons.

Attention ! L'orthographe de certains verbes change en fonction de leur terminaison à l'infinitif.

	-cer	-ger	-yer	-ayer
je/j'	rin**ce**	mélan**ge**	ess**uie**	bal**aie**
tu	rin**ces**	mélan**ges**	ess**uies**	bal**aies**
il/elle	rin**ce**	mélan**ge**	ess**uie**	bal**aie**
nous	rin**çons**	mélan**geons**	ess**uyons**	bal**ayons**
vous	rin**cez**	mélan**gez**	ess**uyez**	bal**ayez**
ils/elles	rin**cent**	mélan**gent**	ess**uient**	bal**aient**

Pour obtenir le son /s/, on écrit **c** devant **e, é, è, ê, i, y** et **ç** devant **a, o, u**.

Pour obtenir le son /ʒ/, on écrit **g** devant **e, é, è, ê, i, y** et **ge** devant **a, o, u**.

Avec les verbes en *–oyer* et en *–uyer*, le *y* du radical se remplace par un *i* devant les terminaisons *e, es, ent*.
Pour la conjugaison des verbes en *–ayer* (exemples : *payer, balayer*), deux possibilités :
– *y* avec toutes les personnes : *je balaye, tu balayes, nous balayons*, etc.
– *i* devant les terminaisons *e, es, ent* : *je paie, tu paies, il paie, ils paient*.

2. Le présent continu : *être* au présent + *en train de* + action à l'infinitif ► D5 L6 p. 95

On utilise le présent continu pour exprimer une action en cours de réalisation au moment où on parle.
Je suis en train de découvrir un nouveau monde. Tu es en train de préparer tes bagages.

3. Le futur proche : *aller* au présent + action à l'infinitif ► D5 L6 p. 94

On utilise **le futur proche** pour exprimer des actions dans le futur immédiat.
Nous allons ouvrir un centre d'accueil. Ils vont rentrer chez eux bientôt.

4. Le passé récent : *venir* au présent + *de* + action à l'infinitif ► D5 L6 p. 94

On utilise **le passé récent** pour exprimer des actions dans un passé immédiat, juste avant le moment où on parle.
Je viens de rentrer dans l'avion. Nous venons d'accueillir des bénévoles canadiens.

5. Le passé composé : auxiliaire *avoir* ou *être* au présent + participe passé

► D2 L3 p. 35

On utilise le passé composé pour raconter des faits, des événements passés.
La majorité des verbes utilisent l'auxiliaire **avoir**.

Attention ! Tous les verbes pronominaux se conjuguent avec **être**.
Les 15 verbes suivants se conjuguent aussi avec **être** : *naître, mourir, devenir, arriver, partir, entrer, sortir, rester, passer, retourner, monter, descendre, tomber, aller, venir.*
*J'ai **découvert** le fromage suisse. Nous **avons déjeuné**. Nous **avons visité** le musée.*
*Je **suis partie**. Je **me suis assise**. Nous **sommes arrivés** à Montreux.*

6. Le participe passé ► D2 L1 p. 31 / D6 L4 p. 109

En règle générale, le participe passé des verbes en *–er* se termine par *–é* :
parler → parlé ; aimer → aimé ; jouer → joué ; regarder → regardé ; préparer → préparé
En règle générale, le participe passé des verbes en *–ir* se termine par *–i* :
finir → fini ; sortir → sorti ; dormir → dormi ; partir → parti ; réunir → réuni
Les autres participes passés peuvent se terminer par :

–u	*lire → lu ; voir → vu ; boire → bu ; devoir → dû ; savoir → su ; vivre → vécu ; plaire → plu* *venir → venu ; revenir → revenu ; devenir → devenu*
–i	*rire → ri ; suivre → suivi ; poursuivre → poursuivi*
–is	*prendre → pris ; apprendre → appris ; comprendre → compris* *mettre → mis ; s'asseoir → assis*
–t	*faire → fait ; écrire → écrit ; dire → dit*
Autres formes irrégulières	*découvrir → découvert ; ouvrir → ouvert ; offrir → offert* *avoir → eu ; être → été ; mourir → mort ; naître → né*

Attention ! Avec l'auxiliaire **être**, le participe passé s'accorde toujours avec le sujet.
*Je me suis **assise** confortablement. Mathilde est **arrivée** à l'école. Ils sont **venus** chez moi.*

Attention ! Avec l'auxiliaire *avoir*, le participe passé ne s'accorde jamais avec le sujet.
Il s'accorde avec le **complément d'objet direct** (s'il est placé **avant** le verbe).
Les Mexicains ont adoré **les crayons à papier**. → Les Mexicains **les** ont adoré**s**.
Les Japonais ont acheté **Sophie la girafe**. → Les Japonais **l'**ont acheté**e**.

7. Le passé composé et l'imparfait

▶ D2 L3 p. 35 / D7 L1 p. 121

On utilise le passé composé pour :

raconter des faits, des événements	Arnaud **est arrivé** en juillet dernier.
parler d'une succession d'actions	Je leur **ai raconté** la vie à Bogota : ils **ont changé** d'avis.

On utilise l'imparfait pour :

décrire les circonstances de la situation (lieu, date, heure…)	C'était en 2012, je **rencontrais** le public universitaire français pour la 1re fois.
les émotions ou les sentiments	J'**étais** très émue. Il **se sentait** triste. J'**étais** très content de faire la visite.
les habitudes	Nous **parlions** souvent espagnol.

8. Le plus-que-parfait : auxiliaire *avoir* ou *être* à l'imparfait + participe passé

▶ D3 L5 p. 57 / D7 L1 p. 121

On utilise le plus-que-parfait pour parler d'une action antérieure à une autre action au passé.
J'ai fait un master à l'université de Sherbrooke. Je n'**étais** jamais **allée** au Canada.
Il a obtenu un diplôme à Winnipeg. Auparavant, il **avait fait** des études à Hanoï.

9. Le gérondif

▶ D8 L3 p. 143

Formation
Pour former le gérondif, on utilise :
en + la base de la 1re personne du pluriel du présent + **–ant**
faire au présent : *nous **fais**ons → en **fais**ant*
changer au présent : *nous **change**ons → en **change**ant*

Attention ! Trois verbes sont irréguliers : *être → en **ét**ant ; avoir → en **ay**ant ; savoir → en **sach**ant*

Emplois
On utilise le gérondif pour donner des précisions sur la manière. (comment ?)
Le gérondif précise une action simultanée à celle donnée par le verbe principal. Le sujet des deux verbes est identique.
*Je défends les animaux **en faisant** des dons aux associations.* (Comment ?)

10. Le conditionnel présent

▶ D4 L6 p. 77 / D8 L4 p. 145

Pour former le conditionnel présent, on utilise :

le verbe à l'infinitif		→ la base du futur simple		+ les terminaisons de l'imparfait		= conditionnel présent	
aimer	boire	j'**aimer**ai	je **boir**ai	-**ais**	-**ions**	j'aimer**ais**	nous boir**ions**
vouloir	mettre	je **voudr**ai	je **mettr**ai	-**ais**	-**iez**	tu voudr**ais**	vous mettr**iez**
devoir	être	je **devr**ai	je **ser**ai	-**ait**	-**aient**	il devr**ait**	ils ser**aient**

On utilise le conditionnel présent pour :

– **exprimer un souhait** (avec les verbes *souhaiter*, *aimer* et *vouloir*).
Nous **souhaiterions** travailler. On **aimerait** connaître le même succès. Elle **voudrait** rire.
– **donner un conseil** (avec les verbes *devoir* et *falloir*).
Nous **devrions** aller les voir. Il **faudrait** signaler que tous les spectacles ne sont pas bons.
– **faire des suggestions** (avec les verbes *pouvoir*, *falloir*…).
On **pourrait** aller à la médiathèque. Il **faudrait** supprimer les affiches qui polluent l'esprit.

11. Le subjonctif présent
▶ D2 L2 p. 33 / D8 L5 p. 147

Formation : le subjonctif présent est toujours précédé de *que*.

bases du présent	+ terminaisons		= subjonctif présent	
ils **prenn**ent	**-e**	**-e**	que je **prenne**	qu'il/qu'elle **prenne**
	-es	**-ent**	que tu **prennes**	qu'ils/qu'elles **prennent**
nous **pren**ons	**-ions**		que nous **prenions***	
	-iez		que vous **preniez**	

* Pour *nous* et *vous*, la conjugaison du subjonctif est identique à celle de l'imparfait.

Attention ! être → que je sois, que tu sois, qu'il soit, que nous soyons, que vous soyez, qu'ils soient
avoir → que j'aie, que tu aies, qu'il ait, que nous ayons, que vous ayez, qu'ils aient
aller → que j'aille, que tu ailles, qu'il aille, que nous allions, que vous alliez, qu'ils aillent
pouvoir → que je puisse, que tu puisses, qu'il puisse, que nous puissions, que vous puissiez, qu'ils puissent

Emplois

Pour exprimer l'obligation	*Il faut que* + verbe au subjonctif présent	*Il faut que j'**aille** chez le docteur.*
Pour exprimer l'interdiction	*Il (ne) faut pas que* + verbe au subjonctif présent	*Il ne faut pas que vous **fumiez** dans les lieux publics.*
Pour donner un conseil	*Il (ne) faut (pas) que* + verbe au subjonctif présent	*Il ne faut pas que tu **te mettes** à courir.* *Il faut que tu **lises** plus.*
Pour exprimer des souhaits	*Il faudrait que / souhaiter que / vouloir que* + verbe au subjonctif présent*	*Il faudrait qu'on **crée** une nouvelle campagne.* *Je souhaite qu'elle **soit** en bonne santé.* *Nous voudrions qu'ils **comprennent** que le corail est nécessaire.*

*Attention ! On utilise le subjonctif présent après les verbes *souhaiter* et *vouloir* uniquement quand les deux sujets de la phrase sont différents.
Si les deux sujets sont identiques, on utilise l'infinitif. *Je souhaite **trouver** du travail.*

Attention ! Pour exprimer **un espoir** :
On utilise l'expression *avoir l'espoir de* + infinitif ou *espérer que* + indicatif.
*Yan Coquet **a l'espoir de sauver** le lagon.*
*Yan Coquet **espère que** le lagon **sera** protégé.*

L'expression de l'hypothèse
▶ D3 L4 p. 55 / D6 L3 p. 107

Pour donner un conseil dans une situation éventuelle :

On utilise **si** + verbe au présent, verbe au présent ou à l'impératif.
Le conseil se trouve dans la deuxième partie de la phrase.
*Si vous **voulez** trouver un stage, on vous **conseille** la lettre de motivation Twitter.*
*Si vous **voulez** qu'on vous remarque, n'**hésitez** pas à être créatif.*

Pour indiquer une conséquence dans une situation éventuelle :

On utilise *si* + verbe au présent, verbe au futur simple.

La conséquence se trouve dans la deuxième partie de la phrase.

*Si tu **veux** obtenir le job de tes rêves, il **faudra** rédiger une lettre de motivation.*

Pour formuler une proposition, une suggestion :

On utilise *si* + imparfait dans une phrase interrogative.

*Et **si on arrêtait** de gaspiller ? **Si on faisait** réparer ses objets pour ne plus rien jeter ?*

La construction du discours

► D3 L2 p. 51

Introduire un message	tout d'abord	*Tout d'abord, j'ai fait mes études secondaires en Thaïlande.*
Organiser chronologiquement des informations	*après* *puis* *ensuite*	***Après** mon baccalauréat, je suis allée en France.* ***Puis**, j'ai obtenu un BTS dans ce domaine.* *J'ai **ensuite** travaillé dans un hôtel.*
Ajouter une information	*de plus*	***De plus**, j'ai suivi une formation d'aide médicale.*
Conclure	*enfin* *pour conclure*	***Enfin**, je sais faire preuve de qualités humaines.* ***Pour conclure**, je précise habiter à Koh Samui.*

Les rapports temporels

► D6 L6 p. 113

Quand on veut indiquer la chronologie dans une suite de faits et d'actions :

– on utilise *après* + verbe à l'infinitif passé* pour exprimer **la postériorité** d'une action par rapport à une autre.

   ***Après avoir été** une simple boutique, leur magasin est désormais un concept original.*

   *On forme l'infinitif passé avec *avoir* ou *être* + le participe passé du verbe.

– on utilise *avant de* + verbe à l'infinitif pour exprimer **l'antériorité** d'une action par rapport à une autre.

   ***Avant d'ouvrir** sa boutique, il vendait sur Internet des objets trouvés dans les brocantes.*

Les transformations de la phrase

1. La forme interrogative

► D3 L6 p. 58 / D4 L5 p. 75

	Français familier	Français standard	Français soutenu
Questions fermées	***Tu lis** souvent ?*	***Est-ce que tu lis** souvent ?*	***Lis-tu** souvent ?*
Questions ouvertes	*Vous venez **comment** ?* ***Pourquoi** vous avez choisi notre offre ?* *Tu mets **quoi** comme nom ?*	***Comment est-ce que** vous venez ?* ***Pourquoi est-ce que** vous avez choisi notre offre ?* ***Qu'est-ce que** tu mets comme nom ?*	***Comment venez-vous** ?* ***Pourquoi avez-vous** choisi notre offre ?* ***Que mets-tu** comme nom ?*

Attention ! À l'écrit ou en situation formelle, on ajoute un **t** dans une question inversée **pour faciliter la prononciation entre deux voyelles** (le verbe se termine par une voyelle et le pronom sujet commence par une voyelle).

   ***Parle-t-il** français ?*

   *Pourquoi **parle-t-on** de spécificités françaises dans le domaine de la BD ?*

   *La France **a-t-elle** le monopole de la bande dessinée ?*

2. Le passif

▶ D8 L1 p. 139

Emplois

Le passif (ou forme / voix passive) est utilisé pour mettre en valeur un élément.
Il se différencie de la forme (voix) active.
– Forme active (l'action est réalisée par le sujet) : *On a surtitré la pièce en anglais.*
– Forme passive (l'action n'est pas réalisée par le sujet) : *La pièce a été surtitrée en anglais.*

Pour transformer une phrase active à la forme passive, il faut une construction directe :
– le sujet de la phrase active devient le complément (d'agent) de la phrase passive ;
– le COD de la phrase active devient le sujet de la phrase passive.

Forme active : ***Cette pièce** a marqué **l'année théâtrale** à Sydney.*
           sujet   COD

Forme passive : ***L'année théâtrale** a été marquée **par cette pièce**.*
           sujet   complément d'agent

Le complément d'agent est introduit par la préposition *par*.

Attention ! Si l'auteur de l'action n'est pas connu ou si le contexte est évident, on ne précise pas le complément d'agent.
Un homme a été tué. La loi a été votée hier.

Formation

Le verbe *être* (conjugué au même temps que le verbe de la forme active) + le participe passé du verbe.

Attention ! Le participe passé s'accorde avec le sujet.
*Cette « petite » voiture **a été honorée** par la presse.*
*La Twingo française **vient d'être adoptée** par le Musée national d'Australie.*
*Le film **sera projeté** dans les salles de cinéma au mois de juin.*

3. La nominalisation

▶ D8 L2 p. 141

La nominalisation consiste à utiliser un nom plutôt qu'un verbe pour mettre en avant une information.
Ce procédé est beaucoup utilisé dans la presse.

Attention ! Dans une phrase nominalisée, le nom est souvent suivi de la préposition *de*.
*Un appartement a été cambriolé. → **Cambriolage** d'un appartement.*
*Son maître est soulagé. → **Soulagement de** son maître.*

4. La mise en relief

▶ D2 L4 p. 37 / D4 L2 p. 69

Pour mettre en valeur le sujet : ***c'est … qui***
*C'est un pays **qui** est formidable. **Ce sont** des cultures **qui** sont très différentes.*

Pour mettre en valeur le complément : ***c'est … que***
*C'est un pays **que** j'adore. **Ce sont** des cultures **que** je connais.*

Pour mettre en valeur un idée : **ce … qui, c'est / ce que …, c'est**
*Ce qui est fantastique, **c'est** ma rencontre avec Ira Losco !*
*Ce que j'aime particulièrement, **c'est** la découverte de l'inconnu !*

5. Le discours indirect

▶ D5 L2 p. 87

On utilise le discours indirect pour rapporter des propos. Il faut faire attention aux termes introducteurs et changer les pronoms utilisés si nécessaire.

Discours direct	Discours indirect
Affirmations : « *Cette activité est difficile.* » « Le français est important. »	*dire / expliquer que …* → **Il nous dit que** cette activité est difficile. → **Il t'explique que** le français est important.
Questions fermées : « (Est-ce que) tout va bien ? »	*demander si …* → **Il nous demande si** tout va bien.
Questions ouvertes : « *Quelles sont vos qualités ?* » « *Comment sont les Français ?* »	*demander + mot interrogatif …* → **Il nous demande quelles** sont nos qualités. → **Il me demande comment** sont les Français.
Questions « qu'est-ce que … » : « *Qu'est-ce que vous faites dans la vie ?* »	*demander + ce que …* **Il nous demande ce qu'**on fait dans la vie.
Demandes, invitations, reproches : « *Parlez-moi de vous !* » « *Venez chez moi !* » « *Tu donnes trop souvent ton avis !* »	*demander, proposer, reprocher + de + verbe à l'infinitif* **Il nous demande de** lui parler de nous. **Il nous propose de** venir chez lui. **Il me reproche de** trop souvent donner mon avis.

PRÉCIS

de conjugaison

	Présent	Passé composé	Imparfait	Futur
Être	je suis tu es il/elle/on est nous sommes vous êtes ils/elles sont	j'ai été tu as été il/elle/on a été nous avons été vous avez été ils/elles ont été	j'étais tu étais il/elle/on était nous étions vous étiez ils/elles étaient	je serai tu seras il/elle/on sera nous serons vous serez ils/elles seront
Avoir	j'ai tu as il/elle/on a nous avons vous avez ils/elles ont	j'ai eu tu as eu il/elle/on a eu nous avons eu vous avez eu ils/elles ont eu	j'avais tu avais il/elle/on avait nous avions vous aviez ils/elles avaient	j'aurai tu auras il/elle/on aura nous aurons vous aurez ils/elles auront
Aller	je vais tu vas il/elle/on va nous allons vous allez ils/elles vont	je suis allé(e) tu es allé(e) il/elle/on est allé(e) nous sommes allé(e)s vous êtes allé(e)s ils/elles sont allé(e)s	j'allais tu allais il/elle/on allait nous allions vous alliez ils/elles allaient	j'irai tu iras il/elle/on ira nous irons vous irez ils/elles iront
Pouvoir	je peux tu peux il/elle/on peut nous pouvons vous pouvez ils/elles peuvent	j'ai pu tu as pu il/elle/on a pu nous avons pu vous avez pu ils/elles ont pu	je pouvais tu pouvais il/elle/on pouvait nous pouvions vous pouviez ils/elles pouvaient	je pourrai tu pourras il/elle/on pourra nous pourrons vous pourrez ils/elles pourront
Devoir	je dois tu dois il/elle/on doit nous devons vous devez ils/elles doivent	j'ai dû tu as dû il/elle/on a dû nous avons dû vous avez dû ils/elles ont dû	je devais tu devais il/elle/on devait nous devions vous deviez ils/elles devaient	je devrai tu devras il/elle/on devra nous devrons vous devrez ils/elles devront
Vouloir	je veux tu veux il/elle/on veut nous voulons vous voulez ils/elles veulent	j'ai voulu tu as voulu il/elle/on a voulu nous avons voulu vous avez voulu ils/elles ont voulu	je voulais tu voulais il/elle/on voulait nous voulions vous vouliez ils/elles voulaient	je voudrai tu voudras il/elle/on voudra nous voudrons vous voudrez ils/elles voudront
Faire	je fais tu fais il/elle/on fait nous faisons vous faites ils/elles font	j'ai fait tu as fait il/elle/on a fait nous avons fait vous avez fait ils/elles ont fait	je faisais tu faisais il/elle/on faisait nous faisions vous faisiez ils/elles faisaient	je ferai tu feras il/elle/on fera nous ferons vous ferez ils/elles feront
Prendre	je prends tu prends il/elle/on prend nous prenons vous prenez ils/elles prennent	j'ai pris tu as pris il/elle/on a pris nous avons pris vous avez pris ils/elles ont pris	je prenais tu prenais il/elle/on prenait nous prenions vous preniez ils/elles prenaient	je prendrai tu prendras il/elle/on prendra nous prendrons vous prendrez ils/elles prendront

Impératif	Plus-que-parfait	Subjonctif présent	Conditionnel présent
sois soyons soyez	j'avais été tu avais été il/elle/on avait été nous avions été vous aviez été ils/elles avaient été	que je sois que tu sois qu'il/elle/on soit que nous soyons que vous soyez qu'ils/elles soient	je serais tu serais il/elle/on serait nous serions vous seriez ils/elles seraient
aie ayons ayez	j'avais eu tu avais eu il/elle/on avait eu nous avions eu vous aviez eu ils/elles avaient eu	que j'aie que tu aies qu'il/elle/on ait que nous ayons que vous ayez qu'ils/elles aient	j'aurais tu aurais il/elle/on aurait nous aurions vous auriez ils/elles auraient
va allons allez	j'étais allé(e) tu étais allé(e) il/elle/on était allé(e) nous étions allé(e)s vous étiez allé(e)s ils/elles étaient allé(e)s	que j'aille que tu ailles qu'il/elle/on aille que nous allions que vous alliez qu'ils/elles aillent	j'irais tu irais il/elle/on irait nous irions vous iriez ils/elles iraient
	j'avais pu tu avais pu il/elle/on avait pu nous avions pu vous aviez pu ils/elles avaient pu	que je puisse que tu puisses qu'il/elle/on puisse que nous puissions que vous puissiez qu'ils/elles puissent	je pourrais tu pourrais il/elle/on pourrait nous pourrions vous pourriez ils/elles pourraient
dois devons devez	j'avais dû tu avais dû il/elle/on avait dû nous avions dû vous aviez dû ils/elles avaient dû	que je doive que tu doives qu'il/elle/on doive que nous devions que vous deviez qu'ils/elles doivent	je devrais tu devrais il/elle/on devrait nous devrions vous devriez ils/elles devraient
veux / veuille voulons voulez / veuillez	j'avais voulu tu avais voulu il/elle/on avait voulu nous avions voulu vous aviez voulu ils/elles avaient voulu	que je veuille que tu veuilles qu'il/elle/on veuille que nous voulions que vous vouliez qu'ils/elles veuillent	je voudrais tu voudrais il/elle/on voudrait nous voudrions vous voudriez ils/elles voudraient
fais faisons faites	j'avais fait tu avais fait il/elle/on avait fait nous avions fait vous aviez fait ils/elles avaient fait	que je fasse que tu fasses qu'il/elle/on fasse que nous fassions que vous fassiez qu'ils/elles fassent	je ferais tu ferais il/elle/on ferait nous ferions vous feriez ils/elles feraient
prends prenons prenez	j'avais pris tu avais pris il/elle/on avait pris nous avions pris vous aviez pris ils/elles avaient pris	que je prenne que tu prennes qu'il/elle/on prenne que nous prenions que vous preniez qu'ils/elles prennent	je prendrais tu prendrais il/elle/on prendrait nous prendrions vous prendriez ils/elles prendraient

	Présent	Passé composé	Imparfait	Futur
Venir	je viens tu viens il/elle/on vient nous venons vous venez ils/elles viennent	je suis venu(e) tu es venu(e) il/elle/on est venu(e) nous sommes venu(e)s vous êtes venu(e)s ils/elles sont venu(e)s	je venais tu venais il/elle/on venait nous venions vous veniez ils/elles venaient	je viendrai tu viendras il/elle/on viendra nous viendrons vous viendrez ils/elles viendront
Parler	je parle tu parles il/elle/on parle nous parlons vous parlez ils/elles parlent	j'ai parlé tu as parlé il/elle/on a parlé nous avons parlé vous avez parlé ils/elles ont parlé	je parlais tu parlais il/elle/on parlait nous parlions vous parliez ils/elles parlaient	je parlerai tu parleras il/elle/on parlera nous parlerons vous parlerez ils/elles parleront
Voir	je vois tu vois il/elle/on voit nous voyons vous voyez ils/elles voient	j'ai vu tu as vu il/elle/on a vu nous avons vu vous avez vu ils/elles ont vu	je voyais tu voyais il/elle/on voyait nous voyions vous voyiez ils/elles voyaient	je verrai tu verras il/elle/on verra nous verrons vous verrez ils/elles verront
Choisir	je choisis tu choisis il/elle/on choisit nous choisissons vous choisissez ils/elles choisissent	j'ai choisi tu as choisi il/elle/on a choisi nous avons choisi vous avez choisi ils/elles ont choisi	je choisissais tu choisissais il/elle/on choisissait nous choisissions vous choisissiez ils/elles choisissaient	je choisirai tu choisiras il/elle/on choisira nous choisirons vous choisirez ils/elles choisiront
Écrire	j'écris tu écris il/elle/on écrit nous écrivons vous écrivez ils/elles écrivent	j'ai écrit tu as écrit il/elle/on a écrit nous avons écrit vous avez écrit ils/elles ont écrit	j'écrivais tu écrivais il/elle/on écrivait nous écrivions vous écriviez ils/elles écrivaient	j'écrirai tu écriras il/elle/on écrira nous écrirons vous écrirez ils/elles écriront
Sortir	je sors tu sors il/elle/on sort nous sortons vous sortez ils/elles sortent	je suis sorti(e) tu es sorti(e) il/elle/on est sorti(e) nous sommes sorti(e)s vous êtes sorti(e)s ils/elles sont sorti(e)s	je sortais tu sortais il/elle/on sortait nous sortions vous sortiez ils/elles sortaient	je sortirai tu sortiras il/elle/on sortira nous sortirons vous sortirez ils/elles sortiront
Réfléchir	je réfléchis tu réfléchis il/elle/on réfléchit nous réfléchissons vous réfléchissez ils/elles réfléchissent	j'ai réfléchi tu as réfléchi il/elle/on a réfléchi nous avons réfléchi vous avez réfléchi ils/elles ont réfléchi	je réfléchissais tu réfléchissais il/elle/on réfléchissait nous réfléchissions vous réfléchissiez ils/elles réfléchissaient	je réfléchirai tu réfléchiras il/elle/on réfléchira nous réfléchirons vous réfléchirez ils/elles réfléchiront
Connaître	je connais tu connais il/elle/on connaît nous connaissons vous connaissez ils/elles connaissent	j'ai connu tu as connu il/elle/on a connu nous avons connu vous avez connu ils/elles ont connu	je connaissais tu connaissais il/elle/on connaissait nous connaissions vous connaissiez ils/elles connaissaient	je connaîtrai tu connaîtras il/elle/on connaîtra nous connaîtrons vous connaîtrez ils/elles connaîtront

Impératif	Plus-que-parfait	Subjonctif présent	Conditionnel présent
viens venons venez	j'étais venu(e) tu étais venu(e) il/elle/on était venu(e) nous étions venu(e)s vous étiez venu(e)s ils/elles étaient venu(e)s	que je vienne que tu viennes qu'il/elle/on vienne que nous venions que vous veniez qu'ils/elles viennent	je viendrais tu viendrais il/elle/on viendrait nous viendrions vous viendriez ils/elles viendraient
parle parlons parlez	j'avais parlé tu avais parlé il/elle/on avait parlé nous avions parlé vous aviez parlé ils/elles avaient parlé	que je parle que tu parles qu'il/elle/on parle que nous parlions que vous parliez qu'ils/elles parlent	je parlerais tu parlerais il/elle/on parlerait nous parlerions vous parleriez ils/elles parleraient
vois voyons voyez	j'avais vu tu avais vu il/elle/on avait vu nous avions vu vous aviez vu ils/elles avaient vu	que je voie que tu voies qu'il/elle/on voie que nous voyions que vous voyiez qu'ils/elles voient	je verrais tu verrais il/elle/on verrait nous verrions vous verriez ils/elles verraient
choisis choisissons choisissez	j'avais choisi tu avais choisi il/elle/on avait choisi nous avions choisi vous aviez choisi ils/elles avaient choisi	que je choisisse que tu choisisses qu'il/elle/on choisisse que nous choisissions que vous choisissiez qu'ils/elles choisissent	je choisirais tu choisirais il/elle/on choisirait nous choisirions vous choisiriez ils/elles choisiraient
écris écrivons écrivez	j'avais écrit tu avais écrit il/elle/on avait écrit nous avions écrit vous aviez écrit ils/elles avaient écrit	que j'écrive que tu écrives qu'il/elle/on écrive que nous écrivions que vous écriviez qu'ils/elles écrivent	j'écrirais tu écrirais il/elle/on écrirait nous écririons vous écririez ils/elles écriraient
sors sortons sortez	j'étais sorti(e) tu étais sorti(e) il/elle/on était sorti(e) nous étions sorti(e)s vous étiez sorti(e)s ils/elles étaient sorti(e)s	que je sorte que tu sortes qu'il/elle/on sorte que nous sortions que vous sortiez qu'ils/elles sortent	je sortirais tu sortirais il/elle/on sortirait nous sortirions vous sortiriez ils/elles sortiraient
réfléchis réfléchissons réfléchissez	j'avais réfléchi tu avais réfléchi il/elle/on avait réfléchi nous avions réfléchi vous aviez réfléchi ils/elles avaient réfléchi	que je réfléchisse que tu réfléchisses qu'il/elle/on réfléchisse que nous réfléchissions que vous réfléchissiez qu'ils/elles réfléchissent	je réfléchirais tu réfléchirais il/elle/on réfléchirait nous réfléchirions vous réfléchiriez ils/elles réfléchiraient
connais connaissons connaissez	j'avais connu tu avais connu il/elle/on avait connu nous avions connu vous aviez connu ils/elles avaient connu	que je connaisse que tu connaisses qu'il/elle/on connaisse que nous connaissions que vous connaissiez qu'ils/elles connaissent	je connaîtrais tu connaîtrais il/elle/on connaîtrait nous connaîtrions vous connaîtriez ils/elles connaîtraient

Carte de la France

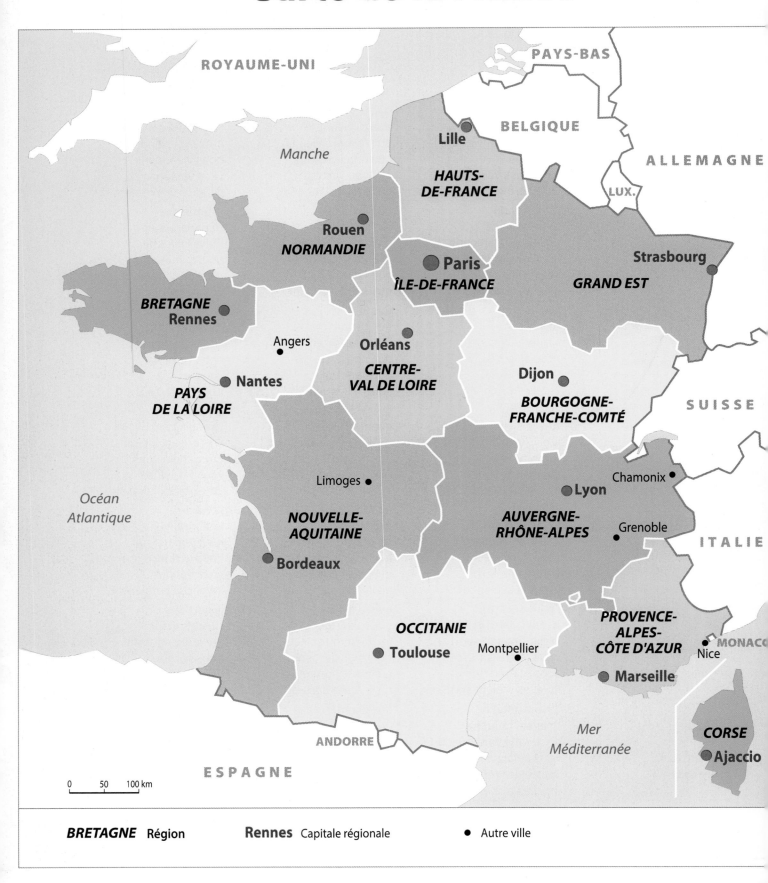

ROYAUME-UNI

PAYS-BAS

BELGIQUE

ALLEMAGNE

LUX.

Manche

Lille

**HAUTS-
DE-FRANCE**

Rouen

NORMANDIE

Paris

ÎLE-DE-FRANCE

Strasbourg

GRAND EST

BRETAGNE
Rennes

Angers

Orléans

**CENTRE-
VAL DE LOIRE**

Dijon

**BOURGOGNE-
FRANCHE-COMTÉ**

SUISSE

Nantes

**PAYS
DE LA LOIRE**

Océan
Atlantique

Limoges

Chamonix

Lyon

**NOUVELLE-
AQUITAINE**

**AUVERGNE-
RHÔNE-ALPES**

Grenoble

ITALIE

Bordeaux

OCCITANIE

**PROVENCE-
ALPES-
CÔTE D'AZUR**

MONACO

Nice

Toulouse

Montpellier

Marseille

ANDORRE

Mer
Méditerranée

CORSE
Ajaccio

ESPAGNE

0   50   100 km

BRETAGNE Région   **Rennes** Capitale régionale   • Autre ville

Carte de l'Europe

Pays de l'Union européenne

Autre pays d'Europe

* Le Royaume-Uni a voté par référendum sa sortie de l'Union européenne

Plan de Paris

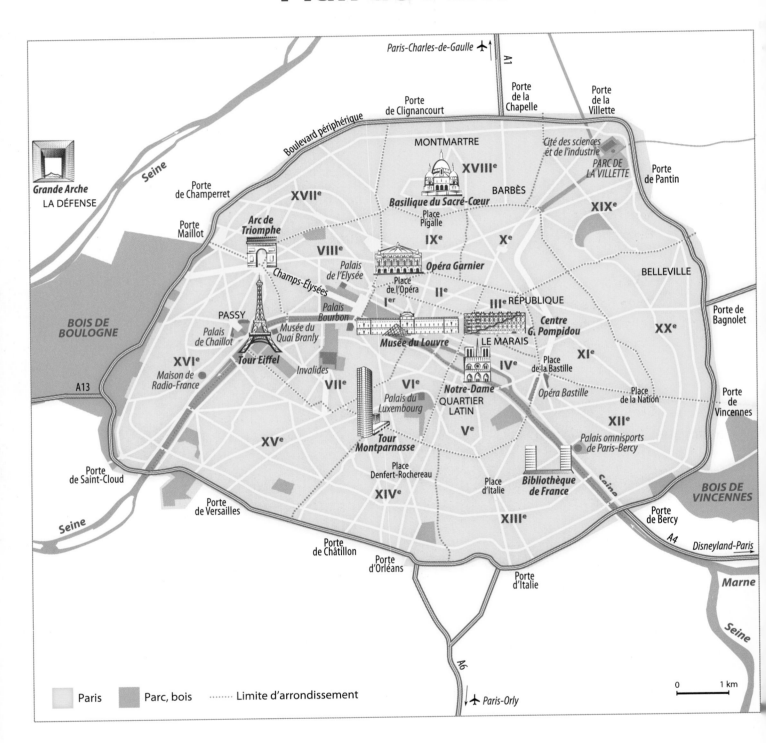

Paris-Charles-de-Gaulle ✈

A1

Porte de la Chapelle

Porte de la Villette

Grande Arche
LA DÉFENSE

Seine

Porte de Champerret

Porte Maillot

Boulevard périphérique

Porte de Clignancourt

MONTMARTRE

XVIIIe

Cité des sciences et de l'industrie

PARC DE LA VILLETTE

Porte de Pantin

XVIIe

Basilique du Sacré-Cœur

BARBÈS

XIXe

Arc de Triomphe

VIIIe

Palais de l'Élysée

Place Pigalle

IXe

Opéra Garnier

Place de l'Opéra

Xe

BELLEVILLE

Porte de Bagnolet

Champs-Élysées

IIe

IIIe RÉPUBLIQUE

PASSY

Palais Bourbon

Ier

Centre G. Pompidou

XXe

BOIS DE BOULOGNE

Palais de Chaillot

Musée du Quai Branly

Musée du Louvre

LE MARAIS

IVe

Place de la Bastille

XIe

XVIe

Tour Eiffel

Invalides

VIIe

Notre-Dame

QUARTIER LATIN

Opéra Bastille

Place de la Nation

Porte de Vincennes

A13

Maison de Radio-France

Palais du Luxembourg

VIe

Ve

XIIe

Palais omnisports de Paris-Bercy

Tour Montparnasse

Bibliothèque de France

BOIS DE VINCENNES

Porte de Saint-Cloud

XVe

Place Denfert-Rochereau

Place d'Italie

Seine

Porte de Bercy

Seine

Porte de Versailles

XIVe

XIIIe

A4

Disneyland-Paris →

Porte de Châtillon

Porte d'Orléans

Porte d'Italie

Marne

A6

Seine

✈ Paris-Orly

| Paris | Parc, bois | ·········· Limite d'arrondissement |

0   1 km

Remerciements

L'éditeur remercie les enseignants suivants :

COLOMBIE

Cédric Dupout, Leonardo Duran, Fernando Salgado Ribiero, Adélaïde Strzoda

ESPAGNE

Patricia Aldasoro, Michèle Berger, Enriqueta Cabra Luna,
Mercedes Castaño López, Sofía González, Marta Gracia,
Fernanda Ibáñez, Anna López, Noël Nkondock, Paloma Rey

FRANCE

Paule Boissard, Karine Bouchet, Julien Boureau, Carole Garcia,
Céline Himber, Meryem Idoubrahim, Julia Ligot, Stéphanie Rabin,
Florence Vacher, Nadine Vallejos

MAROC

Samuel Amor, Imane Bouteldja, Anne-Laure Clarisse, Abderrahim Jahid,
Maryline Laidin, Bryan Maillet, Marion Oudot, Natalie Pourchet, Julie Uny

MEXIQUE

Rosalva González, Annabel Juarez, Alicia Mendoza, Sabrina Miramontes

POLOGNE

Barbara Klimek, Mariola Paprzycka, Elżbieta Paniczek

Nathalie Hirschsprung remercie tout particulièrement Martine Stirman,
Anna Mubanga Beya et Adrien Berthier.

Tony Tricot remercie tout particulièrement Cécile Deville pour son soutien
inconditionnel.

Crédits